patalear
gorjeos
aderezada
asintir cansinamente
repantigado
enhebrandose
esguinces
desdeñable
sigilo
desmadrar
percatado
alopecia galopante

Novela

Biografía

Ángela Vallvey (San Lorenzo, Ciudad Real, 1964) reside actualmente en Ginebra (Suiza). Autora de las novelas *A la caza del último hombre salvaje* (1999) y *Vías de extinción* (2000), ha publicado varias novelas juveniles y tres libros de poesía, entre los que destacan *El tamaño del universo* (Premio Jaén de Poesía 1998) y *Extraños en el paraíso* (2001).

Ángela Vallvey
Los estados carenciales

parlanchina —chatty?

Premio Nadal 2002

Ediciones Destino

© Ángela Vallvey Arévalo, 2002
© Ediciones Destino, S. A., 2003
   Avinguda Diagonal 662, 6.ª planta. 08034 Barcelona (España)

Ilustración de la cubierta: Alicia Aguilera © Blanchón
Estilismo: Jaume Vidiella
Maquillaje: Isabel Ximenis
Modelos: María (Pequeño Poder) y Francesc
Vestuario: No Té Nom
Joyas:La Comercial (joyas de Elena Ronher y Scooter)
Agradecimientos a Joan Roig por prestar su casa
Primera edición en Colección Booket: marzo de 2003
Segunda edición: junio de 2003
Tercera edición: setiembre de 2003
Cuarta edición: diciembre de 2003

Depósito legal: B. 206-2004
ISBN: 84-233-3456-2
Impresión y encuadernación: Litografía Rosés, S. A.
Printed in Spain - Impreso en España

ÍNDICE

LA SUERTE DE LOS MORTALES

PRIMERA PARTE. Lo que representamos

SEGUNDA PARTE. Lo que tenemos

TERCERA PARTE. Lo que somos (Última odisea)

APÉNDICE

Para mi hija (Érika),
para mi marido (Jenaro),
para mis vecinos del 7.° (Mr. & Mme. Krozack)
y mi perro (Yeltsin),
a pesar de los cuales
he podido escribir esta novela...

¿Perdiste el imperio del mundo?
Consuélate, no era nada.
¿Ganaste el imperio del mundo?
No te alegres, que no es nada.
Pesares y dichas, todo pasa.
Todo pasa en el mundo, y no es nada.

(Del poema persa «Anvari soheili»,
citado por Schopenhauer en *La estética del pesimismo*)

Si el amor es la respuesta,
¿podría volver a plantear la pregunta, por favor?

LILY TOMLIN

... Si bien este libro es en realidad —como todos, al fin— para ti, lector, o lectora. Para ti que te has preguntado alguna vez: «¿Qué es la felicidad?», que tal vez buscas la felicidad, o piensas que no eres feliz.

Ten conciencia de tu fortuna, porque sin duda eres venturoso, aunque tú no lo sepas. Mira a tu alrededor para darte cuenta, hay mucho que descubrir. No creas que es difícil ser feliz en estos tiempos porque, los que ahora vivimos, no son peores que cualesquiera otros, pasados o por venir.

En la *Historia de las expediciones de Alejandro*, escribió Arriano que es propensión general de las felicidades humanas que ninguna deje de padecer el contratiempo de algún infortunio. ¿Te trastornan a ti tus conflictos, tus estados carenciales? ¿Y qué esperabas, no encontrar ninguno en tu camino?, ¿ser tú una excepción? ¿O tal vez sufres solamente porque sabes que, un día u otro, sufrirás? Y entonces, ¿no es absurdo sufrir ahora por tener que sufrir luego? Evita el dolor en tu camino, porque él sí que es «real», inicia con ánimo tu aprendizaje de la vida, pero no lo des jamás por concluido. Y disfruta de la lectura: parafraseando a Montaigne, éste es un libro de buena fe, lectora, lector.

LA SUERTE
DE LOS MORTALES

PRIMERA PARTE

LO QUE REPRESENTAMOS

ULISES LLEGA A LA ACADEMIA

*El prudente no aspira al placer, sino a la
ausencia del dolor.*

ARISTÓTELES, *Ética a Nicómaco*

Hay cosas que más vale no saber, y otras que es mejor
no olvidarlas. Eso fue lo que él pensó cuando acabó todo
aquello si es que algo acaba alguna vez.

Pero antes del desenlace, aquella tarde ya oscura de
septiembre en que comenzó a fraguarse una parte de su
destino, Ulises Acaty no meditaba sobre la memoria o el
olvido. Tenía casi treinta y siete años y un hijo pequeño. Estaba solo con el niño y algunas deudas, y prefería ocupar
su mente con otros temas menos abstractos.

El cielo se preparaba para recibir los meses más fríos
del año, y era ajeno a las pasiones humanas, como siempre.
La barroca Plaza Mayor del Madrid de los Austrias, llamada en otros tiempos Plaza del Arrabal, o de la Constitución,
ofrecía un aspecto decadente bajo el aterciopelado y moribundo sol del atardecer. En ese mismo espacio urbano, en
otros tiempos, confluyeron mendigos e hidalgos, pícaros y
magistrados, nobles damas de tez empolvada y sucias cria-

17

das de vestimentas raídas, alrededor de actos y celebraciones multitudinarias, desde bodas reales a autos de fe, desde procesiones a ejecuciones públicas. Ahora, la estatua de Felipe III estaba rodeada por una muchedumbre multicolor parecida. Turistas; pobres de necesidad sin techo ni suelo propios; parados de larga duración; ociosos remolones frente a los escaparates con sabor rancio de las tiendas de los soportales; ejecutivos, inmigrantes, adolescentes atolondrados, amas de casa, terroristas.

Miró con placer la fachada de la Casa de la Panadería, y se dijo que probablemente las cosas no habían cambiado demasiado desde los tiempos de Juan de Herrera. Aunque, eso sí, ahora todo era mucho más caro.

Ulises apresuró el paso, pero le resultaba difícil avanzar a buen ritmo teniendo que empujar el carrito con el bebé dentro.

«Le llamaremos Telémaco —dijo su mujer, sin vacilación ni rubor, cuando el niño nació y comenzó el fin de los buenos tiempos—. No es un nombre vulgar. Ya sabes que detesto la vulgaridad. Y no parece disparatado, si tenemos en cuenta que tú te llamas Ulises, y yo, Penélope.»

Sonrió confiado hacia Telémaco, viendo desde arriba su divertida sonrisa semidesdentada, que buscaba reflejarse en la del padre, y esquivó por los pelos a una mujer joven que andaba con prisas sobre unos afilados zapatos de tacón, y que se apretaba contra el pecho las solapas de su gabardina gris.

Tampoco sabía entonces nuestro hombre que alguien podía morir violentamente dentro de poco —salpicando con su sangre, de una manera u otra, a todos los que contemplarían fascinados e incrédulos la tragedia, incluido él—, o... no morir porque en sus manos estaba evitar la desgracia.

No, Ulises no sospechaba nada así. Se limitaba a pasear, empujando con determinación el cochecito de bebé donde su hijo, que acababa de cumplir dos años, pataleaba con regocijo, como si hubiese descubierto que ésa era su sagrada misión en el mundo y que nada ni nadie le podría impedir llevarla a término. Telémaco era afortunado: era el vivo retrato de la ausencia del dolor.

Miró su reloj. Llegaba tarde a la sesión, y Vili, su pariente político, lo miraría de esa manera un poco maníaca con que fulminaba a los demás cuando pretendía hacerles un reproche sin que lo pareciera.

La verdad era que no tenía ningunas ganas de ir a la Academia de don Viliulfo Alberola —conocido por todos como *Vili*—, ni de soportar otro minuto de sus *Diálogos socráticos* sobre la felicidad, pero Vili lo había amenazado sutilmente cuando él le comentó que le parecía un buen momento para dejar de asistir a las reuniones. (¡Por Dios, le venía fatal salir de casa a aquellas horas!, justamente cuando debería estar preparando la colada diaria y la cena del crío), y aunque Ulises no era de los que suelen amilanarse con facilidad, prefirió no provocar las iras del doctor y seguir acudiendo a sus citas semanales con él y con aquella turbamulta de pirados que lo seguían con un fervor sectario.

Suponía que Vili quería tenerlo controlado, en cierta forma. También que deseaba ver a Telémaco regularmente. Podía decirse que era el abuelo del crío, por más abuelastro que fuera en realidad. Quería mucho al niño, eso estaba claro.

Por otra parte, él tenía la sensación de que el viejo Vili estaba cada día menos relajado en lo referente a su vida personal. Ulises creía saber a quién se debía su frecuente estrés: sus enseñanzas le servían de bien poco, al pobre hombre, porque no sabía aplicarlas con rigor a su propia persona, o por lo menos en lo que atañía a su infernal relación conyugal con su mujer.

Ulises se preguntó de qué sirven las leyes cuando las eluden los mismos que las imponen.

19

En general, tampoco es que a él le gustaran mucho las leyes; no le complacían porque tenía el mismo presentimiento escalofriante que en su día tuviera Napoleón: que había tantas que nadie podía estar seguro de que no fueran a enchironarlo tarde o temprano.

Las leyes de Vili eran distintas de la legislación judicial, él las llamaba *reglas*, y ofrecían un aspecto aún más inquietante que aquéllas, si cabía, porque Vili tenía la pretensión de que siguiéndolas cualquiera era capaz de encontrar la felicidad.

Para Ulises, el que alguien como Vili especulara sobre la felicidad y la filosofía no tenía mayores méritos. Él podía dedicarse a eso, puesto que era rico. No, no millonario. Millonario podía ser cualquiera, pero ser tan acaudalado como él no estaba al alcance de todos. Poseía una fortuna que administraban varios bufetes de abogados y gerentes, que apenas lo molestaban un par de veces al año, para que firmara algunos documentos y poco más. Tenía casas en tantos sitios del mundo que Ulises dudaba que fuese capaz de recordarlas, o que las hubiera visitado todas al menos una vez. Y, sin embargo, se limitaba a charlar con la gente en su Academia, a vivir en su apartamento —una casa inmensa, pero desprovista de grandes lujos— del centro de Madrid (en la ciudad, decía, había encontrado su ágora), y a soportar con un estoicismo entre perverso y entregado a su mujer, Valentina.

La felicidad.

Sí, la felicidad...

Pero, ¿qué era eso de la felicidad, al fin y al cabo?

Miró otra vez a su hijo por encima de la capota del cochecito. Hacía dulces gorjeos con la lengua y soltaba una multitud enloquecida de gotas transparentes de saliva. Gritaba y reía, pataleaba, chapurreaba sinsentidos en español y alemán y miraba a su alrededor con la alegría de quien contempla el mundo por primera vez y estima todo aquello que ve. Y en su caso, así era.

Ah, qué feliz sería el pequeño Telémaco si supiera que era feliz, que diría Virgilio.

Le alborotó el pelo con la mano izquierda. El niño torció con gracia el cuello hasta que enfocó a su padre; tenía los ojos tan abiertos y coloridos como dos avellanas frescas partidas por la mitad, y obsequió a Ulises con una enorme sonrisa satisfecha y aderezada de babas.

Era un crío precioso, divertido y juguetón, nadie diría que echaba de menos a una madre.

Cuando entró de puntillas en la estancia, con el pequeño en brazos, la sesión ya hacía rato que había comenzado.

—Pues claro que eres buena persona. Y una persona afortunada —Carlota Rodríguez sonrió tranquilizadoramente en dirección a su compañero. Tenía una bonita melena pelirroja y, a pesar de las gafas, sus ojos resplandecían como el azul de metileno.

Roberto Olazábal le devolvió la sonrisa, que resultó más bien un guiño involuntario. Eso le hizo dudar un poco antes de hablar. No quería que la chica lo interpretara mal. La miró un instante más, pero la cara de ella no parecía mostrar síntomas de la menor molestia, casi podría decirse que más bien al contrario.

Bueno. Mejor.

Ulises se sentó lo más discretamente que pudo en un rincón, y puso al crío sobre sus rodillas mientras le daba un muñequito de plástico para distraerlo.

—Es que es verdad... —afirmó el hombre, esta vez en dirección a Vili—. O sea, que es que me levanto por las mañanas y me digo: «Tío, tío, tío... Eres un mamón con suerte. Tienes un montón de ventajas. Me explico. De todo el Universo, que mira que es grande, has ido a nacer en la Tierra, un planeta pequeño en las afueras de una galaxia mediana, pero que tiene atmósfera, agua fría y caliente, y tiendas de comestibles. Y de toda la Tierra has venido a caer en Europa, España, Madrid. Hummm... No está nada mal para empezar. Y luego tienes un trabajo, un trabajo estupendo. Mejor dicho, un supertrabajo dados los tiempos que corren. Y encima eres blanco, un color más que apropiado para la piel, viviendo en las circunstancias que vivimos». Eso me digo todas las mañanas, en cuanto me levanto. —Roberto se arrellanó en el sillón y se rascó detrás de una oreja. Tomó aire antes de continuar—. Porque, la verdad, sólo con que me faltara una de esas ventajas, ya la habría cagado. Por ejemplo, si no tuviera trabajo, o si fuera negro, o si viviera en Uganda... No tenéis más que eliminar una de mis ventajas, y yo estaría hecho polvo. Pero son ventajas porque están todas juntas, ¿o no?

Vili asintió cansinamente.

—Sí, siií... —murmuró.

Le tocó el turno a Chantal Porcel. Tenía cincuenta y cuatro años, y vivía con su madre. Cuando, en cierta ocasión, alguien le preguntó a su ex marido por las causas de su divorcio, él respondió refiriéndose a su suegra con las mismas palabras que en su día dijera Lady Di por televisión, conmocionando al mundo: «Éramos tres en nuestro matrimonio, y eso es mucha gente».

—Pues... —Se rebulló nerviosa en su asiento. Casi nunca sabía qué decir cuando llegaba su turno. Detestaba hablar en público. Sin embargo, era bastante parlanchina por teléfono. Y, a veces, tenía esos arranques de desvergüenza que, de cuando en cuando, se permiten los tímidos—. Yo siento pánico siempre que tengo que subirme a un avión. Rezo al poner el pie en la escalerilla. Le pido a Dios que, si tenemos un accidente aéreo, consiga que mi cadáver quede tan carbonizado que nadie pueda darse cuenta de que no he tenido tiempo de depilarme antes de subir.

Vili enarcó las cejas y rió mientras estiraba las piernas y luego cruzaba el tobillo izquierdo sobre el derecho, repantigado en su cómodo sillón de cuero rojo.

—¿Y esto... qué tiene que ver esto con lo que venimos hablando? —inquirió Jacobo Ayala, moviendo la cabeza desconcertado.

Chantal bajó los ojos hacia el suelo, simulando buscar algo con un gesto entre azorado y miope.

—Nada, supongo —confesó—. Pero quería que lo supierais... por si sirve de algo.

Irma Salado, al igual que Chantal, también estaba divorciada, aunque sólo tenía treinta y un años y, además, últimamente había empezado a salir con un buen chico griego.

—Para sobrevivir —dijo enhebrándose en los dedos unos mechones de pelo rubio platino—, yo lo relativizo todo, ¿sabéis? Ése es el secreto: la Relatividad. Y si no, preguntádselo a Einstein. Me digo, por ejemplo: «Vale, no eres rubia natural, pero al menos puedes teñirte, y aunque los tintes no sean tan buenos como prometen, por lo menos tienes pelo». —Miró a sus compañeros uno por uno, buscando gestos de aprobación—. Y, vale, sí, está bien, confieso que no tengo un trabajo tan maravilloso como el de Roberto, pero al menos tengo un trabajo que, aunque en cuestión de trabajo no sea excesivamente lucido y cómodo, por lo menos me permite pagar las facturas. Vale, no soy alta, pero me puedo poner tacones, ¿sí?, y aunque me he hecho tres esguinces con la mierda de los tacones, eso quiere decir que tengo piernas que, antes de usar tacones a diario, estaban tan absolutamente sanas que ni siquiera tenían esguinces naturales. —Tomó aire, hinchando el pecho con orgullo antes de continuar—. Bueno, no tengo dinero, cierto. Pero tengo bolsillos que lo esperan, lo que quiere decir que llevo una chaqueta, y que he podido comprármela aunque tenga los bolsillos vacíos. Sí, de acuerdo, no llevo una vida emocionante porque lo más emocionante que yo hago cada día es ver los telediarios. Es verdad que mi vida no es muy excitante, pero al menos tengo una vida, lo que quiere decir que estoy viva, cosa nada desdeñable dado que, si no fuese así, no podría quejarme de nada en absoluto —se encogió de hombros, e hizo una larga pausa que rellenó con un suspiro inquietante—... porque estaría muerta. ¿Estáis, o no estáis de acuerdo?

—¿No estaremos llevando este asunto un poco lejos? —Jacobo Ayala, que era ciego de nacimiento, movió la cabeza reprobadoramente de nuevo. A un lado y a otro.

Ulises acarició a su hijo, para mantenerlo callado. Luego se tocó la oreja de forma mecánica. Siempre que hablaba Jacobo, él parecía detectar en su voz el mismo tonillo de los Bee Gees, que le zumbaba dentro del oído hasta hacerle cosquillas. Claro que, por lo menos, los Bee Gees cantaban. O tarareaban de manera agradable. No era el caso del invidente.

Más tarde observó a Irma con detenimiento. Se fijó en sus rosados dedos, propios de una dama protagonista de alguna balada bárdica. Tenía las manos pequeñas, que movía nerviosamente. Desde el punto de vista del Arte Puro, Irma no era ni bonita ni fea, pero tenía su propio estilo y una peculiar manera de ver las cosas, y eso, por sí solo, ya era algo. Algo muy importante.

Hacía unas semanas, Ulises se había interesado por ella, preguntándole por su trabajo en una guardería. «No está mal —dijo la joven, lanzándole una mirada recelosa a Telémaco—, aunque por lo general los críos suelen comportarse todo el tiempo como auténticos cabrones.»

Sus pechos subieron y bajaron mientras pronunciaba aquellas palabras, agitados bajo el suéter de hilo negro ceñido, prometiendo algún tipo de pérfida gratificación poco propicia al análisis y que, en cierta forma, avivaba el placer de contemplarlos.

Un busto femenino agitado, expectante, era por sí mismo muy capaz de orientar el juicio de Ulises de manera instantánea, y no siempre en la dirección más provechosa posible. El de Irma lo hizo, y él la miró de nuevo ahora con creciente interés.

Jorge Almagro, su amigo también divorciado, que trabajaba como subdirector de Hacienda y era adicto al netsex, acercó con sigilo su silla hasta la de Ulises.

—¿Has visto qué escote trae hoy Irma? —le susurró al oído, sobresaltando a Ulises con su aliento cargado de mentol y nicotina en desigual proporción—. Si yo estuviera en condiciones de desmadrarme, la invitaría a mi casa y le mostraría mi manual de supervivencia casero.

Ulises lo miró extrañado, y retiró las manos de Telémaco de las solapas de la chaqueta mal planchada de su amigo.

—Ya sabes... —dijo éste, distraído, con la mirada fija en la rubia melena de Irma—. Mis *habitus*. Las costumbres son más poderosas que la pasión, por si no te habías percatado. Y yo tengo una vida ordenada, de clase media. Eso a las mujeres les parece atractivo, les da sensación de seguridad. Llevaría a Irma a mi casa y le enseñaría mi torso bronceado con rayos UVA. Mi viejo bidé. Y mi sexo anhelante de rutinas conyugales. Pero como es tan grande, mi sexo, quiero decir... pues seguro que ella ni siquiera lo vería. Me refiero a mi pene. A mi ex mujer siempre le ocurría eso, nunca conseguía fijarse en mi pene. Decía que era demasiado contundente como para que una mujer se detuviera a examinarlo con detenimiento. —Desechó de su mente, con un gesto de la mano, la borrosa imagen de su ex esposa, y guiñó maliciosamente un ojo—. Sin embargo, yo podría enseñarle a Irma cosas nuevas, entre ellas mi pene, que estoy convencido de que nunca ha visto. Seguro que mis manías domésticas son acontecimientos para alguien como ella.

Ulises sonrió a su amigo.

—Bueno, no creas. De todas formas, en cuestión de sexo todo está inventado, pero no todo está *sentido*, de modo que sí, siempre tendrías una posibilidad, con ella o con cualquiera. Pero deberías intentarlo. No hables tanto y actúa un poco. Aunque creo que Irma tiene novio desde hace unas semanas.

—Oh, bueno, ya sabes, me atrevería a tantear el terreno con la chica si yo conservara aún todo mi pelo. Eventualidad que no tengo el gusto de disfrutar desde mi divorcio. Con todo mi pelo encima de mi cráneo, tapándolo y abrigándolo, yo tendría valor para abordar a una mujer como Irma. —Se cruzó de brazos y miró en dirección al compañero de turno que había tomado la palabra, simulando prestar atención, como si estuviera sentado en un pupitre de escuela primaria—. Pero ella, mi ex, se quedó con todo. Con todo. Con mi valor, con mi chalet en la sierra, con mi corazón, con mi cuenta corriente, con el aparador de mi abuela, con Jorgito... Ya lo sabes tú, a mí no me dejó nada más que una alopecia galopante. Y los cuatro pelos que me quedaban hasta ayer, se los llevó el viento de tanto ir por ahí en moto y sin casco, porque también se quedó con mi coche.

—Vamos, no empieces a lamentarte. Estamos aquí para buscar la felicidad, ¿no? —Ulises señaló la figura pensativa e imponente de Vili, en el centro del corro formado por la gente que abarrotaba la Academia.

—¿La felicidad? —Jorge arrugó los delgados labios con tristeza—. Sí, claro. La felicidad... —entrecerró los ojos, de forma pensativa—, me gustaría encontrarla algún día, de hecho daría lo que fuera por ponerle las manos encima a esa grandísima puta.

Ulises trató de sujetar a su hijo, que quería bajar al suelo y recorrer a sus anchas la sala. Había anochecido, y las luces de la calle cubrían los cristales del único y enorme ventanal del recinto con una pátina de raída luminosidad artificial.

—¡Todos estamos tan terriblemente solos en el mundo!... —oyó que decía alguien a su alrededor, con voz apagada.

Giró la cabeza y vio a un hombre de mediana edad que no reconoció, que probablemente acudía allí por primera vez, aunque es posible que no fuera así y él no se hubiese fijado antes en el sujeto. Llevaba las manos enguantadas y su cara, asustada y cautelosa, parecía presagiar que pronto ocurriría algo espantoso y ninguno de los allí presentes sería capaz de evitarlo.

Ulises entonces ni siquiera podía imaginar cuánto había de cierto en aquel presentimiento que tuvo, pese a que no tardaría mucho en concretarse en una estremecedora realidad que los conmocionaría a todos ellos.

El sujeto llamó momentáneamente su atención —en cierto modo era andrajoso, y tenía unas curiosas hendiduras en la piel de las sienes que daban la sensación de que se había pasado la vida meditando hasta que los huesos terminaron cediendo a una erosión constante e implacable de los dedos pulgares apretados contra ellas—; lo observó unos instantes, pero no tuvo tiempo de completar una inspección a fondo porque Telémaco no dejaba de moverse y de tenerlo ocupado.

EL ENSUEÑO DE LA FELICIDAD

> *He aquí dos palabras que debéis guardar*
> *en el pecho; observadlas dominándoos y vigi-*
> *lando sobre vosotros mismos: seréis impeca-*
> *bles y viviréis tranquilos. Estas dos palabras*
> *son* Soporta *y* Abstente.
>
> AULO GELIO, *Las noches áticas*

El salón estaba lleno con, al menos, cuarenta personas aquella noche. Todas dispuestas a aprender algo, a oírse entre ellas, y sobre todo a oír a Vili. Seres ansiosos y aturdidos buscando lucidez e indicios, aunque fuesen temporales, de que vivir no era una tarea absurda, tratando de admitir sus límites y comparar entre sí sus miserias y conflictos cotidianos.

Mujeres de largas piernas y melenas salvajes, que se regocijaban secretamente de su cuerpo y de la desdeñosa perfección de su osamenta —quizás como Irma—, pero se sentían presas del dolor que proporciona un sentimentalismo lacrimoso, o un abandono, o que tal vez se sabían impotentes para luchar, fuera de su cuerpo, con otras armas que no fuesen su cuerpo mismo. Y mujeres feas y encorvadas, embutidas en sus abrigos como si dichas prendas pudieran acurrucarlas con dulzura sobre sí mismas y sus sofocantes olores corporales, que lucían negras ojeras debidas al insomnio y a las muchas noches carentes de los actos de amor, la compañía y la misericordia de una persona amiga a su lado. Y hombres viejos de labios trémulos y mirada acuosa y asustada, pero repleta de una avidez tan palpitante que oscilaba entre lo conmovedor y lo obsceno. Y jóvenes como Jorge —aunque éste ya no fuera propiamente un jovencito—, que paseaban su insatisfacción a cuestas con la misma naturalidad con que Ulises acarreaba a su hijo en brazos.

Ninguno de ellos era feliz. Demasiada soledad —o frustración, o información, o resentimiento, o represiones, o miedo— los tenía, a cada uno en distinto grado, paralizados y confusos ante la extraña intensidad que supone vivir, la trágica imprecisión de un hecho tan sencillo y a la vez tan extraordinario.

—Me pregunto si Telémaco es una manera cristiana, o por lo menos correcta, de llamar a una criatura —suspiró Jorge, mientras agarraba al chiquillo por un brazo y lo extraía con esfuerzo de debajo de su silla—. ¿Qué diminutivo se supone que tiene que tener? ¿Tele?, o... ¿Maco? ¿Telemaquito, o... Telamaquín...? ¡Dios mío!, no tenéis vergüenza poniendo nombres.

Ulises se quedó un momento abstraído, contemplando a Jorge, que hacía esfuerzos por controlar al chiquillo, y se dijo que en la luz titubeante de aquel lugar lleno de gente preocupada, y visto desde donde él lo miraba, Jorge parecía un producto de aquello que Hugo von Hoffmansthal llamaba el *idealismo neurótico*. Sus colores iban y venían, y Ulises tenía la extravagante sensación de que era como si, a su amigo, se le hubiese esfumado el contorno.

—¡Dile a tu hijo que se esté quieto! —se quejó el hombre, y su calva brilló con unas gotitas de sudor dispersas sobre la sonrosada coronilla.

—No sé si te has parado a pensarlo —Ulises habló lentamente mientras atraía hacia sí a su niño—, pero no es fácil para nadie estar absolutamente quieto. Yo creo que, de alguna manera, todos estamos condenados a un movimiento perenne.

—Detesto cuando te pones metafísico. Pareces un personaje de una de aquellas viejas novelas psicológicas.

—Pues, en estos momentos, daría mi reino por una cerveza bien fría. Y la mano de la reina madre del cuento por un bocadillo de queso macerado en aceite de oliva.

—¿Qué cuento?

—¡Ah, Señor! Detesto cuando te haces el inspector de Hacienda.

—Pero es que soy inspector de Hacienda, tío.

—Más a mi favor.

Alguien ordenó silencio alrededor de ellos y Ulises arrebujó contra su pecho al pequeño Telémaco, que protestó débilmente.

Vili se puso en pie. Después de escuchar la cansina retahíla de quejas de sus discípulos durante más de una hora, había llegado el momento de que él tomara la palabra. Era un hombre de estatura más bien baja, de gestos nerviosos y ágiles, con los vivarachos ojos de un color marrón reluciente, que semejaban dos pequeñas ventanas abiertas a un paisaje otoñal. Tenía una prominente barriga que disimulaba con una camisa de tonos oscuros y corte impecable, adornada con grandes manchas de sudor bajo las axilas, y en medio de la espalda algo arqueada pero de constitución recia. Se notaba a la legua que su ropa no era barata, aunque en su cansado cuerpo de hombre bien entrado en la cincuentena, no lucían con demasiado esplendor, o al menos él transmitía a su ropa un azorado desaliño, un paroxismo de arrugas que escribían sobre su indumentaria el manuscrito enloquecido de sus inquietos gestos habituales.

—Os quejáis sin cesar de la vida —dijo, estirando los brazos con teatralidad y luego frotando sus manos, una contra otra, como si tratara de aliviarse de alguna profunda picazón—, y yo, al igual que Boecio, os ofrezco la consolación de la filosofía. Pero la filosofía no puede hacer nada por vosotros si vosotros no pensáis como filósofos, sino como niños enloquecidos que se dejan arrastrar por sus caprichos, o como animales ofuscados por sus instintos.

—Para ti es fácil pensar así, Vili, pero no para la mayoría de nosotros. —Hipólito Jiménez tenía treinta y dos años, y era pintor de brocha gorda. Casi todos los allí presentes estaban al tanto de que su mayor problema en la vida era saberse hijo de su madre, una vieja prostituta bien conocida, en sus tiempos, en los aledaños de la Puerta del Sol y, concretamente, en cierta pensión de mala muerte de la calle Carretas.

—Bien, por eso estamos aquí, Hipólito. Para que tú, y los que son como tú, aprendáis a pensar —respondió Vili, inspirando profundamente.

—Para muchos de nosotros la felicidad es un sueño, un lujo que no podemos ni imaginarnos—insistió el pintor—, porque ya nos resulta bastante difícil vivir. Vivir a secas. Ir tirando.

Johnny Espina Williamson, un latinoamericano de piel clara y barba abundante, se rebulló en su silla con un gesto aturdido, y negando de manera taciturna, tomó la palabra.

—Todos te comprendemos, Hipólito —dijo mesándose la sotabarba ensortijada—. Sabemos que, en tu caso, es difícil vivir sabiendo que no tienes motivos para ofenderte cada vez que te llaman hijo de puta, pero...

El joven aludido empalideció y su cara se contrajo de incredulidad y de rabia. Era bien parecido y corpulento, te-

31

nía unos bonitos labios, casi femeninos, y la mirada siempre extraviada que, en aquel momento, al oír las palabras malintencionadas de Johnny, resplandeció de ira y se reconcentró como un caldo que ha hervido mucho tiempo a fuego vivo.

—¡Me cago en...! —exclamó señalando a Johnny con una manaza temblorosa.

El otro ni siquiera pestañeó, aunque probablemente tenía la mitad del peso y la estatura del pintor y, si no el doble, sí muchos más que sus años.

—¡No empieces a cagarte ya, Hipólito! —le sugirió, con una retorcida sonrisa que la malicia ensanchaba por su cara.

—¡Yo me cago en quien me da la gana, cabrón! ¡Me cago en ti! —El chico tenía los tendones del cuello tan tensos como cables de la luz, y Vili se dirigió hacia él para calmarlo, con aire contrariado.

Un murmullo general de desaprobación, aunque entreverado de una perversa expectación ante el enfrentamiento, fue creciendo de intensidad y rebotando contra las desnudas paredes blancas de la Academia.

—¡Me cago en la leche! ¡Me cago en España entera...!

—Pues ten cuidado —susurró Johnny con una desagradable jovialidad—, no vayas a cagarte en tu padre...

MATRIMONIO DE LUZ

> *Te revelaré un secreto que hará que te*
> *amen sin hierbas ni sortilegios: «ama si quie-*
> *res que te amen».*
>
> LUCIO ANNEO SÉNECA,
> *Epístolas Morales*

Hacía ya veintidós años —ella tenía ahora cuarenta y cuatro, casi recién cumplidos— que Luz Sanahuja se había casado con Pedro.

Lo hicieron una mañana primaveral llena de sol, de pájaros, de niños y de flores, en la iglesia de las Salesas Reales de Madrid, la misma donde Luz había sido bautizada y en la que, pocos años después, tomó su primera comunión vestida de tules igual que un hada. Hacia el mediodía pronunciaron el «sí, quiero», y en ese momento hubo una extraña quietud en el aire claro y fresco alrededor de la pareja, un silencio henchido de una dicha tan simple y pura que podía tocarse con las manos.

El azahar con que estaba engalanada la iglesia había explotado en deshilachados jirones de un delicioso olor envolvente. A Pedro le brillaba el cabello más que nunca, parecía un chaval de doce años rebosando juventud, salud y simetría por los cuatro costados de su chaqué. Con el cuello rasurado como un infante de marina, agachó la cabeza, azorado ante la mirada embobada de su novia, y empezó a rezar «Padre nuestro...».

Luz no podía dejar de mirar a su recién estrenado marido con devoción y ojos radiantes, barnizados de una fina película oleosa de lágrimas. Se sentía maravillosamente llena de ternura, y vacía de preocupaciones. Pensó que si aquel momento se prolongase eternamente, su espíritu no podría resistir la sobredosis de placer y estallaría de plenitud, de madurez, de perfección. Se rompería y lo mancharía todo con goterones de belleza, de refinada sensualidad y goce limpio.

Ahora, recordando aquel momento con una nostalgia desanimada, quizá impregnada de rencor o de miedo, se dijo a sí misma que aquel día había sido el más feliz de su vida. Que no recordaba haber vivido jamás otros instantes tan asombrosamente exquisitos como aquéllos.

Poco antes de que terminara la misa nupcial, sintió sin embargo una rígida tensión que le recorría todo el cuerpo, desde el cuello hasta los tobillos, y un momento después un reguero pequeño y caliente de sangre viscosa entre las piernas, empapando la delicada lencería íntima de color blanco, suave igual que un pétalo recién abierto, ribeteada de puntillas y brocada en seda.

La súbita llegada de la menstruación no pudo, en cualquier caso, consternarla hasta el punto de anular un solo ápice de su bienestar. Sabía que era joven, y hermosa, que tenía una salud de hierro y un corazón resplandeciente que albergaba innumerables formas de dar amor. También confiaba en sí misma.

El padre de Luz era ingeniero, y hubiera preferido para sus hijas —tenía dos— maridos con títulos universitarios; en el caso de su hija mayor, no pudo ser. «Pero, papá —arguyó Luz cuando comenzó su noviazgo con Pedro—, tienen una ferretería con tres empleados en la calle Serrano, si es eso lo que te preocupa. Y Pedro es hijo único; cuando su padre se retire, la ferretería será suya, quiero decir... nuestra. Además, de qué sirve una educación superior. Mírate a ti mismo, que yo recuerde nunca estabas con nosotras. Cuando te necesitábamos tú siempre andabas de viaje. Yo prefiero un marido ferretero, que llegue todas las noches a casa.»

No se discutió más el asunto; Pedro y Luz pronto planearon casarse, y así lo hicieron. Él tenía veintitrés años, era alto y guapo, afable, trabajador y tan fuerte como un ballenero islandés. Ella estaba enamorada, vivía en una blanda ensoñación donde el mundo era un lugar extremo, una luna en cuarto creciente colmada de lirios, lechos conyugales e infinitas caricias varoniles sobre sus muslos y su cuello, sobre su piel del color y la textura del nácar.

La noche de bodas durmieron en París, en un hotelito pequeño y sobrecargado de cortinas de terciopelo oscuro —de la misma tonalidad de la sangre que había terminado por empaparle las enaguas del vestido de novia—, situado en Montmartre.

A solas en la habitación, se desnudaron y apagaron las luces. Abrieron las ventanas y las farolas amarillentas de la calle los cubrieron con un manto luminiscente de delicado abandono.

Ella era virgen, aunque no sentía exactamente temor al sexo con su marido. Había visto incontables veces su pene rojo y enhiesto, y lo había acariciado con cierta monotonía entregada y apenas una remota sensación de asco aleteando como una sombra al fondo de su garganta. Pedro era joven, saludable, y respetaba su deseo de no tener relaciones sexuales antes del matrimonio, pero cada vez que salían juntos —y esto solía ocurrir a diario, por las tardes— se hacía el remolón y buscaba el sitio propicio.

«Tócame, anda», le suplicaba a Luz, y ella lo miraba y

apreciaba una profunda turbiedad en la oquedad verde de sus pupilas, igual que aguas cenagosas a punto de descomponerse.

La luna de miel en París debía ser una entrañable ceremonia, largamente anunciada, de la confusión de sus pieles; el deseo postergado liberado por fin a sus anchas. Sin embargo, Luz quería demorar todo lo posible el momento en que esa baba espesa y pegajosa desgarrara su carne, celebrando dentro de ella, con la ferocidad ansiosa de la juventud, su pequeño drama de amor, vinculación e intimidad.

«Venga —susurró Pedro sobre su boca, una vez tendidos sobre la vieja y mullida cama parisina—, no te preocupes, si no vas a sentir nada...»

Ella arrugó el ceño y titubeó. «¿Cómo? ¿Qué?... Yo esperaba...»

La cara pecosa de Pedro, de rufián libertino casi adolescente, enrojeció de vergüenza. «Quiero decir que... no te va a doler», se disculpó torpemente.

Por supuesto, le dolió. Fue un dolor persistente y corredizo que se abrió paso hasta sus riñones y se concentró igual que un nudo en su vientre. Parecía que alguna vieja herida dentro de ella estuviese cauterizando bajo una llamita de fuego sofocante.

A pesar de todo, aprendió a enseñar, poco a poco, a Pedro. A servirse de su torpeza, de su prisa, de sus dedos extraviados y patosos de muchacho. Lo instruyó en las ciencias exactas del mimo, en la dramaturgia de la penetración, en la filosofía del cuidado.

Pedro nunca fue un maestro en tales artes, pero a Luz le bastó lo que obtuvo de él para sentirse satisfecha y amada durante muchos, muchos años.

Tuvieron dos hijos preciosos, muy parecidos a Pedro.

Ana, que había cumplido veinte años, y Pedro, de dieciocho.

Hacía veintidós años que Luz se había casado ilusionada, que abandonó sus estudios de Filología para compartir su vida con un atractivo ferretero. Hacía veintidós años que ella creía que el mundo era encantador bajo un cielo de estrellas cálidas, inmóviles en las noches tranquilas, como su perfecto orden doméstico.

Y un día —no sabría decir con todo rigor cuándo— descubrió que sus sueños se habían marchitado y que su cielo, antaño indestructible y redondo, empezaba a resquebrajarse sobre su cabeza.

Sus hijos habían crecido. Su marido había engordado y se volvía un poco más silencioso cada día. Sus ilusiones se habían secado al mismo ritmo que su piel.

«¿Qué esperabas? —solía decirle ahora Vili—, todo se deteriora, tiende al desorden y se corrompe, sólo tienes que darle tiempo. La belleza, la juventud, la pureza, el agua y el vino... Incluso nuestra atmósfera es un sistema caótico. Murray y Holman, que son dos excelentes astrofísicos, aseguran que hasta los planetas más alejados del Sol están parcialmente gobernados por fuerzas caóticas debidas a sutiles interacciones entre sus órbitas. Júpiter, Saturno y Urano giran y bailan estremecidos al ritmo que les marca el Señor Caos. Cualquier sistema formado por tres cuerpos ya es por definición caótico, y eso incluye a la familia. Querida Luz, si Newton hubiera sospechado algo así hubiese muerto temblando de horror. Y si a él le sorprendería, no veo por qué a ti no iba a parecerte espantosa la idea. Eso es así, de acuerdo. ¿Y qué? ¿Qué pretendes con tu abatimiento y tu agonía gratuitas? No le añadas fuego al fuego para aumentar la locura. Ésta es la vida. Esto es lo que hay. Cenizas y confusión. Pero también prodigios y grandeza. Napoleón sabía que vivimos y morimos entre maravillas. Tú también deberías saberlo, deberías saber que del barro nacen flores, y de tu tristeza puedes obtener fuerza en lugar de depresión. Somos carne mortal, pero lo mortal es para los mortales, como decía Píndaro. Aprovecha tu mortalidad, apura tu tiempo hasta las heces. Somos ciegos que pretenden comprender el arco iris, pero, Luz, ¿qué más da?, ¿qué más da?, ¿es que no notas cómo bulle la vida a tu alrededor?»

Luz apreciaba la sabiduría de Vili, solía oírlo y observarlo hechizada por completo.

—Vili, deberías escribir un libro en el que contaras todas estas cosas —lo animaba.

—Oh —respondía Vili—. No creas que no lo he pensado. Incluso he tomado notas y he esbozado un proyecto. Pero no estoy seguro de que sea conveniente hacerlo. Todo lo que yo podría decir al respecto ya ha sido dicho antes, y de la mejor manera posible.

—Pues repítelo otra vez, como haces en voz alta en la Academia. A veces, hay que repetir las cosas hasta que la gente las comprende —insistía Luz—, hasta que las comprendemos.

Había encontrado en la Academia de Vili, si no la perdida felicidad del día de su boda, sí al menos un gran consuelo en una etapa de su vida en la que sus hijos ya no eran sus hijos, sino simplemente unas personas que compartían su casa y su mesa, pero no la necesitaban para nada —es más, podría decirse que muchas veces les estorbaba—, su marido era un tipo barrigón y aburrido al que el hierro de su negocio había tatuado una suerte de herrumbre verdosa alrededor de las uñas de las manos —que hacía ridículamente juego con sus ojos—, y ella sentía que había perdido su vida, una vida que no podría recuperar jamás.

Comenzó a tomar tranquilizantes. Primero cogió una caja de Tranxilium de casa de sus padres —su madre era ya mayor, y el médico le controlaba la tensión con medicamentos que la sedaban suavemente—; empezó a tomarse alguna pastilla de vez en cuando, en realidad sólo cuando la angustia era verdaderamente insoportable, y no pudo, o no supo, admitir que era una adicta hasta pasados tres largos, tristes, estúpidos, estériles años de sopor narcótico y lastimosa autocompasión.

CUANDO SE APAGA LA LUZ

Vosotras, jóvenes a quienes no coartan ni las leyes ni el pudor, ni las prerrogativas, acordaos desde ahora de la senectud que vendrá, y así no pasaréis ningún momento en balde. Holgaos mientras devoráis los años juveniles, pues el tiempo corre como el agua deleznable.

Ovidio, *El arte de amar*

«Somos insensatos, tartufeamos, enloquecemos, fracasamos constantemente y, a veces, la vida nos parece peligrosa e indigna, pero llevamos dentro un velado deseo de supervivencia a toda costa, la turbia fascinación por el gran festín de vivir que nos aguarda a cada minuto con sus venablos afilados y su oscuro enigma embrujador. Deseamos liberarnos de la carne, de estos pobres despojos que envuelven nuestro esqueleto, y de los espacios vacíos que aloja nuestro espíritu... pero, ¿a dónde iríamos desprovistos de todo eso?, ¿qué sería de nosotros sin nuestras carencias, sin nuestras miserias dasatadas y hambrientas como una jauría? ¿Tendríamos un Shakespeare, una MIR, un Miguel Ángel, conoceríamos con exactitud la apasionante vida de las bacterias? Amigos míos, hay que aprender a mirar hacia la claridad rojiza del horizonte lleno de reflejos, y urdir cada día nuestra historia más allá de toda razón o conveniencia, porque somos paja que puede encender grandes fuegos», había dicho Vili una tarde de primeros de septiembre.

Luz recordaba sus palabras —quizás no con toda exactitud—, mientras caminaba por Atocha. Cerca del museo Reina Sofía distinguió una figura familiar entre la aglomeración de gente que iba y venía apresuradamente, tratando de cruzar los semáforos, o coger los autobuses de cercanías, o abrirse paso entre el resto de las personas que confluían a aquellas horas por el centro de la ciudad.

Para una mujer, pensó Luz, siempre había algo de conmovedor en un hombre que aprieta contra su pecho a un niño pequeño. Daba sensación de seguridad mirar a un hombre así. Una sentía una sorprendente excitación ante esa imagen, y se sobrecogía sin querer a causa de un insólito y antiguo poder femenino: de la fuerza que —ya lo había olvidado— suponía ser y sentirse mujer.

Luz imaginó las dotes para el placer del joven padre, las manos de Ulises dejadas caer, enervadas y laxas, a los lados de la cama, por la noche, cuando estuviese dormido. La cuna a su lado, por si el chico se despertaba de madrugada con sed, o alguna pesadilla infantil de ésas en las que grandes manchas negras y siniestras amenazan con aplastar los cuerpecitos indefensos de los niños.

Se ruborizó al reconocer sus pensamientos, pero aun así avivó el paso hasta que se colocó al lado de Ulises, que llevaba en brazos a su hijo, y le tocó el hombro con timidez, aunque también con decisión.

Ulises se volvió sobresaltado y, como si estuviese defendiéndose de un ataque por sorpresa, agarró al vuelo la temblorosa mano de Luz y estuvo a punto de retorcérsela.

—¡Aug! —se quejó ella.

Ulises la soltó al momento y trató de disculparse.

—¡Oh, Dios mío, cuánto lo siento! ¿Te he hecho daño? Luz mintió asegurando que no era nada.

Telémaco la señaló con su manita pegajosa, donde se deshacía una piruleta tan roja como pestilente. Nadie sabía a ciencia cierta qué demonios mezclaban con el caramelo los fabricantes de chucherías para lograr que oliera a fresa —y de una manera tan sobrenatural—, algo que no se parecía ni remotamente a una fresa.

—¿Es mala, papi? ¿*Bösse?* —preguntó el chiquillo apuntando a la mujer, que se acariciaba la articulación entumecida.

—No, no es mala, es buena, es amiga de papá. Se llama, se llama... Esto... Es una buena amiga de papi. —Ulises la miró con una media sonrisa de disculpa. Probablemente apenas si había reparado antes en ella, y ni siquiera la recordaba de verla en la Academia.

—Luz. Me llamo Luz. De la Academia de Vili... —dijo ella, con la mueca embarazada de alguien que acaba de darse cuenta de lo inoportuna que resulta su visita a la hora de comer en casa ajena.

—Claro, ya lo sé, Luz —replicó Ulises, aunque no había estado muy seguro hasta ese momento.

Pensó que la mujer que tenía delante debía de ser de las que acudían a oír a Vili, pero solían hablar poco. Quizá por eso no se había fijado en ella antes, pese a que su cara le sonaba.

Lo cierto era que la señora no estaba mal. Una especie de Natalie Wood un poco ajada, aunque en algún remoto lugar de aquellos ojos —tan tímidos y azorados y azules— él podía ver brillar la chispa. Esa pavesa a punto de apagarse, pero aún con el brío de un hierro al rojo vivo, en potencia. Probablemente sólo necesitaba que le soplasen un poco para avivar la llama.

Se preguntó si estaría casada. Dedujo que sí por su anillo, pero sobre todo, después de que él dejara al niño en el suelo y le cogiera la muñeca con una mano, frotándosela con suavidad entre sus dedos, sobre todo por la expresión de su cara.

—Hola —la saludó el niño. Tenía la encantadora apariencia de su padre cuando reía. Pícara y delicada, pero algo malévola, como si conociera algún espeluznante secreto que ella ocultaba, y estuviera pensando en contárselo a todo el mundo.

EL ARTE DE AMAR DE ULISES

Para ser felices debemos deshacernos de nuestros prejuicios, ser virtuosos, gozar de buena salud, tener inclinaciones y pasiones y ser propensos a la ilusión, pues debemos la mayor parte de nuestros placeres a la ilusión y... ¡ay de los que la pierdan!

MADAME DU CHÂTELET,
Discurso sobre la felicidad

—Bueno... —confesó Ulises, y le dio un largo sorbo a su vermut de grifo—. Sí, la verdad es que mi mujer también sufrió mucho con nuestra separación. Sufrió tanto que, por lo que he podido ver, sus pechos han aumentado tres tallas, y sus michelines posparto se han reducido otras dos.

Ulises apretó con fuerza sus labios y sonrió a Luz mientras le daba a Telémaco una patata frita. Se preguntaba soñadoramente hasta qué punto aquella mujer era asequible para él. Parecía inquieta y desorientada, igual que un perro tratando de cruzar por su cuenta la Gran Vía, pero también ansiosa por agradar y hacerle creer al mundo que era confiada, fuerte. Sus uñas alargadas, sin pintar pero bruñidas, su pequeña barbilla, sus cejas negras tan bien remarcadas y sus ojos, dos grandes espacios azules inexplorados, le gustaban. Imaginaba su carne tibia por las noches, metida en la cama, arrebujada contra el borde para no rozar sin querer el cuerpo de su marido. Cómo palpitaría su seno izquierdo al compás del murmullo entrecortado de su corazón.

Luz había florecido —y había empezado a consumirse resignadamente—, sin que nadie apreciara del todo su belleza. Eso la había vuelto triste, se dijo Ulises.

Él amaba a las mujeres pero, después de darle muchas vueltas al tema, había acabado por aceptar que, así, en conjunto, el sexo femenino constituía un embrollo impenetrable que se escapaba a su comprensión (como habían deducido tantos otros hombres antes de él), porque nunca sabía qué pensar de ellas, ni qué era exactamente lo que pasaba por sus cabezas. Si bien intuía —basándose en su experiencia con Penélope, y en la lectura de algunos libros— que necesitaban, sobre todo, estimación, apreciación, porque cuando no las encontraban se volvían frías, tanto que podían cortar el mar en dos sólo con una de sus yertas miradas de insatisfacción y reproche.

Las mujeres, todas sin excepción, se creían un tesoro que había que valorar a cada minuto. Las mujeres eran principescas. Bueno, él no podría desmentir tamaña creencia, por muy disparatada que se le antojara, porque muy bien podría ser que lo fueran, las condenadas.

—¿Quién sabe?, en fin... —dijo, ensimismado en sus cavilaciones, sacándose la cartera del bolsillo—. No quiero aburrirte con mis penas. Eso ya pasó.

Miró el reloj que había sobre la barra del bar, y le hizo una seña al camarero para que les llevase la cuenta.

—¡Oh, no me aburres en absoluto! —contestó Luz; ni siquiera había probado un sorbo de su bebida, un refresco *light* lleno de burbujas del color del agua sucia—. Además, ya sabes lo que dice Vili: conocer las desgracias ajenas nos hace más llevaderas las nuestras.

Ulises se puso en pie, y cogió al niño, que agarró al vuelo un puñado de patatas antes de ser izado hasta los brazos de su padre.

El bar estaba decorado con reproducciones en lata de los viejos anuncios de la calle de San Andrés: «Usen Sello Juanse, gracias al Sello Juanse ha desaparecido este dolor»; «Usad contra las diarreas Diarretil Juanse, precio 0′40 céntimos»; «Emplastos porosos rojos El Elefante»...

—¿Y qué desdichas puede padecer una mujer como tú, tan... —la obsequió con uno de sus mohínes más seductores— tan hermosa? —Se acomodó al bebé entre los brazos, y le sacó una patata de la boca, peligrosamente grande y crujiente—. Siento tener que dejar la conversación que, por otra parte, es muy agradable, pero ha llegado la hora de darle la comida a este energúmeno... —Dejó unas monedas encima de la mesa, sobre el platillo de acero inoxidable donde reposaba la factura que un chico rubio con un mandil acababa de llevar—. Si quieres, puedes venir con nosotros y continuamos la charla. Vivimos aquí al lado, en la calle Santa Isabel.

—No quiero molestar, yo…

—No es ninguna molestia, ¿verdad, enano? No nos viene mal algo de compañía femenina de vez en cuando.

Luz, extrañada de sí misma, asintió y se puso en pie. Luego pensó: «¿Y ahora qué?, ¿ahora qué?». Aun así, decidió que los acompañaría. Le gustaba el arrobamiento algo pasmado con que él la miraba, como si fuera la primera mujer que veía en su vida.

Al lado de aquel joven se sentía especial, brillaba igual que una perla y sus labios esbozaban sonrisas que su cerebro no ordenaba confeccionar a su boca.

No sabía que Ulises miraba a todas las mujeres de la misma manera. Pero, sinceramente, eso era lo de menos, y le habría dado lo mismo aunque lo hubiese sabido.

Salieron a la calle, que resonaba con los ruidos del tráfico; el cielo se había cubierto de nubes, tal que una lámina metálica ennegrecida por el humo de los tubos de escape de los coches, que circulaban enloquecidos por los aledaños de la Glorieta de Atocha. Mirar hacia arriba, al denso celaje que se desmoronaba sobre los edificios como gordos hilos de hollín, casi inducía al desaliento. Pronto descargaría la tormenta. Ulises le abotonó sobre el pecho la chaquetita de lana al niño, y apretó el paso.

—Debería haber traído el carrito, pero tengo la sensación de que avanzamos más deprisa cuando no llevamos ese detestable cachivache con nosotros. Y Telémaco pesa más que una mala conciencia. Así hago ejercicio. Ser amo de casa te mantiene en forma, digan lo que digan. —Ulises agarró con fuerza al niño, que parecía nervioso y, sin duda, tenía hambre—. Creo que tendremos que correr un poco, o nos mojaremos. No te preocupes, casi hemos llegado a casa.

—Come, come, nene... —gruñía el niño, fastidiado.

Enfilaron la calle Santa Isabel cuando se dejaron caer las primeras gotas, que eran tibias y gruesas, y rebotaban contra el suelo con furia incontenida.

—¡Oiga, señor!, ¡señora! —Un chaval de unos dieciocho años se acercó a ellos, andando a saltos. Llevaba un fajo de papeles en una mano y un bolígrafo en la otra. Se había puesto la capucha de su anorak sobre la cabeza—. ¡Eh, oigan! ¿Quieren firmar contra la droga? —Les tendió unas hojas que empezaban a mojarse; la tinta garabateada en ellas se emborronaría si él no lo remediaba pronto. Y no parecía muy dispuesto a hacerlo.

Ulises se refugió del chaparrón en el portal de su casa. Luz se situó a su lado, arreglándose el pelo con una mano insegura.

—No, gracias. Es que a mí me gusta la droga, ¿sabes, chico? Estoy a favor de la droga porque, en realidad, soy drogadicto. Pienso que no tendrían que prohibirla, sino que deberían regalarla en las farmacias, en cantidades importantes, y acompañada de enormes sonrisas de los farmacéuticos —dijo Ulises, cansinamente—. Así que, piérdete, chico. Pero gracias por intentarlo.

A Luz nunca se le hubiese ocurrido que aquel padre de familia fuera un pobre yonqui. Lo examinó aturdida, hasta que comprendió que era una especie de broma.

El muchacho lanzó una mirada torva sobre Ulises.

—Vete a la mierda —optó por decir, con una sinceridad aplastante. Se dio media vuelta y echó a correr calle abajo. La lluvia caía ahora como si alguien lanzara grandes jarras de agua desde el cielo con la única intención de molestar a la gente.

Ulises abrió la puerta, que era altísima, vieja y renqueante, probablemente de finales del siglo dieciocho.

—Es que estoy cansado de que me pidan que firme a favor o en contra de esto y lo otro y lo de más allá. Que me compre esto y lo otro y lo de más allá. Y que salve a los niños, las ballenas y los indios y los pobres de aquí y de allí... porque si no lo hago seré culpable de homicidio en primer grado aquí y allí y en el más allá... —Se encogió de hombros—. Puede que sea una inmoralidad, pero yo solo no me siento con fuerzas para hacer todo lo que se me pide a diario. Empiezo a estar hasta las pelotas de que me presionen por todos lados. ¿Es que no tengo bastante con mi vida?

Luz no dijo nada, pero sonrió.

Subieron las escaleras gastadas, con un lustre avejentado y blanquecino, hasta el tercer piso. Como tantos edificios antiguos de la ciudad, aquél tampoco tenía ascensor.

Ella esperaba encontrar un viejo apartamento destartalado e incómodo. Se imaginaba a Ulises trajinando en una cocina antigua, calentando la leche del niño en un perolo agrietado y frotándose las manos para combatir el frío que entraría por las rendijas de la oscura ventana en invierno. Podía compadecerlo de antemano. Un hombre joven, probablemente poco diestro en las tareas del hogar, viviendo solo junto a un bebé llorón y hambriento, constantemente agarrado a sus piernas con desesperación, era un cuadro capaz de estimular la parte pervertida de la imaginación de cualquier ama de casa.

Por eso le sorprendió más, cuando Ulises abrió la puerta de su casa, encontrarse con un cálido hogar decorado con tonos teja y avellana, de ventanas cubiertas con estores de médula y suelo de parquet de roble americano.

«El color teja —aseguraba Penélope antes de irse de casa— evita las estridencias, es acogedor y evoca la vida en el campo, las haciendas de esas familias numerosas y acomodadas, de miembros bonachones, que nunca se pelean entre ellos y siempre están de buen humor porque no les falta de nada, porque tienen salud, dinero y amor en abundancia.»

Ella fue quien compró la mesa *art déco* del comedor, de raíz de roble, quien se encargó de que los obreros colocaran, exactamente en su sitio, un arrimadero de arpillera a lo largo del pasillo, que la misma Penélope remató con un galón de pasamanería de los que usan los tapiceros para ribetear sofás. Fue Penélope la que compró las mantas de mohair de la cunita del niño, y quien dirigió las obras para comunicar la cocina, el office, el salón y el comedor. El piso no tenía más de setenta metros cuadrados y estaba tan desordenado como suele estarlo cualquier hogar por el que corretee una criatura cada día. No obstante, era tan encantador y alegre —a pesar de la cerrazón oscura de la tormenta, que se filtraba a través del ventanal de la terraza—, que daban ganas de quedarse allí a dormir.

Ulises le dijo que se acomodara donde más le apeteciera, y Luz se sentó en un sillón desde el que veía caer la tromba de agua sobre la calle.

Sólo había dos dormitorios —además de un estudio que tenía la puerta cerrada con llave, según le dijo Ulises—, y Telémaco se encaminó hacia el suyo a trompicones, balanceándose como si acabara de bajar, algo mareado, de un barco. Buscó un juguete para entretenerse y distraer a sus desconsoladas tripas mientras Ulises le preparaba el almuerzo. Su cabeza, desde lejos, tenía una remota semejanza con un balón amarillo un poco despachurrado. Era un niño muy guapo, con los mofletes enardecidos, de un suave tono encarnado, el pelo muy rubio y la sonrisa fácil, pero Luz no sentía ningunas ganas de acariciarlo ni de hacerle carantoñas. Por un instante se compadeció del pobre pequeño. Su madre lo había abandonado, y ahora ni siquiera las amigas ocasionales de su padre sentían el impulso de arrullarlo aunque fuese, hipócritamente, para contentar a Ulises.

Se sintió toda una desalmada, pero no fue detrás del chiquillo, sino que permaneció clavada en su sillón, sin moverse.

—¿Quieres un vino? —Lo vio abrir y cerrar los armarios y depositar sobre la encimera de la cocina una botella de tinto—. Hemos dicho que comerías con nosotros, ¿no?

—Sí. Ah, no. Sí, bueno. Yo...

Ulises le llenó una copa y se la tendió con una sonrisa.

—¿Tienes prisa?

—No, en realidad no.

—Entonces, si no tienes nada mejor que hacer, puedes comer con nosotros. O mejor dicho, conmigo. Porque primero voy a alimentar a mi vástago. Ya llevamos media hora de retraso, y tendrá sueño enseguida. Pero el asunto no nos llevará mucho tiempo. Come como un cerdito. Creo que sospecha que yo le puedo quitar el plato en cuanto se descuide, y no se anda con remilgos ni zarandajas.

Cuando Ulises llevó a Telémaco a su cunita, el niño gruñía y se frotaba los ojos de cansancio. Luego, aquel padre *soltero* de pelo castaño encrespado y ojos abrasadores, preparó la comida: pan caliente con anchoas y aceitunas, una *fricasse* de endivias amargas y almejas y algo de pollo frío que había guardado del día anterior.

Vaciaron la segunda botella de vino y se dieron cuenta de que estaban bastante achispados, pero abrieron una tercera y todas las defensas de Luz se derrumbaron como una figura de arena lamida por las olas, a la vez que crecía su ilusión.

—De modo que eres pintor... —señaló hacia la puerta del estudio, cerrada a cal y canto para que Telémaco no pudiese entrar a revolverlo todo.

—Cada vez menos, pero sí, algo así —respondió Ulises, y sirvió más vino.

—¿Y desde cuándo pintas?

—Pues verás, disculpa la burda... analogía, ¿eh?, pero con la pintura me ocurre lo mismo que con la masturbación, que empecé a practicarla en cuanto aprendí a hacerlo, y desde entonces no he podido dejarla.

Luz se ruborizó, luego los dos se rieron a carcajadas. (Él mucho más que ella.)

—¿Y no tienes colgado aquí ninguno de tus cuadros?

—No. De la decoración se encargó mi ex mujer, Penélope. Yo sólo pinto. No entiendo muy bien cuándo un lienzo hace juego con el damasco de los sofás.

—¿Y qué pintas? ¿Arte abstracto, o figurativo, o...?

—Me gustaría pintar esos grandes cuadros llenos de manchas en los que cada pincelazo es la representación simbólica de algo muy profundo. Me gustaría hacer las cosas que aprendí a hacer en la facultad, y que quizás ya he olvidado. Ya sabes, un lamparón negro con picachos a los lados: la cariñosa parodia de la *comédie* humana; un churretazo de rojos sobre verde pálido: la alegoría del *arte povera* mancillado, etcétera... Pero no tengo imaginación, y mis pensamientos no suelen ser demasiado metafísicos, se reducen más bien a la constante inquietud por satisfacer mis instintos primarios, sexo, alimento, cobijo, y esas pequeñas cosas... de modo que me limito a pintar lo que veo. Normalmente a mi hijo, objetos caseros, gente que sale en las revistas, o la luz que pasa por la ventana. Incluso a ti, ¿por qué no? Al fin y al cabo eres una luz que ha pasado por la puerta.

La mujer carraspeó y se removió intranquila en su asiento; aunque no se sentía del todo incómoda, la presencia de Ulises tan cerca de su cuerpo, notar su olor y tener su cara al alcance de la mano, ser consciente de esa sorprendente intimidad que podía surgir de pronto entre dos perfectos extraños, la turbaba demasiado como para poder mantener el control de lo que decía y tratar de resultar divertida, perspicaz y valiente.

—Así que eres un pintor, un amante del arte. ¿Y cómo lo definirías?

—¿Definir qué?

—El arte, la pintura... —dijo Luz tímidamente. La verdad es que no sabía muy bien de qué hablar.

—Hum... No sé —contestó él—. Tal vez... ¿«algo que puedes colgar de una pared»?

Luz dio un sorbito a su vaso de vino. Tenía la rara sensación de que se le habían roto todos los huesos del corazón.

—¿Y vendes mucho?

—El mercado del arte hoy día está algo revuelto. Tienes que encontrar un buen marchante, y es mejor si formas parte de algún grupo. Pop art, minimal art, fluxus, nueva figuración, body art, arte pobre, land art... Hay tantas que me resulta difícil recordarlas. Digamos que el dinero que gano, sumado a la pensión que me pasa mi ex mujer por el niño, nos da para ir tirando a Telémaco y a mí. Así mantenemos más o menos a flote nuestra pequeña familia disfuncional.

—Ajá.

Ella dijo «ajá», y se sintió tonta por no ser capaz de decir cualquier otra cosa, de modo que siguió bebiendo hasta que las piernas le temblaron de deseo por Ulises.

Hizo el amor con él, un hombre alto y solícito, y casi desconocido. Su sangre hervía como si la hubiesen puesto a calentar a fuego vivo. Dejó escapar risitas tontas, y sintió un goce animal, que apenas si era una sombra de aquella felicidad primera —tan inocente y simple—, del día de su boda, pero que la reconfortó y la vivificó hasta sofocarla.

Nunca le había sido infiel a Pedro hasta ese día. Quizás no volvería a engañarlo otra vez. Pero se dio cuenta de lo mucho que había necesitado esa novedad en su vida. Aquel encuentro era exactamente lo que podría llamarse «una ilusión», y ella sabía que era pasajera. Pero, ¿qué más daba si aquello no era felicidad, sino solamente placer? Hacía mucho tiempo que no notaba de manera tan clara y rotunda cómo la vida vibraba en torno a ella.

Estaba viva, era verdad. ¡Sí, Dios Santo! Y justo ahora, cuando ya había dejado de creer en los milagros.

Cuando terminaron, Luz estaba tan satisfecha como agradecida. Pese a todo le dijo a Ulises que aquélla era la primera y la última vez. Que pensaba en su marido (y un poco también en sus hijos).

—Bueno, como tú quieras. Eres tan guapa, tan perfecta —respondió él, y escondió su cara entre la axila derecha de la mujer, donde la piel era tan fina que parecía que iba a quebrarse con sólo acariciarla—. Entonces, ¿hacemos el amor por última vez una última vez más?

Un par de horas más tarde, Luz volvió a casa. Entró en el dormitorio que compartía con su marido. El piso estaba vacío, aún no habían regresado ni Pedro ni sus hijos. Se desnudó, se tumbó en la cama y se olió con cuidado la piel de los brazos y la de las rodillas. Al rato se levantó, fue hasta el cuarto de baño y sacó varios frascos de pastillas de un bolsito de viaje lila. Tiró las píldoras al retrete y descargó la cisterna sobre ellas. Después se dio un largo baño, lleno de sales, esencias y perfumes. Estiró las piernas dentro del agua, y le sonrió como una idiota al vacío de azulejos de la pared.

ESCENAS CONYUGALES DE UN FILÓSOFO

> *Preguntado Sócrates si era mejor casarse
> o no casarse, respondió: «Hagas lo que hagas,
> te arrepentirás. (...) Pero cásate, si tu matri-
> monio sale bien, serás feliz; y si sale mal, serás
> filósofo».*
>
> DIÓGENES LAERCIO,
> *Vidas y opiniones de los filósofos más ilustres*

Vili se sentía un poco mareado aquella tarde, y la culpa seguro que no era del tiempo —violento, frío y tempestuoso, igual que su vida doméstica.

Tenía la extravagante sensación de que vivía en un profundo pozo de potencial. Las cosas no marchaban en su matrimonio todo lo bien que él quisiera. Valentina, su mujer, estaba perdiendo el control, no le cabía duda.

Sentado en su cómodo sillón orejero, de piel de buey, tenía la revista femenina *Elle* entre las manos, que ojeaba intranquilo. A veces, anotaba algo en ella, con un rotulador Pilot de color celeste, o le añadía un alegre bigote a alguna de las espléndidas modelos de las fotografías, que posaban con un vestuario exquisito y terriblemente caro.

Desde su enorme ático en la Gran Vía podía ver la lluvia cayendo como una implacable cortina de oscuridad sobre el incesante tráfico de la calle.

Dejó la revista y cogió otra de encima de la mesa, ésta de aspecto penoso —una de las muchas que compraba su mujer sobre las maldades que el sexo masculino perpetraba contra el angelical sexo femenino—, en cuya portada podía leerse que la penetración (se refería a la sexual) era un acto de profanación e irresponsabilidad machista, equivalente al que supondría, para un creyente católico, el hecho de orinar dentro de las pilas de agua bendita que hay a la entrada de las iglesias y, luego, escapar corriendo.

Arrugó el ceño con preocupación.

Repasó deprisa algunos artículos enfermizos que trataban de divulgar la infamia de que los hombres eran un lujo superfluo del reino natural, bastante costosos para las pobres mujeres, con lo que más valía irlos eliminando de la faz de la Tierra para conquistar cuanto antes un paraíso de promisión repleto de amazonas, liberadas por fin de las inmundicias de los penes y de todas las circunstancias que rodean a éstos, que —según las autoras de las delirantes crónicas, escritas con abundantes faltas de ortografía— suelen ser muchas y a cuál más indigna.

Suspiró con resignación y, sin darse cuenta, se puso a contestar un test titulado «*¿Estás satisfecha de tus hormonas?*».

A la pregunta «¿Tienes miedo de la menstruación?», Vili marcó sin dudarlo la casilla correspondiente a «Sí, muchísimo», pasando por alto las de «Bastante», «Sólo un poco» y «Nada en absoluto».

Cuando llegó a la tercera pregunta, Valentina entró en el salón, como siempre, hecha una furia. Vili se preguntó de dónde sacaría, a sus cincuenta y cinco años, la energía suficiente para alimentar tanto resentimiento contra el mundo en general, y contra él en particular.

Ya no quedaba nada de aquella mujer que conociera hacía treinta años, una dulce madre soltera parecida a la Connie Selleca de los buenos tiempos de *Hotel*, con los ojos chispeantes de alegría de vivir, y los labios húmedos, entreabiertos a la caricia. Podría haber pasado, en aquel entonces, por un anuncio de Coca-Cola. ¡Y era tan bella!

Ahora, todavía guardaba restos de su belleza. Pero ella era incapaz de darse cuenta, y disfrutarlo. Y sus ojos, pensó Vili, brillaban de cólera, tan claros como una diarrea, e igual de transparentes. Cuando se enfadaba —o mejor: habría que decir cuando se levantaba por las mañanas—, la ira la volvía tan fea que no parecía una mujer fea, sino un hombre feo.

Valentina, la misma que fuera en algún momento la luz de su vida, se había transformado día a día, ante sus propios ojos, en su mayor contrariedad.

En fin, Vili pensó que si Sócrates había sufrido, como una disciplina, las mortificaciones domésticas de su esposa Jantipa, también él podría sobrellevar con entereza la cotidiana crueldad de Valentina.

Ah, cómo comprendía al hijo de Sofronisco, el escultor, y de la comadrona Fainerete, al viejo Sócrates, que probablemente fue tan gordo como él mismo, y quizá muchísimo más feo, que luchó a golpe de mayéutica y de ironía con una caterva de trastornados que concluyeron que lo mejor para el filósofo septuagenario era que se tomase un cóctel de cicuta, por si su mujer no lo tenía ya lo bastante envenenado.

Valentina pasó por su lado dando zancadas, con sus zuecos de campesina y su falda de flores, dejando un penetrante rastro a perfume de Armani que le golpeó la nariz igual que un latigazo. Se sirvió un vaso de vodka Absolut Citrón y lo apuró de un trago. Había leído no se sabía dónde —seguro que en un libro de Kant no—, que las modelos bebían vodka, y había sacado la descabellada conclusión de que el vodka no engordaba. Lo bebía a todas horas desde entonces, y Vili no sabía si eso era todo lo bueno que debía ser para ella, incluso aunque la endemoniada bebida no engordara.

—¿Qué piensas? —señaló a Vili con el vaso que acababa de vaciar.

—La verdad es que he pensado mucho y he llegado a un punto en que... ya no sé qué pensar —dijo él, calándose las gafas y volviendo al cuestionario de la revista.

—Seguro que estás mirando mis revistas y pensando que sólo leo basura. ¡Ja! Como si lo viera. Es como si viera a tus pequeñas y sucias neuronas cuchicheando unas con otras sobre mí.

—Valentina, no empieces.

—¿Que no empiece? ¿Qué se supone que he empezado?

—No se puede, no se puede y no se puede...

—¿*Qué* no se puede?

—Vivir así. Cada día lo mismo. Un pugilato entre tú y yo. Una guerra sin sentido. ¿No es preferible que nos llevemos bien? ¿No saldríamos ganando los dos? Aunque cada uno haga su vida al margen del otro. Sabes que yo te quiero, Valentina. Siempre lo has sabido, ¿por qué me haces esto?

—¿Sabes, Vili? Cuando te conocí, hace ya más tiempo del que me gustaría, me pareciste un hombre inteligente y misterioso. ¿Sabes cuál fue mi error?

—No, no lo sé.

—Que me acosté contigo. Chúpale la polla a un hombre y destruirás todo su encanto en un periquete. La admiración es la base del respeto, pero el trato carnal acaba pronto con cualquier tipo de admiración que una pueda sentir por un macho humano.

—Te pedí que fueras mi mujer, y entonces la idea te gustó.

—Sí, entonces. Ahora, ser tu mujer no me hace ninguna gracia, ¿lo sabías?

58

—Empiezo a sospecharlo. Pero creo que yo no soy el problema, Valentina, el problema está dentro de ti, hay algo dentro de ti que te está emponzoñando, que sólo puede estar en tu interior, porque yo creo...

La mujer se dio media vuelta y se acercó a las enormes ventanas, por las que entraba la luz rojiza de los neones de la calle matizada por la negrura con que la lluvia impregnaba el aire.

—¡Ja y ja! ¡Tú crees! ¡Tienes un Credo y todo!

—Lo que quiero decir es... —Vili suspiró hinchando el pecho de aire, con calma. No trataba de hacerse la víctima, pero tenía la odiosa sospecha de que lo era, la verdad.

—¡Ja y ja y ja! —lo interrumpió Valentina, volviéndose hacia él—. Escucha lo que te digo. Tengamos en cuenta que yo soy una mujer, ¿vale? Mis cromosomas son XX. Y ahora no olvidemos que tú eres un hombre, ¿de acuerdo? Por eso tus cromosomas son XY. Ésos son los cromosomas de los machos, querido. Pero tengamos también en cuenta que el cromosoma Y, el cromosoma masculino, es prácticamente un residuo genético que sólo contiene algunas órdenes para fabricar los testículos. *Tus* testículos, por ejemplo, además de todo ese montón de testículos que andan rodando por ahí, abarrotando el mundo y embruteciéndolo un poco más cada día, como si no fuese lo bastante complicado por sí solo. De este modo... —Valentina tomó aire, un poco exhausta y desgañitada—, estando así las cosas, ¿por qué iba yo a querer oír nada de lo que *tú* tengas que decir?

Vili se puso de pie. Esta vez fue él quien se acercó a la ventana, y lo hizo con cara de desaliento, como ya empezaba a ser habitual en él.

—Ésta es la respuesta de los defensores de Esparta al comandante del ejército romano: «Si eres un dios, no harás daño a quienes jamás te lo han hecho. Si eres un hombre, avanza, porque te toparás con hombres de tu misma talla».

—¿Cómo has dicho? —dijo Valentina, con una mano apoyada sobre la cadera, y una cínica sonrisa congelada en los labios pintados de púrpura.

—Nada, sólo citaba a Plutarco. Querida Valentina, estoy tratando de hacerte comprender que, si te empeñas en seguir luchando contra mí, que no soy tu enemigo, al final tendré que defenderme. —Vili se frotó lentamente los ojos; estaba cansado y le dolía la cabeza.

Ella se encaminó a la puerta que daba a la cocina.

—¡No empieces con tus numeritos de hombre preocupado a punto de tener un infarto por culpa de la arpía de su mujer, que ya te conozco!... —le dijo, mirándolo fríamente—. Y, para que lo sepas, de aquí en adelante me he propuesto no volver a hacer el amor contigo hasta que...

—¿Queeé? —esta vez la cara de Vili mostró una auténtica irritación—. ¡Pero si hace más de un año que tú y yo no hacemos el amor!

—¿Ah, sí? —Valentina se dispuso a entrar en la lujosa cocina del apartamento—. Pues entonces ya tienes una idea de lo que te espera de ahora en adelante... —dijo, y cerró con un portazo.

LA SAGRADA FAMILIA DISFUNCIONAL

Increparon a un espartano porque, aunque era cojo, iba a una batalla, y él respondió que su propósito era pelear, no huir.

VALERIO MÁXIMO,
Dichos y hechos memorables

Hacía más de una semana que llovía sin parar sobre Madrid. Sus habitantes no habían vuelto a ver el azul del cielo desde que, días atrás, unos tenebrosos nubarrones cargados de agua censuraron la vista del sol de la mañana y las pocas estrellas de la noche que el alumbrado público permitía otear. El color gris no le sentaba mal a la ciudad, pero la lluvia caía con violencia y prestaba una ayuda inestimable a la formación de atascos, tan obstinados como tremendos, y al mal humor de los ciudadanos, que veían aún más entorpecida su vida diaria en la gran ciudad.

Pese a ello, los discípulos de Vili se las arreglaban para llegar a tiempo a sus citas de la Academia.

Elena Urbina era un ama de casa fatigada, que se dejaba caer por allí cuando podía, pero no tan a menudo como hubiera deseado. Aunque era un poco más joven que Valentina, ofrecía un aspecto mucho más desarreglado y envejecido que el de la mujer del filósofo.

—¿Y entonces...? —Vili le ofreció una mirada afectuosa, mientras hacía una rápida comparación entre las dos mujeres, en la que Elena salía ganando.

—No sé qué es el Bien con exactitud... —respondió Elena, resollando—. Me suena a palabras mayores.

Era evidente que estaba demasiado gorda, y no era muy agraciada físicamente, pero sacaba horas de su escaso tiempo libre para ayudar en una organización de lucha contra el sida.

Valentina, por el contrario, no militaba en la lucha anti-sida, si acaso —pensó un taciturno Vili—, si acaso en la lucha anti-arrugas.

—La verdad, maestro —Elena era una de las asistentes a la Academia que llamaba «maestro» a Vili—, a veces no estoy muy segura de que exista el Bien. Veo demasiado dolor a mi alrededor. Enfermedad, soledad y muerte. Por no hablar de mi marido...

Se oyeron unas risas a coro del resto de los concurrentes.

—Bueno, no me malinterpretéis. —La mujer puso un gesto candoroso, era evidente que le encantaba sentirse cómplice del auditorio—. Mi marido no es una mala persona. Jamás me ha maltratado ni nada de eso. ¡Y que no se le ocurra! Pero, no, hablando en serio, la verdad es que él sería incapaz de molestar a una ladilla, aunque la tuviera instalada entre las piernas, de inquilina de renta antigua. Es sólo que me da mucho trabajo porque es un inútil. Cuando me casé con él tuve que enseñarle las cosas más elementales como, por ejemplo, que antes de ponerse una chaqueta tenía que quitarle la percha.

Elena disfrutó a sus anchas de la risotada colectiva. Se permitió incluso dar unos pasos, con dificultad, alrededor de la gente que la rodeaba con sus asientos dispuestos en semicírculo alrededor del entarimado (el local de la Academia, antes de que lo alquilara Vili, había formado parte de las instalaciones de una escuela que impartía clases de apoyo de matemáticas a niños de primaria). Vili solía sentarse en un sillón sobre la palestra, aunque ahora estaba apoyado contra el respaldar de la silla donde siempre se sentaba Jacobo, el ciego (detestaba que le llamaran «invidente»).

—Es sólo que, a veces —continuó Elena con su perorata—, si la comida no está en la mesa cuando llega su hora de almorzar, se da golpes sobre el pecho con las manos ahuecadas. Los golpes suenan «tocotoc, tocotoc». Hace exactamente igual que los orangutanes. Lo sé porque lo vi un día en un documental sobre animales de la tele. Pero... —sonrió a Vili y dejó caer teatralmente las manos a los lados de sus anchas caderas de matrona—, pero tengo entendido que eso no demuestra agresividad en los gorilas, que lo hacen sólo para descargar su tensión, no porque sientan agresividad. Y si esto es así para los gorilas...

Estalló una carcajada general que resonó por la Academia a la vez que un trueno, afuera, anunciaba la luz galvánica y culebreante del relámpago.

Elena esperó a que cesara el ruido, de las risas de sus compañeros y de la tormenta eléctrica.

—Si es así para los gorilas... ¿por qué no iba a serlo también para mi marido?

Cuando Elena volvió por fin a su sitio, un poco arrebolada y con una sonrisilla de satisfacción en sus delgados labios, todos tardaron un buen rato en volver a retomar la cuestión que los venía ocupando en las últimas sesiones: «¿Qué es la felicidad?, y... ¿puede alcanzarse a través del Bien?».

Todavía no habían llegado a ninguna conclusión, aunque raramente lo hacían, de modo que nadie estaba preocupado.

David Molina, un joven padre vestido con descuidada elegancia y ademanes de modelo de pasarela, tomó la palabra.

—Sé de lo que habla Elena —confesó en voz alta, mientras se palpaba el bolsillo exterior de su americana, de donde sacó un pañuelito rojo finamente bordado que se pasó por la mejilla con suavidad—. Lo sé sin necesidad de que ella me lo cuente, porque yo tengo la suerte, por desgracia, de tener en casa un marido como el suyo.

Mientras hablaba, Jorge Almagro, situado como siempre al lado de Ulises, dejó escapar un largo suspiro, henchido de melancolía.

—No sé cómo lo hacen, Ulises —le cuchicheó a su amigo—. Te juro que para mí es un misterio.

—¿De qué hablas? —Ulises tenía a Telémaco dormido encima de la silla de paseo, a su lado, y de vez en cuando le tocaba la frente con cuidado. Tenía la impresión de que le subiría la fiebre. Y no era extraño, porque sacar a un crío de su edad con aquellas tormentas, en un Madrid enloquecido por la lluvia y por lo que parecía ser un invierno anticipado que nadie había previsto, era una garantía de enfriamiento rápido.

—Me refiero a David, y a la gente así.

—¿Cómo «así»?

—¡Pues así! —Jorge hizo un aspaviento afectado, que adornó con una gran profusión de giros lánguidos y ridículos movimientos de su mano derecha.

—Quieres decir homosexuales.

—Llámalo como prefieras. Pero que conste que no he sido yo quien lo ha dicho.

—No seas homofóbico, Jorgito. Tal vez deberías probarlo. Puede que «así» cambiaras de opinión.

—¿Qué quieres decir?

—Que ya que no consigues novia, quizás un novio te resultaría más fácil.

Jorge contempló a Ulises con un puro horror cincelado a fuego dentro de sus pupilas.

—¡Eres un verdadero mamonazo! —exclamó abatido—. Gracias, pero no. Yo jamás podría ser maricón. Detesto los supositorios y estoy absolutamente en contra de la tortura anal.

Ulises pensó que Jorge era un retrato bastante fiel del aspecto que ofrece la lujuria cuando se vuelve educada; y que sus mohínes de rechazo a las formas poco ortodoxas de practicar el sexo conferían a su rostro una mezcla equilibrada de ridiculez y distinción. Apreciaba a aquel tipo encorbatado y trajeado, aprisionado dentro de su aspecto de hombre de orden, con los ojos envueltos en las tinieblas de la ansiedad masculina más primaria (locos deseos inconfesables de chocolates y frutas confitadas endulzando las frías noches de sus inviernos solitarios; o ropa interior femenina recién escurrida colgando de los grifos del baño, presagiando tímidamente un pequeño jolgorio conyugal después de la cena).

Sí, ese mundo sería para él confortable y seguro.

Su amigo sacó un paquete de chicles y le ofreció uno a Ulises, que lo rechazó con un movimiento de cabeza. Empezó a mascar como un poseso, haciendo osados ruiditos que evocaban inexplicables sensaciones de humedad y pesadumbre.

—Ah, necesito pensar con claridad... —Hinchó de aire el pecho—. Creo que el chicle es estupendo para eso —le susurró a Ulises confidencialmente.

—¿Para qué?, ¿para la caries?

—No, son chicles sin azúcar. Vienen bien para pensar, porque oxigenan el cerebro. No sé dónde he leído que, cuando uno mastica durante mucho rato, el oxígeno llega mejor a la corteza cerebral y las sinapsis son más eficaces. —Suspiró y acomodó el maletín de piel entre sus piernas, bajo la silla—. Eso he leído. En cualquier caso, ya sabes tú que tengo una tendencia natural a tomarme en serio cualquier sandez que vea impresa en una revista. Aunque sea el *Hustler*.

Vili y David estaban discutiendo sobre la familia de este último. David se quejaba de que la suya no era una familia corriente, aunque adolecía de los mismos defectos y miserias que una familia normal, sin que se pudiera disfrutar de alguna de sus ventajas. Por eso él era doblemente desgraciado que la mayoría. Porque se sentía como un soldado cojo en medio de una batalla. La ferocidad y la dureza de la refriega eran las mismas para todos los contendientes, pero él debía hacerles frente físicamente disminuido.

¿Familia normal...? Pero ¿qué familia lo era, en realidad?, objetaba Vili. ¿Qué era la normalidad, podía alguien explicárselo?, porque, lo que era a él, eso de normalidad le sonaba a un concepto poco menos que psiquiátrico y muy escurridizo y espinoso. Arduo de definir.

Por otra parte... ¿acaso existía un modelo perfecto de familia que se pudiera imitar?

—Pensemos... —dijo Vili— en la mejor familia que uno pueda imaginar, alguna que nos valga de prototipo, de referencia a todo el mundo.

La gente apuntó ejemplos.

—La familia real —dijo una chica morena; llevaba las orejas adornadas con unos enormes pendientes de aro plateados, y sonreía enérgicamente.

—¡Oh, qué maravilla!... ¿pero acaso todos somos reyes y princesas?, ¿todo el mundo sin excepción? —la interrogó Vili.

—No —reconoció la joven, sonriendo con menos intensidad que un momento antes.

—Entonces... no podemos decir que ésa sea una familia corriente, y por lo tanto no podemos asegurar que nos sirva como un ejemplo a seguir, ¿no es cierto?

—Sí, es cierto. No es posible decirlo.

—Así que deberíamos descartarla como modelo. ¿Alguien puede hacer otra sugerencia?

—La de *La casa de la pradera* —exclamó un tipo peinado con una coleta morena que lucía unas llamativas gafas de cristales verdes, y que estaba sentado cerca de Ulises y Jorge—. Era una familia perfecta, siempre juntos ante la adversidad. Y siempre hasta el cuello de calamidades.

Vili sonrió y se atusó el cabello, rebelde y entrecano, no tan abundante como lo había sido hacía treinta años. Pero mucho más de lo que lo sería una vez pasada otra treintena si tenía suerte de vivirla, pensó él mientras se deshacía sutilmente de un par de cabellos que se habían quedado enhebrados entre sus dedos.

—Pero ésa... —tosió un poco y luego se rascó la barba, pensativo—, si mal no recuerdo ésa era una familia que vivía dentro de la tele. Una familia irreal, de ficción. Nosotros vivimos fuera de la pantalla. Vivimos y morimos aquí fuera, en el mundo.

David volvió a ponerse de pie.

—Se me ocurre una familia inmejorable. Una muestra de perfección y humanidad. —Era un chico atractivo, y por alguna singular razón, o sinrazón, parecía proclive al llanto y a la fidelidad—. La Sagrada Familia. Ése es el ejemplo que propongo yo. La Virgen María, san José y el niño Jesús. Un patrón clásico, un prototipo que lleva funcionando más de dos mil años sin que haya encontrado competencia que pueda destronarlo. La familia ideal universal. Ahí tienes una, maestro.

—De acuerdo —reconoció Vili. Se levantó de su asiento y se movió entre las sillas de su alrededor, con las manos entrelazadas en la espalda y el aspecto noble y vigoroso de un caballo de tiro—. Me parece un excelente ejemplo, David. Te felicito por la elección.

Algunos de los asistentes a la Academia cuchichearon entre sí, pero la expectación los hizo callar pronto y concentrar su atención en los dos interlocutores.

—Gracias.

—Pero veamos... —Vili se acercó hasta David, el joven era casi treinta centímetros más alto que el filósofo—. Veamos en qué se diferencia la tuya de la Sagrada Familia que hemos elegido como paradigma.

—Pues, por ejemplo, mi madre dice que la mía es una familia extraña, anormal, sin sentido y *contra natura*. Ella dice que esto es así porque estoy casado con un hombre, y no con una mujer. Y cuando digo *casado* quiero decir que mi compañero, Óscar, y yo formamos una pareja de hecho y nos hemos inscrito como tal en el registro del Ayuntamiento de Alcobendas. Para mi madre, que yo me haya emparejado con un tipo con bigote, en vez de con una muchacha de trenzas rubias, es algo terrible que sólo consigue sobrellevar con resignación cristiana. Para mi madre, saber que tenemos un hijo, concebido por inseminación artificial con una madre de alquiler, un hijo que es sólo mío y no de Óscar, demuestra que somos unos degenerados que no nos acoplamos a los grandes planes que su Dios católico tenía previstos para el universo, sino que más bien los pervertimos y los entorpecemos con nuestra sola existencia —David se encogió de hombros e hizo un tímido ademán de consternación con la boca.

—Ésa es la opinión de tu madre... —dijo alguno de los contertulios, un tipo de aire compasivo y aspecto de viejo obrero fabril—. Y con las opiniones, como decía Clint Eastwood, pasa como con los culos, que todo el mundo tiene uno. Así que no le des mucha importancia, amigo.

—Sí, ésa es la opinión de mi madre, pero también la de muchísima más gente —asintió David—. Y la opinión de mi madre, como es lógico, es importante para mí. No puedo evitarlo.

—Bien, bien. Pero volvamos —sugirió Vili— a nuestra modélica familia. La familia de Jesucristo. ¿Qué tipo de familia era?

—Una buena familia. La mejor.

—De acuerdo. Pero... ¿era san José el verdadero padre de Jesús? —quiso saber el filósofo.

—No —reconoció David—. Su verdadero padre era Dios.

—Ah, luego... Jesucristo era el hijo de Dios, pero en realidad su padre, o sea Dios, no estaba casado con su madre, no estaba casado con la Virgen María.

—No, no lo estaba.

—Entonces... quizá la Virgen María fue para Dios algo así como... ¿una madre de alquiler? —concluyó Vili—. Lo mismo que esa madre de alquiler que Óscar y tú buscasteis para que gestara a vuestro hijo, dicho sea de paso.

David miró pensativo hacia el suelo.

—No se me había ocurrido... —confesó, enrojeciendo un poco.

—¿Y cómo fue engendrado Jesucristo?

La chica de los pendientes de aro volvió a intervenir.

—¡Fue engendrado por la gracia de Dios! ¡A través del Espíritu Santo en forma de paloma! —dijo, como si ese incidente bíblico la llenara de un particular regocijo.

—¿De verdad? —Vili sonrió y su cara de viejo zorro adquirió una tonalidad sulfúrica—. Así que una paloma, ¿eh? Bien, bien... Que me aspen, pero a mí eso me suena a inseminación artificial, que es lo mismo que hicisteis tú y Óscar junto con la madre de vuestro hijo.

—Sí, vaya —admitió David—. Pero nosotros lo hicimos en una clínica, y usamos una especie de jeringuilla. Sin aguja, claro. Dos médicos y varias enfermeras se encargaron de todo.

Jorge le lanzó a David una larga mirada recelosa, con sus iris relumbrantes a la manera de dos trozos de cristal coloreado. Sintió una punzada de envidia hacia él. Casi podía verlo junto a Óscar, su compañero, arrastrando los pies entre la arena tibia mientras los dos paseaban cogidos de la mano, al atardecer, por la playa de Bodrum cercana a la isla de Samos, no lejos de Kusadasi, donde según David habían disfrutado de su luna de miel hacía tres años. Imaginaba a Óscar diciendo con acento mimoso: «Me encanta ese tanga verde que te has puesto»; y a David, perplejo mientras mascullaba: «Oh, ¿esto? No es nada. Me lo regaló hace años Pipo, aquel chico de Majadahonda que... Bueno, da igual». Luego los dos se darían un beso y seguirían andando hacia el ocaso con pasos lentos y zigzagueantes, igual que dos fornidos modelos en un anuncio de bronceadores rápidos.

Ah, cómo le fastidiaba oír las quejas de David. Apenas podía soportarlo. Al fin y al cabo aquel mariposón gemebundo era alto, guapo y rico, estaba sano —por no hablar de que conservaba todo su pelo—, y tenía en casa a un marido y a un crío que lo esperaban cada noche como si él fuera la persona más importante y deseada del universo conocido.

—Por supuesto. De la paloma a la jeringuilla... La ciencia ha avanzado mucho desde el año uno antes de Jesucristo —cuchicheó cansinamente Jorge, al lado de Ulises—. Y sí, lo cierto es que el niño de David es casi igual que el niño Jesús. Un chiquirritín que ha nacido entre pajas, al fin y al cabo.

—¿Queeé? —Ulises miró a Jorge sin comprender.

—Sí, por inseminación artificial, quiero decir —explicó éste, susurrando y estirándose como una serpiente aburrida bajo el sol.

—En fin. —Vili miró a David con una sonrisa triunfal—. No sé de qué te quejas, la verdad. ¡Si incluso Dios fundó una Sagrada Familia de lo más disfuncional, *quod erat demostrandum*! Lo que es bueno para Dios debe ser bueno para ti. Y sobre todo para tu madre, si es tan religiosa. Díselo así en cuanto tengas la oportunidad, David.

El hombre sopesó el asunto en silencio.

—Pero sigo sintiéndome como un cojo que lucha en

una batalla, Vili —dijo al fin—. Un discapacitado en medio de la atrocidad de la contienda.

—¿Cojo? —Vili no dudó mucho su respuesta—. Vale, te sentirás como un cojo. Pero yo creía que tu intención era luchar, no darte por vencido y salir huyendo en cuanto te fuera posible. Yo creía que deseabas defender a tu familia, sacarla adelante. Para eso no necesitas correr, sino estar dispuesto a combatir. Así que... ¿qué importa tu cojera? Importa que estés dispuesto a pelear y que, sin necesidad de moverte del sitio en que estás parado, desenfundes tu espada y le enseñes los dientes al enemigo.

LA HERMOSA INDIFERENCIA DEL HÉROE

Es más encomiable saber usar bien las riquezas que las armas; y más glorioso que el usar bien las riquezas, el no desearlas ni tener necesidad de ellas.

PLUTARCO,
Vida de Cayo Marcio Coriolano

Ulises le puso a Telémaco una chaqueta nueva, de mouton azul plastificado por fuera, de aspecto muy abrigado y primoroso; luego le cubrió la cabeza con el gorro y lo cogió en brazos como a un pesado e inquieto muñequito de silicona de tamaño natural.

Penélope había enviado un mensajero a casa, hacía dos días, con un paquete enorme, lleno de carísimas prendas de vestuario infantil para su hijo. Había de todo, desde calcetines y camisetas interiores Calvin Klein hasta unos diminutos pantalones vaqueros de Tom Ford para Gucci, rematados con la técnica de los indios apaches. Él creía que, siendo como era su mujer una diseñadora de modas de mucho éxito, no le saldría tan caro hacerse con la ropita de Loewe o de Ralph Lauren que mandaba cada temporada para el bebé. Así lo había hecho puntualmente cuatro veces en el último año, después de abandonarlos: en primavera, verano, otoño e invierno; y nunca coincidiendo con las estaciones meteorológicas, sino con las mucho más avanzadas de las pasarelas de la moda.

Bueno, pensó Ulises, incluso aunque así fuera, pese a que le costara una fortuna la ropa del crío, ella podía permitirse aquellos lujos tan disparatados.

Y Telémaco, al fin y al cabo, era su hijo.

El niño, sin embargo, no siempre estaba conforme con el color y el aspecto de los atavíos que escogía para él su sofisticada y distante mamá. Parecía tener sus propias opiniones en cuestión de guardarropa, a pesar de ser un renacuajo todavía.

—Feímo... No quiere y no quiere... ¡No guta y no gusta, a mí! —Había señalado minutos antes, con un evidente enojo, un jersey amarillo lleno de patitos bordados a mano, que lucían una sonrisa de seda furiosa y anaranjada sobre la superficie del pecho y alrededor de las mangas de la delicada prenda.

—No, no es verdad. No es feísimo —lo corrigió Ulises, empezando a ponerse de mal humor ante la terquedad de su hijo—. Es solamente... carísimo.

—No quiere —insistió Telémaco.

—No quieeero.

—Yo tampoco.

—Quiero decir que se dice «no quiero». Está bien, pues me lo pondré yo. —El hombre cogió la diminuta vestidura y la contempló extasiado, como si estuviera encantado de haber conseguido tan fácilmente una cosa que mejoraría su vida de forma inmediata.

—No, es mío. Tuyo no. ¡Mío! —Telémaco agarró el jersey, enfurruñado con su padre.

Salió corriendo bamboleándose conforme avanzaba hacia su habitación. Sacó un osito de peluche del arcón de mimbre donde guardaba sus juguetes y trató de ponerle el jersey, que quedó colgando entre las orejas y el esternón del monigote igual que un vistoso turbante un tanto estrafalario y desaliñado.

Al final, los dos estuvieron de acuerdo en que era mejor que Telémaco se pusiera un viejo jersey de felpa, comprado en el Rastro, que llevaba estampado a Superman, aunque ya apenas si quedaban algunos residuos descoloridos de la antaño rutilante imagen del superhéroe.

El padre abrochó la chaquetilla del pequeño mientras lo sostenía junto a su pecho, cogió el paraguas y se echó al hombro un bolso de bebé donde había metido, además del biberón con el agua para Telémaco, un chándal firmado por Ágata Ruiz de la Prada (le gustaba llevar uno siempre, por si surgía un imprevisto y el niño se manchaba, o se mojaba y había que cambiarlo rápidamente), toallitas higiénicas y dos chupetes de recambio, entre otras cosas.

—Vamos a ver a la abuelita —le dijo a Telémaco.

—¡Sí, sí!... —palmoteó el niño, y después se agarró a la espalda de su padre aprovechando para darle un tierno e interesado abrazo.

Ulises cerró la puerta del apartamento y bajó con cuidado las escaleras hasta la calle. Cogerían el autobús. Los dejaba en una parada muy cerca de la residencia de ancianos donde vivía Araceli. La abuela de Penélope. La madre de Valentina.

Oh, esa ancianita le gustaba.

Y estaba tan sola.

Pensar en ello le hizo rememorar por un instante la vocecilla de aquel hombre en la Academia, días atrás, con la tormenta rugiendo en medio de los cielos y el agua aporreando las calles como una hemorragia negra que empañara aún más el complicado paisaje urbano.

¡Todos estamos tan terriblemente solos en el mundo!, dijo la voz profundamente quebrada e inquieta de aquel hombre.

Parecía la exclamación atemorizada de un niño, o de una rata.

Sintió un rápido estremecimiento al recordarla y se acomodó mejor a su hijo entre las piernas, los dos ya instalados en un asiento del autobús abarrotado de gente calada hasta el corazón por el aguacero, y tan malhumorada como en días anteriores.

La lluvia confería a los rostros de los viandantes una borrosa opacidad, los hacía parecer protagonistas absolutos de algún sueño ebrio, ardiente.

En los últimos tiempos, la situación atmosférica era todo lo cruda que podía ser en Madrid (y podía llegar a serlo mucho). Hasta le recordaba a los días de su infancia en Maur, un pueblecito cercano a Zürich. Su padre decía que allí el clima se dividía en nueve meses de invierno y tres de viento y frío.

—Oh, querrrido, oh, querrrido... ¡No te quejes más! —le pedía su madre, con sus habituales grititos animosos—. ¡No te quejes más y sal a la calle, a que te dé un poco la lluvia ya que no puedes tomarr el sol!

El padre de Ulises había sido secretario del consulado español de Zürich durante once años. En aquella ciudad se casó con una mujer rellenita e inocente, una suiza alemana de semblante redondo y tranquilo —la que pronto sería la madre de Ulises—, y fue razonablemente feliz con ella y sus salchichas y los dos hijos del matrimonio (Ulises y su hermano pequeño, Héctor), hasta que Henriette una noche, poco después de oscurecer, se sintió mal, torpe y sin ganas de moverse, y dos meses después murió de cáncer mansamente, sin quejarse ni un solo día durante su corta enfermedad, pero habiendo olvidado por completo que tenía dos hijos de seis y ocho años, y un marido que ni siquiera sabía cómo abrir la nevera.

—¡Dios mío, mi mujer! —dijo su padre en el hospital, cuando la sacaron en una camilla, cubierta con una sábana blanca, en dirección al tanatorio. La besó por última vez en sus labios yertos de muerta, y no pudo verter ni una lágrima, aunque tenía guardadas las suficientes para llenar la anticuada bañera de patas leonadas donde su madre solía regalarse un baño de espuma, excesivamente perfumado, cada dos días—. ¡Dios mío! La muerte, qué hija de puta más democrática.

Ulises nunca había oído a su padre decir palabrotas hasta entonces. Sintió flotar en el aire la tristeza, como un pájaro con el semblante serio y los ojos desgastados, cansados de luchar por la vida; y supo que las cosas no irían muy bien a partir de aquel momento.

Su padre volvió a Madrid con él y con su hermano pocos meses después del entierro. Y ya nunca fue el mismo. Dejó de quejarse, y apenas tenía apetito. Trabajaba mucho y delegaba las tareas domésticas en una chica de servicio, un poco boba y despistada, que cocinaba infatigablemente unos repugnantes purés de apio que siempre servía tibios.

El primer día de colegio que Ulises pasó en Madrid alguien le robó su estuche de colores. Incluso sabía quién había sido, pero no podía demostrarlo (todos ellos parecían comprar los útiles de escritura y pintura en la misma papelería, y de la misma marca). Él adoraba pintar, y sus lápices eran el único instrumento de su felicidad pueril y limitada.

Le resultó un hecho dramático, e injusto, y por la tarde, a la salida de clase, corrió a casa para esperar a su padre y poder darle la mala noticia.

—Búscate la vida, yo no quiero saber nada —fue la lacónica respuesta de su progenitor ante la desmesurada, espeluznante tragedia infantil.

Ulises se dio cuenta así de cuánto había cambiado su vida.

Ya no vivía, al lado de su risueña mamá, dentro de una postal suiza rebosante de lagos y montañas.

De modo que, al día siguiente, cuando los niños de la clase salieron al recreo, él se las arregló para robar todas las carteras de colores, de ceras y rotuladores, que pudo encontrar debajo de los pupitres de sus compañeros. Los llevó a su casa (vivían a sólo dos calles del colegio, en el barrio de Chamberí), volvió al recreo, y le dio tiempo a jugar un partido de fútbol —de diez minutos— mientras pensaba que, en realidad, buscarse la vida no era tan difícil como él hubiera imaginado.

QUINCE AÑOS NO TIENE MI AMOR

Le dijo Catón a un viejo maligno : «Hombre, ya que la vejez trae consigo tantas cosas desagradables, no le añadas tú la afrenta de la perversidad».

PLUTARCO, *Vida de Marco Catón*

El Madrid del Sur es muy distinto del Norte de la ciudad. Una vez rebasada la calle Santa María de la Cabeza, pasado el sucio Manzanares —un río minusválido, siempre necesitado de la discriminación positiva, y los amargos beneficios que reporta la incapacidad, para lucir un poco de agua, de esplendor prestado gracias a la caridad o a la lástima de los gestores municipales—, cuando la Plaza Elíptica se pierde en el espejo retrovisor del autobús, el paisaje se va transformando progresivamente en más y más industrial y polvoriento de la misma manera que, cuando se dejan atrás la Plaza de Castilla y Alcobendas, la sierra madrileña va floreciendo y deleitando la vista con su vegetación mediterránea de matorrales y pinos.

El vehículo enfiló la nacional 401 e hizo un alto delante del Tanatorio del Sur. La gente que se bajaba allí nunca parecía sentirse dichosa por haber llegado hasta ese punto.

Cinco paradas después de aquélla, Ulises y Telémaco también bajaron con alguna dificultad del autobús, y se plantaron sobre el barro que rebosaba de los encharcados parterres que bordeaban la acera frente al asilo. Un edificio de ladrillo rojo y ventanas de aluminio se levantaba a pocos metros de la parada. Podía haber pasado por un colegio público o la biblioteca del barrio de no ser por el cartel de pomposas letras de metal dorado que anunciaban: «Residencia de Personas Mayores El Retiro».

Araceli los estaba esperando sentada pulcramente en el silloncito jaspeado de colores pastel de su habitación, junto a la ventana que daba a la calle. La calefacción estaba puesta en toda la residencia, y la temperatura excedía seguramente los veintidós grados, no obstante la anciana se había abrigado con una gruesa chaqueta azul de paño.

Le tendió los brazos a Telémaco, sin levantarse de su butaca.

—¡Mi niño! —dijo con una voz acogedora y algo trémula, y los ojos se le humedecieron un poco más todavía, hasta convertirse en dos ciruelas alquitranadas llenas de lo que semejaba cierta forma obsesiva de vida latente.

Telémaco bajó de los brazos de su padre y se acercó corriendo hasta ella, pegó su cara contra las viejas piernas y llenó de babas cristalinas la falda negra de su bisabuela.

—¡Guela, aguela!, qué tal... —sonó su chapurreo, ahogado entre risas de contento.

—¡Qué grande que está mi niño! ¡Ha crecido por lo menos un metro esta semana! —exclamó la mujer, llena de orgullo y alborotando el pelo rubio y sedoso del chiquillo.

Ulises le dio un beso en la mejilla y le preguntó cómo estaba.

—Bien, bien, hijo, siéntate —le indicó una mecedora de loneta, próxima a la cama—. Acércala aquí, a mi lado.

Ante las muestras de entusiasmo del pequeño, Ulises comentó que Telémaco adoraba a su bisabuela.

—Me quiere mucho porque sabe que yo lo quiero mucho a él, ¿a que sí, precioso? Telémaco y yo nos parecemos bastante, todo hay que decirlo. —La anciana señora puso un beso temblón en la mejilla carmesí del niño—. Es lo que yo digo. Los viejos somos como los bebés, seres inútiles y molestos que necesitan de los demás. Por eso, o nos mostramos agradables con los que nos rodean dándoles cariño, o nadie sería capaz de aguantarnos y nos abandonarían en masa en las gasolineras de las autopistas.

Como habían dejado abierta la puerta de la habitación, podían oír con claridad los murmullos de las conversaciones que tenían lugar en el pasillo, y en algunos de los dormitorios vecinos. Discusiones sobre los efectos secundarios —que solían cebarse con la vista y el intestino grueso— de algunas medicinas malignas pero absolutamente necesarias si, a cierta edad, se desea poder abrir los ojos de nuevo cada mañana; sobre la consulta de un médico del hospital universitario —del que bastantes ancianos sospechaban que era un *serial-killer* con cierta propensión morbosa hacia los vejestorios—, y repasos al calendario para concretar con exactitud en qué días se producirían las ansiadas visitas familiares y acomodar a ellas sus actividades diarias. «No podré ir a la clase de Internet del jueves, viene a verme mi nieto el de Zamora», o bien: «¿A quién le va a apetecer salir en un día como hoy para venir hasta aquí a ver cómo se mueren poco a poco unos mamarrachos como nosotros?».

De repente una figura llenó el dintel de la entrada. Un hombre de unos setenta años y barriga abombada, tocado con un alegre sombrero tirolés y un chaleco de fondo rojo con rombos beis.

—Buenos días nos dé Dios, a la señora Araceli y a la compañía —dijo, luciendo una ancha sonrisa que dejaba totalmente al descubierto su soberbia dentadura postiza recién estrenada.

—Buenos días —correspondió Telémaco de buen humor.

—Ah, hola, Anselmo —la mujer le lanzó un vistazo incisivo, pero rápido—. ¿No iba hoy a la masajista?

—A eso voy, sí, pero he pensado en saludarla antes.

—Bueno, pues ya me ha saludado. Adiós, Anselmo. Que le sienten bien los masajes.

—Vale, vale, veo que está usted ocupada. Luego la veré, a la hora de la merienda.

Cuando el señor se perdió de vista, pasillo adelante, Araceli puso una mueca de disgusto.

—Están convirtiendo los asilos de este país en Sodoma y Gomorra —susurró con un dulce rumor tan desquiciado como turbio.

—¿Queeé? —Ulises parpadeó asombrado, y luego examinó fijamente a la abuela.

—Sí, los dementes que dirigen estos sitios... —explicó la anciana mientras acariciaba al niño— tienen sexólogos que no paran de incitarnos a la promiscuidad.

Ulises la miró divertido.

—Como lo oyes, hijo... —Suspiró y señaló hacia la puerta, con precaución—. Claro que lo hacen porque les consta que nosotras no podemos quedarnos embarazadas, que si no... La cosa es que no paran de machacarnos con eso de tener una vida sexual sana, el amor libre y un montón de simplezas pasadas de moda. Les gusta pensar que nos tienen entretenidos con un poco de sexo, muchos ansiolíticos y otro poco de televisión. Pero yo creo que, a mi edad, una vida sexual sana no es una vida sexual agitada, sino una vida sexual sin sexo. Una vida en paz, quiero decir. ¡Libre de infecciones urinarias, por favor!

—Encontrar una pareja tampoco está tan mal, Araceli —se atrevió a proponer tímidamente Ulises—. Un poco de amor siempre significa un poco de compañía.

—Y yo no digo que esté mal —admitió ella, frunciendo

los ajados labios, repasados con brillo de color rosáceo—, pero tienes que admitir que es realmente difícil encontrar un buen hombre a mi edad. Sobre todo porque la mayoría de los que me convienen están muertos.

—¿Y Anselmo?

—¿Anselmo? ¡Ja! Tiene diez años menos que yo, y es quince centímetros más bajito. Además, ya lo has visto, ya has podido ver el pedazo de barriga que tiene. Lleva un letrero en la frente que dice: «Moriré de un atracón».

—Pues parece interesado por ti.

—Sí, pero yo por él, no —negó la anciana con vigor—. Ya lo has visto, ¿no? Se viste como un payaso loco y habla como Ronald Reagan. No me interesa lo más mínimo, ¿sabes, hijo?

—Bueno, bueno.

—Y, encima, padece de halitosis, cosa que no me sorprende nada teniendo en cuenta lo que come. Cambia de dentadura postiza cada año, pero no remedia el asunto. Yo me pregunto, ¿cómo le puede oler tan mal la boca a alguien hoy día? ¿O será el culo...?

Telémaco se puso a estornudar con violencia de repente, los ojos le lagrimearon e hizo varios pucheros de miedo, pero sobre todo de desconcierto.

Nada más verlo, Araceli trató de ponerse de pie y Ulises la ayudó a completar con éxito la maniobra.

—Febreeze Fabric Refresher, de Procter & Gamble —dijo la abuelita, indignada.

—¿Cómo dices?

—Digo que vamos a salir de aquí. El niño está estornudando, y eso es por el Febreeze.

—¿El qué?

—Un espray que usan para perfumar las cortinas y la ropa de las camas. —Lo agarró del antebrazo y masculló en tono confidencial—: Ya sabes que, a nuestra edad, a mucha gente no le basta con los pañales desechables. De modo que lo perfuman todo. Lo perfuman y lo perfuman con el dichoso Febreeze. El fabricante debe de haber untado al director de este antro, porque si no, no se explica. Pero yo he leído en Internet que es un producto peligroso. Lleva no sé qué tipo de veneno. Los perros caen como moscas borrachas después de olerlo. Los hámsters la palman al momento. Y los gatos, para qué contar. Saquemos al niño de aquí, el pobre es demasiado bajito para sobrevivir a este campo de exterminio. Sólo tiene la estatura de un animalito doméstico.

Ulises cargó a su hijo en brazos y los tres salieron lentamente del dormitorio de Araceli, cerrando la puerta a sus espaldas.

CADA COSA EN SU LUGAR

La felicidad no es cosa fácil: es difícil en-
contrarla dentro de nosotros mismos e impo-
sible encontrarla en otra parte.

CHAMFORT, *Obras*

Cierta vez, una mujer de su edad que conoció en Italia por motivos profesionales le resumió su vida en pocas palabras. Según ella, a los cinco años le dijo a uno de sus amiguitos, en la guardería: «Si me regalas tu Geyperman, te dejo que me des un beso». A los diez años le soltó a un compañero de clase: «Si me haces los deberes de Sociales esta semana, te dejo ir conmigo a los lavabos. Yo me bajaré las bragas y tú podrás ver lo que tengo debajo», aunque, por cierto, en aquel entonces esa mujer no tenía nada ahí que fuera digno de verse. A los dieciséis años le propuso a un chico de su pandilla: «Si me das una vuelta en tu moto por todo el barrio, te dejo que me toques el pecho izquierdo durante tres minutos». A los veintidós años acorraló a un joven profesor de la facultad de Económicas —que babeaba detrás de ella desde el primer año de la carrera, pero que la suspendía una y otra vez— e hizo con él un trato: «Si me apruebas la asignatura, te hago un pequeño favor manual en los lavabos. Pero con un guante puesto, ¿eh?». A los veinticinco, cuando hacía poco que se había casado con su primer marido (la mujer ya iba por el tercero), le sugirió a su cándido y aburrido esposo: «Si me compras ese sofá chester, esta noche te hago un francés». Y mientras hablaba con Penélope, a punto de cumplir los treinta y cinco, sonreía con añoranza y se preguntaba a sí misma en voz alta: «Oye, monada, ¿no serás tú un poco puta?».

Aquella mujer extraordinaria le confesó a Penélope que a lo largo de su vida había llegado a una única deducción práctica en materia de relaciones personales: que todas las mujeres deberían ser un poco putas alguna vez. Un poco. De vez en cuando solamente, vale. Pero putas putas de verdad. Y otro poco madres. A ella le parecía que, para una mujer, era la mejor manera de ir tirando.

Penélope arrugó el ceño mientras la oía, disgustada con tamaños presupuestos existenciales.

«Los hombres lo están pidiendo a gritos, Pe, no tienes más que fijarte —le dijo la mujer—, buscan en nosotras a la madre y a la puta: cuando no están necesitados de una es porque necesitan a la otra, y ahí se acaban todas las necesidades de mujeres que tienen los hombres. Y si tú eres capaz de hacer el papel de las dos a la vez, tu pareja no querrá perderte de vista. A mí me ha ido regular con los hombres porque me he quedado estancada en el papel de puta, ¿sabes? Pero es que es el que mejor se me da. He empezado a cogerle el tranquillo, aunque conseguirlo me ha costado toda una vida. Sin embargo, no logro meterme en el de madre. No sé por qué. Supongo que porque no soy perfecta. Y claro, mis matrimonios terminan siempre en fracaso.»

Penélope nunca se había planteado las cosas de esta manera. Pero, así y todo, su matrimonio también se malogró.

Cuando abandonó a Ulises y a su hijo, tres meses después de que éste naciera, su marido le reprochó agriamente: «Querida, no tienes entrañas»; a lo que ella contestó, siempre con su sentido práctico: «Pues yo tengo radiografías que demuestran lo contrario, querido». Y se fue dando un portazo mientras oía los débiles lloriqueos del pequeñuelo detrás de la puerta.

Le había escrito una nota de despedida a Ulises, que había pegado al horno con un imán de cocina: «Me voy para siempre. Te he dejado un plato de matarratas en la nevera, por si te apetece cenar».

Y lo mejor de todo es que de verdad le preparó el matarratas en una escudilla de plástico con dibujitos del ratón Mickey, primorosamente envuelta en papel de aluminio y depositada con mimo en el estante de la mitad del frigorífico, semivacío excepto por el veneno, unos botes de leche, tres biberones con agua esterilizada y un repollo medio podrido que languidecía con resignación en el contenedor de las verduras.

Acababa de conseguir un trabajo como ayudante de diseño en una de las mejores *maisons* de la moda española.

El jefe —un viejo gay enfermo crónico, tan sensible como inconsciente, con el cerebro de un niño de preescolar pero con la intuición artística y comercial de un auténtico genio—, la entrevistó después de haber analizado con calma sus diseños días antes, y le preguntó algunos datos personales.

—¿Cuánto mide usted?

—Un metro setenta.

—¿Y cuánto pesa?

—Huuumm... ¿Antes o después de depilarme? —preguntó Penélope, a su vez.

—¿Está usted casada?

—Sí, pero acabo de dejar a mi marido y a mi hijo, y sólo espero de la vida que no ponga en mi camino más maridos ni más hijos de aquí en adelante. No tengo obligaciones familiares, si es eso lo que le preocupa —mintió un poco. Pero no del todo.

—¿Qué edad tiene usted? —quiso saber el viejo *enfant terrible* de la alta costura nacional; su acento era tan teatral y estridente que siempre daba la sensación de sentirse terriblemente incómodo, hablase con quien hablase.

—Pues mire —contestó ella—, físicamente, como verá, tengo veinticinco. Mentalmente estoy rozando los cincuenta y seis. Y espiritualmente acabo de cumplir doce. Pongamos que tengo treinta y tres.

El patrón se permitió esbozar una expresión blanda, que parecía el rastro dejado en su cara por cierto antiguo daño corporal. Había algo de la quietud fósil de un cuadro en las comisuras de sus labios consternados, y tuvieron que pasar unos segundos hasta que Penélope comprendió que estaba sonriendo.

Consiguió el trabajo, pero la verdad era que se lo merecía; no le regalaron nada: tenía talento. Y eso no lo había aprendido en la universidad, desde luego, pues de la facultad de Bellas Artes no sacó más que un título inútil y un marido igual de incapaz, pero también graduado. No, su capacidad nacía de algún rincón más complejo y recóndito, dentro de sí misma. Y un marido —incluso un hijo, carne de su carne— no podría evitar que la sacase a la luz y disfrutara de ella.

Ah, las mujeres. Siempre prisioneras de la biología y la cultura, a la manera de arañas capturadas en su propia red.

Un idéntico drama, más o menos desgarrador, repitiéndose por los siglos de los siglos.

Aunque Penélope no estaba dispuesta a dejarse atrapar en él.

Miró detenidamente una silla china de olmo que había comprado el año anterior en un anticuario. La tuvo durante algunos meses colocada en el recibidor de su casa, al lado de un mueble botellero de teka teñido de negro, en un rincón de detrás de la puerta de entrada, bajo el *collage* colgado de la pared, de color chillón y aspecto demasiado pop, de un joven artista de Malasaña. Allí la silla se confundía con la pared, nadie era capaz de admirar su delicada simetría, el tallado del respaldar adornado de preciosas filigranas de madera. Sin embargo ahora, bajo el ventanal del salón, cerca de la chimenea falsa del apartamento, relucía al modo de una pequeña joya viva, íntima.

Algo similar ocurría con los trajes sastre de color negro: si se los combinaba con camisas de seda de colores sugerentes, una podía obtener un guardarropa de notables posibilidades que parecería nuevo cada día.

También ella había experimentado un proceso similar al de la silla china y el traje sastre negro. En su apartamento familiar, al lado de Ulises y de su hijo, se sentía (luego, probablemente era) una mucama gorda y perezosa y amable. El cerebro lleno de esas pelusillas grisáceas que aparecen debajo de los sofás cuando se pasa la escoba. El pelo con olor a cerveza y grasa de pollo frito. Los sofocos vespertinos sólo de pensar en planear la comida del día siguiente. Y un sueño recurrente por las noches: que debía hacer complicadas operaciones matemáticas —pues le iba la vida en ello—, con una tiza negra, sobre una pizarra negra, en medio de una total oscuridad.

«Las cosas... —pensó Penélope mientras se ponía con cuidado unas medias—, las cosas parecen otras cuando las cambiamos de sitio. Y las personas también.»

ESPÍRITU COMUNITARIO

A Diógenes se le escapó el único esclavo que tenía, llamado Manes. Cuando supo dónde estaba no hizo nada por recobrarlo pues dijo que parecía una necedad que, pudiendo Manes vivir sin Diógenes, no pudiese Diógenes vivir sin Manes.

LUCIO ANNEO SÉNECA,
Tratados filosóficos

Togetherness, así se llamaba en los años cincuenta al «espíritu comunitario» del que gozaban algunos matrimonios, en teoría afortunados, modélicos. Parejas que comulgaban unidas en todos los frentes de la vida, que lo compartían todo, incluidos los sentimientos más terribles. Ideas políticas, gustos culinarios, ambiciones profesionales, programas de televisión, oscuros deseos sexuales. Esposos de los que solían decirse el uno al otro: «Comprendo tus desilusiones como si fueran las mías, cariño»; «Soy capaz de leer en tu interior tal que en un libro abierto»; «Sé exactamente qué es lo que estás sintiendo en estos momentos, amor mío»; o bien: «No necesito explicarte lo que se me pasó por la cabeza en aquel instante, porque tú lo sabes mejor que yo». Eran consortes que vivían cada minuto el uno junto al otro, que respiraban el mismo aire siempre que les era posible (y exceptuando, claro está, las horas dedicadas al trabajo), que salían de paseo juntos, hacían la compra juntos, dormían y se despertaban a la par.

Laura Yanes y Francisco de Gey formaban uno de esos matrimonios que tenía mucho de identidad fusionada, de almas confundidas la una en la otra, sin individuación, sin más independencia que aquella a la que les obligaban las necesidades fisiológicas de cada uno. Amor pleno y entregado a la más absoluta esclavitud del uno al otro. No dos, sino uno. No almas gemelas, sino siamesas. Como si tuvieran miedo de existir cada uno por su cuenta. Un pavor atávico, y de naturaleza desconocida, a esa bola espesa y negra, pesada como la carga de un condenado, que es la libertad.

Una pareja total, entregada hasta la más honda desesperación del ser, así eran ellos.

O por lo menos de esta manera habían sido hasta hacía bien poco.

«El verdadero indicador del carácter de una mujer casada es la cuenta corriente de su marido», trinaba Francisco, un tipo delgado y nervioso, sobrepasada ya la cuarentena, que asistía con cierta regularidad a la Academia de Vili (estaba situada enfrente de su casa, y encima era gratis), él decía que buscando inspiración para la gran novela que estaba escribiendo, la obra magna europea del nuevo milenio, de la era postindustrial, la que sin duda transformaría el rumbo de la literatura occidental.

Literatura, mujeres y cuentas bancarias eran sus principales quebraderos de cabeza. Todos tenían que ver con la necesidad de sentir un poco de poder, de dominio sobre lo que —empezaba a sospechar dolorosamente Fran— era su malograda vida.

El caso es que su cuenta corriente no pasaba ahora por sus mejores momentos, si es que los vivió buenos alguna vez.

Asimismo, su mujer se alejaba cada vez más de él, hasta el punto que Fran temía que no pasaría mucho tiempo antes de que Laura fuese ella misma y no solamente el anverso, o el reverso, de la unión espiritual y carnal que un día formaran.

Y la literatura, hacia la que profesaba una idolatría religiosa —sentía por ella una vocación de monje o de vasallo—, se le escapaba a modo de agua entre los dedos, porque nunca había sido capaz de escribir nada.

Advertía con tanta claridad como espanto cómo del ordenador portátil que Laura le había regalado emergían fuerzas maléficas que lo repelían lejos del infernal artefacto.

Probó con una máquina de escribir —una Underwood de 1950 que había pertenecido a su abuelo—, pero el efecto repulsivo era equivalente, y carecía de la gracia que suponía poder enchufarla, abrir los archivos, admirar los animados iconos que parpadeaban en el escritorio de la pantalla.

Utilizando un bolígrafo tampoco llegó más que a esbozar algunos posibles títulos y primeras frases de la futura gran novela.

Cuando acudía a la Academia de Vili, a veces, antes de que comenzaran las charlas, había coincidido en los pasillos con Johnny Espina (de temperamento infamable, cascarrabias; y también un gran escritor en estado latente).

Discutían sobre literatura a menudo. Una tarde, Johnny le recitó, con su acostumbrada mordacidad, unos versos de Marcial que, afirmó con una sonrisa retorcida, le iban al pelo a Fran:

> *Sertorio nunca termina las cosas,*
> *aunque comienza un centenar.*
> *Cuando jode me pregunto*
> *si es capaz de terminar.*

—Eres un desgraciado mental —le reprochó Fran al otro.

—Mira... Yo sólo trataba de estimularte un poco, para que te decidas de una vez a hacer lo que quieres hacer, te salga bien o mal, ¿viste? —Johnny enderezó la espalda y se pasó la mano por la frente sudorosa—. Pero, oye... tú a mí no me hablas así, porque yo soy un tipo con sesenta y cinco libros de poesía escritos, mientras que tú no has sido capaz de acabar ninguno de los que has empezado. Y yo creo que me merezco otro respeto, ¿oíste?

—¿Y cuántos has publicado, eh?, ¿cuántos? Has escrito muchos, según dices... ¿pero cuántos has publicado?

—¿Qué tiene eso que ver con lo que estamos hablando?

—Tiene que ver —se rió Fran—, ya lo creo que tiene que ver. Te pasas la vida diciendo que eres un artista, pero ¿qué tienes tú de artístico, aparte de una nariz igualita que la de John Lennon?

Johnny se puso furioso, algo que no le costaba especiales esfuerzos conseguir. Apretó con fuerza los labios, tratando de contener su ira y dando la impresión a quienes lo miraban de que tenía todos los dientes sueltos, revoloteando cómodamente dentro de su boca, mientras él trataba de contenerlos con torpeza para que no se le cayeran al suelo.

—Eres un cabroncete fracasado —le dijo a Fran por fin, antes de darse la vuelta y alejarse de él—. Pero no vas a conseguir que me pelee contigo, capullo. Como dice Vili, y como diría Sócrates: si un borrico me da una coz, ¿voy a ir yo a demandarlo a los tribunales? —Espiró con calma y echó a andar hacia la puerta de la Academia—. ¡Anda y que te jodan!

El amor, qué preciosidad de palabra. El amor había sido durante diez años su refugio. Creyó en el amor.

Séneca aseguraba que lo mejor del dolor es que si dura

92

no es grande, y si es grande, no dura. Él podría decir ahora puntualmente lo mismo del amor.

El suyo había durado diez años. No era mucho. Ni poco. Quizá porque no fue un amor grande, ni pequeño.

Ahora creía que era mucho más fácil escribir mil historias de amor que vivir una sola. Lo único malo era que él, en concreto, todavía no había sido capaz de redactar ninguna.

Empezó bastantes novelas (sobre todo de amor, pues estaba íntimamente convencido de que el amor y las dudas eran los más excelentes temas que un escritor virtuoso podía tratar). Pero aún no había terminado ni una sola. Apenas si había escrito un par de líneas en cada ocasión, como le reprochaba con perspicacia Johnny.

Intentó garabatear algunos poemas en su cuaderno de notas. Sin resultado satisfactorio. ¡Había tantos versos hermosos que flotaban por ahí, en alguna parte del aire o de su cabeza! Pero Fran no era lo suficientemente hábil para poder atraparlos.

Leyó por enésima vez los *Sonetos* de Shakespeare.

¡Shakespeare, oh, demonios!, ¡Shakespeare!, qué buen poeta sería Fran si hubiese escrito sus versos.

Fran se había licenciado en Empresariales y trabajado en los últimos catorce años como gerente comercial de distintas compañías. Cuando emprendía un cometido nuevo, el primer día florecía en él todo el apasionamiento de que era capaz. Tomaba iniciativas ambiciosas, hacía planes brillantes y osados que otros se encargaban de ejecutar, pero que lograban aumentar las ventas con rapidez y efectividad de manera inmediata.

Eso ocurría al principio.

A Fran los arranques le gustaban, eran su debilidad. Pero tal y como pasaba con sus novelas (innumerables proyectos sellados con incontables primeras frases de estilo deslumbrante), la fuerza se escapaba de él en los primeros instantes, como de una botella de cava agitada violentamente antes de ser descorchada, y se agotaba en poco tiempo.

Se quedaba atascado.

Entonces lo invadía la desidia. Una indiferencia paralizadora contra la que no se sentía capaz de batallar. No podía dar más de sí. No podía y no podía. Era algo superior a él. Era su modo de ser, su naturaleza, se decía Fran tratando débilmente de disculparse.

Lo más sorprendente era que él, devoto del artificio (¿qué otra cosa, si no, es en esencia la literatura?), se rindiera enseguida, sin presentar la más mínima resistencia, a los tiranos caprichos y las rígidas leyes del mundo natural.

Lo que vemos es todo lo que hay sobre la Tierra, absolutamente todo. Pero es aquello que no conseguimos ver lo que logra que las cosas existan, que cambien y que nosotros mismos nos transformemos; que nada esté nunca quieto. En Fran, lo invisible también era un contrapeso que aniquilaba a todo lo visible de su vida. Así de simple. Así de traumático.

Cuando se casó con Laura —diez años atrás y poco más o menos recién ingresado en serio en el mundo laboral—, se sintió vigoroso, y de alguna manera profundo, arraigado sobre un terreno bien asentado, igual que un viejo madroño; lleno de pretensiones y confianza, sorprendentemente seguro entre los brazos de una mujer sin aspiraciones y tan vulnerable como la suya.

Ella cambiaba las sábanas tres veces por semana, guisaba, se asustaba ante los pequeños contratiempos de la vida diaria, y no era mezquina. Él cuidaba de ella, y ella de él. Fran era el niño grande y el papá de Laura. Y Laura era la mamá y la niñita pequeña de Fran.

Todo era perfecto.

Cuando él perdía un trabajo siempre lograba hacerse con otro y presentarlo a los ojos de su esposa como mejor que el anterior.

Entre medias, se dejaba hundir por una temporada en la ciénaga de su desgana, pero lograba chapotear hasta la orilla, enfangado y exhausto, para iniciar cuanto antes la búsqueda de un nuevo pozo infecto en el que zambullirse.

Hasta que descuidó tanto su último trabajo que lo echaron y no logró dar con otro igual de bueno, o superior al precedente. Desde entonces se limitaba a cobrar su subsidio de desempleo y a observar detenida y fríamente cómo se acababa su matrimonio mientras Laura se veía obligada a trabajar diez horas diarias en la recepción de un hotel del centro, para ayudar con su sueldo a pagar las facturas que no podrían cancelar valiéndose solamente del dinero del paro que Fran cobraba mensualmente.

Veía a Laura trabajar y alejarse de él.

Era como si estuviera remando, dirigiéndose hacia algún sitio determinado que sólo ella conocía.

Ay, Laura, Laura... Su tanto tiempo amada conjunción copulativa. La otra mitad de su yo.

Se le ocurrió que quizás era un buen momento para lanzarse de lleno a la escritura de su novela. Al fin y al cabo convertirse en escritor era algo que había deseado sin cesar desde que podía recordar.

—Escribe un bosquejo de la novela y un primer capítulo —le había sugerido Laura—, yo te buscaré una agente y podrás comenzar tu carrera.

Fran estuvo de acuerdo con su mujer. Eso es lo que haría: pergeñar una sinopsis arrobadora de su historia, componer un pequeño capítulo de demostración —nada definitivo, pero lo bastante sugerente como para apoderarse del corazón de cualquier agente o editor en su sano juicio—, y arrojarse de lleno al mundo del talento. Tal vez de la fama. Seguramente de la gloria.

En fin, no se le antojaba un mal horizonte de perspectivas, la verdad. Sobre todo teniendo en cuenta la situación de emergencia vital en la que se encontraba. Sobre todo teniendo en cuenta —sobre todo, sobre todo— su debilidad congénita que ahora, ya pasada la cuarentena de su existencia, lo amenazaba igual que un constante y desgraciado azote, una incombustible desolación que había empezado a admitir por primera vez como real, aunque fuera a regañadientes.

Pero pasaron los meses y Fran no acababa su capítulo de prueba, ni siquiera el pequeño esquema de lo que sería la soberbia novela que pensaba escribir.

Laura lo presionaba sin cesar a este respecto, cada vez más molesta y desconfiada. Las peleas conyugales se hicieron frecuentes. Y encarnizadas. Cualquier pretexto era bienvenido para iniciarlas. Una mancha de café torrefacto en un pantalón casi nuevo. Que Fran había olvidado otra vez comprar el pan. Que Laura se sentía habitualmente demasiado cansada para estar dispuesta a hacer el amor cuando a su marido le apetecía.

—Hace tanto tiempo que no hacemos el amor... —se quejaba Fran—. Eso nos está distanciando, cariño.

Laura se encogía de hombros.

—Hoy estoy deshecha. Completamente agotada —susurraba.

—Se te pasará. Vamos a la cama.

—He dicho que no —insistía su mujer—. ¿No me has oído?

—Me parece que te estás pasando, Laura.

—¿Pasando? ¿De qué, o sobre qué?

—Esto no puede seguir así.

—Estoy de acuerdo. —Laura inclinaba la cabeza sobre el pecho, y se encogía sobre sí misma, acurrucándose en el sillón—. Acabemos cuanto antes con esta pesadilla. Llamaremos a un abogado.

—Vamos, vamos... —Fran se acercaba a ella, con un brillo de impotencia en la mirada—. No he querido decir eso.

Y Laura, que pensaba que había llegado el momento de empezar a cuidar de sí misma, lo contemplaba por encima del hombro.

—Nunca dices lo que quieres decir, Fran —murmuraba con una voz suave y floja, igual que un sonsonete hilvanado en el aire—, y nunca quieres decir lo que dices. Pero yo creo que, en realidad, no tienes nada que decir, así que... ¿cómo ibas a poder decirlo?

Más tarde, ella se iba a dormir al dormitorio de los niños. De los niños que nunca tuvieron, pero que estuvo preparado para recibirlos desde el mismo momento en que contrajeron matrimonio.

Fran veía un rato la televisión antes de meterse en la cama. Cuando por fin se deslizaba entre las sábanas, se cubría con el embozo; y a veces lloriqueaba un poco y mordía la almohada.

Pero su vida cobró otro sentido la tarde en que, paseando por el parque del Retiro, sin nada mejor que hacer que lanzarles piedrecitas a los patos desde el embarcadero del Estanque Grande, su mirada se tropezó con la de aquel hombrecillo.

Arrugado, pequeño. Sin esperanza ni vida en los ojos. Con unos pantalones de pana verde demasiado grandes para su talla, y una expresión agria y desdichada en la cara. Dibujada a punta de navaja, se podría haber dicho.

ESQUELETOS EN EL ARMARIO

La felicidad no consiste en la alegría ni en la lascivia, ni en la risa o en la burla —que son compañeras de la ligereza—, sino que reside muchas veces en una triste firmeza y constancia.

M. T. CICERÓN,
La naturaleza de los dioses

—Que no, mamá, que no he dado un estirón, que tengo ya cuarenta y tres años... —repitió Jorge cansinamente, con los labios rozando y humedeciendo el auricular del teléfono.

—Estoy segura de que no te alimentas correctamente —dijo la señora, al otro lado de la línea.

Cuando ella llamaba lo primero que decía, después de oír el hastiado «diga» de su hijo, era: «¿Jorge?, ¿estás ahí?». Y el aludido a veces deseaba contestar: «No, no estoy aquí, mamá. Ya me he marchado».

Claro que nunca lo decía.

—Entonces, ¿por qué te están cortos lo pantalones nuevos que te he mandado por correo? —inquirió la señora.

—Supongo que es algo relacionado con la marca de la

ropa —explicó desanimado Jorge—. Cada marca parece tener sus propias ideas respecto a lo que significa la palabra «talla». Y unas las hacen más cortas, otras más largas. Y así.

—¿Seguro que te alimentas como es debido?

—Sí, me alimento como es debido, mamá. Incluso me sobran unos kilos, como a todo el mundo hoy día —suspiró, tumbándose en el sofá y cerrando los ojos con resignación mientras sujetaba el teléfono entre el cuello y el hombro.

—Debes alimentarte mejor.

—Está bien, mamá. Lo haré.

—No, me dices eso para que me quede tranquila, pero no piensas hacerlo. Comer bien es muy importante, Jorge.

—Lo sé. Lo sé. Comeré bien.

—No, no comerás bien.

—Sí, sí que lo haré.

—No lo harás, te conozco, hijo. —Su madre lanzó una pequeña exclamación que sonó como un chisporroteo a través del teléfono—. Seguirás comiendo mal. Tan seguro como que dos y dos son cinco.

—Dos y dos no son cinco, mamá. Son cuatro.

—¿Ah, sí? —Se hizo un silencio que no duró mucho—. Bueno, me he equivocado por poco, ¿no?

—Llevas razón, mamá. Debería comer más fruta y verdura. Calditos y arroces. Legumbres. Pero sabes que no dispongo de mucho tiempo para guisar. Tengo que comer fuera casi todos los días.

—Desde que esa bruja te dejó, ni tu vida ni tus comidas son las adecuadas.

—No empecemos, mamá.

—Vale, vale... No pretendía sacar el tema. —La mujer carraspeó incómoda—. Bueno, y dejando aparte esos dos detalles sin importancia, me refiero a tu vida y a tus comidas, ¿cómo te va desde la última vez que te llamé?

Lo había llamado por última vez hacía dos días.

—Oh, estupendo. No debes preocuparte por mí. ¿Qué tal tiempo hace en Santander? ¿Puede jugar al golf papá?

—Sí, ya lo creo que juega. Él es así. Ni los elementos desatados consiguen mantenerlo encerrado en casa.

—Déjalo que se distraiga, ahora que puede.

—Siempre ha podido. De hecho, siempre se las ha arreglado para hacer lo que le da la gana.

—¿Y tú, cómo estás? —preguntó Jorge, aunque no deseaba en absoluto preguntarle a su madre una cosa así. Detestaba servirle excusas en bandeja de una manera tan tonta. Enseguida se arrepintió de haber formulado la cuestión, pero ya era tarde.

—Mi pierna derecha es una ruina, parece una patata asada demasiado asada. Mis ojos pueden oler y oír, pero no ven ni tres en un burro nada que esté situado a más de un centímetro de distancia de mis gafas. Por no hablar de otros temas. Por ejemplo, del tema de la congelación.

—¿El tema de la qué? —gimió Jorge.

—De la congelación. Tú sabes que a mí me *encantaba* congelarlo todo. Me sentía tan protegida como una osita repleta de provisiones. Tener un congelador del tamaño de un arcón de pirata me hacía sentirme segura, hijo.

Ah, sí. Jorge lo sabía.

Hay quien descubre un día que ver llover le hace feliz, hay quien descubre América y hay quien descubre un aparato para extraer la pelusa de los jerseys, y todas esas cosas logran cambiar sus vidas. La madre de Jorge hacía mucho que había descubierto *la congelación*. Durante años lo congeló todo. El queso, la nata, el aceite. El vino añejo. El agua mineral. Cualquier tipo de comida y bebida. Lo sólido, lo líquido y lo gaseoso. Lo medio vivo y lo desgraciadamente cadáver para siempre. Y se complacía en contárselo a todo el que quisiera oírla. Para ella la congelación era algo así como una gran conquista social. Adoraba explicar con detalle cómo se las ingeniaba para cocinar ingentes cantidades de alimentos cada vez, a pesar de que eran sólo dos personas a la hora de sentarse a la mesa (ella y su marido), y pese a que tenía una criada cántabra famosa por su maña con los pucheros. Cuando quería aportar un poco de intriga a una de sus largas explicaciones sobre cómo asar, dorar, estofar o macerar algún producto comestible, siempre terminaba preguntando: «Y cuando acabé tenía suficiente para alimentar a veinticinco personas. Como mínimo. Así que, ¿sabes lo que hice?». Entonces su interlocutor, a poco que la conociera, se atrevía a interrogarla tímidamente a su vez: «¿No lo congelarías, por casualidad, Olga...?».

—¿Qué pasa con la congelación? Yo creía que te encantaba.

—Hasta hace poco, sí. Me encantaba, tú lo has dicho.

—¿Y ya no?

—No, ahora me horroriza. Lo prefiero todo lo más fresco posible. Incluso cambiaría a papá por otro si no fuera porque hasta yo reconozco que ya es demasiado tarde para mí.

—¿Ah, sí? ¿Y cómo ha ocurrido el cambio? —Jorge se levantó con pereza y se encaminó, sin despegarse del teléfono inalámbrico, hasta la cocina. Se sirvió un vaso de whisky y cerró los ojos mientras daba el primer trago.

Se temió que, antes de que acabara la conferencia con su madre, estaría completamente borracho. No es que él fuera un alcohólico, se trataba sencillamente de que su madre despertaba en él cierta ansiedad que sólo conseguía sobrellevar con un poco de estoicismo de andar por casa y mucho de una alegre predisposición a la dipsomanía.

—Hoy día apenas sabemos lo que comemos —dijo Olga luctuosamente—. En las granjas, ceban a los bichos con porquerías, y les dan de beber antibióticos en vez de agua, para que no la palmen de cáncer y cosas así antes de ser sacrificados.

—¿Y qué tiene eso que ver...? —se sintió obligado a preguntar Jorge—. ¿Qué relación hay con eso y el congelamiento?

—El otro día vi un reportaje en la televisión sobre el Yeti, el hombre de las nieves. Era un tipo joven y sano, que llevaba años y años congelado, en medio de las montañas. Su aspecto dejaba mucho que desear.

Cuando colgó el teléfono por fin, Jorge tenía un dolor de cabeza muy feo, que no sabía si achacar al whisky o a su madre.

Se encaminó al cuarto de baño y abrió la puerta. Se acercó a la taza del váter y le lanzó una ojeada ebria y nostálgica al papel higiénico. Sobre el portarrollos colgaba un cartelito de cerámica que había comprado su mujer en un rastrillo. Una de las pocas cosas que le tocaron a él en el reparto de los bienes gananciales. «Úsalo con moderación. Es tu responsabilidad», decía el dichoso letrero que ella había suspendido, atado de un cordel rosa, sobre el papel higiénico del baño principal de la casa que compraron en la sierra. Ahora, lucía su patética recomendación en el estrecho váter del apartamento de Jorge.

El hombre se sentó sobre la taza y, después de terminar, utilizó casi todo el rollo de papel, presa de algún tipo de furia derrochadora y antiecológica de origen extraño.

Tiró tres veces de la cadena del retrete, y luego se dirigió otra vez al salón. No tardó mucho en llegar, su apartamento era pequeño, de apenas sesenta metros cuadrados. Ya estaba decorado y amueblado cuando lo alquiló, y empezaba a aburrirse de contemplar siempre las mismas láminas de tonos pastel, reproducciones de acuarelas sin gracia, enmarcadas en metacrilato negro y colgando de las paredes, avergonzadas de sí mismas pero alineadas pulcramente una al lado de las otras.

Quizá debería comprarle un cuadro a Ulises, pensó Jor-

102

ge de pronto. Se lo propondría en cuanto lo viera. Eran amigos, y seguro que podía guardarle un lienzo especial. Así tendría algo con vida propia alegrando aquella sucesión de paisajes enmarcados y muebles anodinos, casi incoloros, que le hacían sentir que él era la única estridencia con algo de movimiento y calor propio dentro del apartamento.

Qué buena idea, ¿cómo no se le había ocurrido antes? Le compraría un cuadro a su amigo Ulises, sí. Incluso dos, ya puestos.

Se sentó frente a la pequeña mesa que hacía las veces de escritorio, encendió su ordenador portátil, activó el Netscape y se fue hacia sus Bookmarks.

Bueno, bueno, bueno... Se censuraba a sí mismo el deseo y la audacia, pero tampoco era para tanto. No había por qué hacer un drama del hecho. Tampoco era como tener esqueletos en el armario.

Total... porque pasaba todo el tiempo que podía viendo el sitio de Victoria Secret's en Internet —braguitas, *cullottes*, tangas y sostenes, bonitos pero baratos, asequibles al bolsillo de casi cualquier mujer—; total... porque se introducía, en cuanto tenía un rato libre, en un chat de lesbianas muy entretenido que había descubierto hacía unos meses...

Total.

No, no era para tanto.

Cierto, es posible que él tuviera el *Síndrome de la falsa lesbiana*. ¿Pero le hacía daño a alguien sólo porque se dedicaba a charlar un par de horas cada día con otras chicas, haciéndose pasar por una rubia tetona, y violentamente sáfica, de Móstoles?

Jorge creía que no.

Encendió la tele con el mando a distancia y en la pantalla aparecieron los dibujos animados de la serie Cow & Chicken, de David Feiss. Con el disparatado y familiar ruido de fondo que provenía del aparato se sintió menos solo, más confiado y dispuesto a fingir de manera brillante, a mentir con la mayor sinceridad posible.

«Hola, soy Marta, y hoy me siento tan lasciva y despreciable que podría escribir bonitos poemas sobre el culo de mi chica, o hacer el amor durante horas sólo con la boca, atada de pies y manos. Me parece que sois todas unas putas cagadas y que no tenéis valor para venir aquí, a mi casa, a compartir conmigo mis sueños más perversos. O para salir a la calle y dejar que la gente os reconozca. Me parece que sólo habláis y habláis pero seguís escondidas igual que ratitas tímidas. No hay más que contar los anuncios de contactos de las revistas: "Chico busca chico", ochenta y cuatro anuncios. Y al lado, "Chica busca chica", cuatro. Las lesbianas o somos menos o somos mucho más cobardes. Así que... ¡vamos, dad la cara si tenéis lo que hay que tener!», escribió Jorge, y envió el mensaje al foro del chat.

Pensó que debería ir hasta el frigorífico y sacar una cerveza fresquita y unas aceitunas antes de que la cosa empezara a animarse, cuando le contestaran seis o siete lesbianas airadas, encorajinadas como niñas a las que él hubiera dado un brusco estirón en las trenzas.

Ya podían prepararse todas ellas una vez más. Eso sólo era el principio de la larga sarta de improperios que tenía intención de soltarles.

Les iba a proporcionar tela marinera a aquellas marranas.

Eran tan ingenuas y adorables...

Sinceramente, le encantaban.

Disfrutaba haciéndolas rabiar.

No se lo pasaba tan bien desde que jugaba al fútbol *sin reglas* en el instituto, si exceptuaba el par de veces que había coincidido con aquel hombrecillo que iba por la Academia de Vili. Un tipo tan frágil, tan atormentado que despertaba los mismos sentimientos que una lagartija —indefensa, paticoja y acobardada— provoca en un mocoso sádico de once años provisto de un mechero y una navaja.

Cuando se cansó de chatear, y dado que no conseguía una cita con una dulce lesbiana ansiosa de ser redimida por un verdadero hombre, apagó el ordenador y la televisión, y consideró el tema de su ex mujer.

En cuanto bebía un poco le daba por pensar en ella.

Carmen y él lo habían dejado hacía más de un año, pero para Jorge la separación seguía siendo tan dura como el primer día.

Según Jorge, los matrimonios duraderos —como el de sus padres, sin ir más lejos— podían definirse con los mismos términos estratégicos de política militar MAD (en sus siglas inglesas); esto es: *Destrucción Mutua Asegurada*.

La política MAD tuvo un paradigma caricaturesco en el personaje del Doctor Strangelove —interpretado por Peter Sellers en una película de Stanley Kubrick—, que Jorge admiraba mucho.

Fue ésa la política que consiguió que Moscú y Washington construyeran miles de cabezas nucleares en la Guerra Fría.

El secreto estaba en tratar de impedir una guerra nuclear mundial mediante el expeditivo procedimiento de garantizar que —fuese quien fuese el primero que comenzara—, los dos rivales quedarían destrozados y no habría ganadores, aunque sí dos vencidos (más bien aniquilados).

Así, la seguridad dependía de un equilibrio de Terror Nuclear. La paz estaba garantizada. Una paz tensa y helada, sí, pero paz al cabo.

El asunto marchaba a la perfección, exactamente de la misma forma en que lo hacen los Matrimonios Duraderos, pensaba Jorge.

Mientras Carmen —su ex mujer— y él practicaron una política MAD matrimonial, la cosa funcionó. Desde luego que funcionó. Hasta que una de las partes cambió, y la situación se desestabilizó por completo. Fue su doméstica caída del Muro de Berlín conyugal. Entonces quedaron a la vista las atroces consecuencias del tirante arreglo: un matrimonio deshecho, un carísimo e inmediato divorcio y miles de rencores a punto de explotar, como armas nucleares desperdigadas a lo largo y ancho del planeta esperando caer el día menos pensado en las nerviosas manos de algún megalómano loco.

Pensó en Jorgito con ternura y desazón. Porque, claro, lo peor de todo es que en medio de aquel cataclismo hogareño estaba Jorgito.

Volvió al salón.

Agarró de nuevo el teléfono, que había dejado sobre la tele, y marcó el número de su ex.

—Hola, soy yo —dijo.

—¿Y quién eres tú? —preguntó Carmen.

—¿Quién voy a ser? ¡Soy Jorge! Yo pago la hipoteca de la casa donde vives, ¿te acuerdas?

—Ah, hola.

—¿Dónde está Jorgito? —quiso saber Jorge. Había un recelo envidioso en su voz.

—Está afuera, jugando —le explicó Carmen pacientemente.

—¿Afuera? ¿Qué quiere decir «afuera»? ¿Fuera de qué?

—Afuera. En el jardín.

—¿En el jardín? —Estaba horrorizado. Miró los cristales de la única ventana de su salón, que la lluvia azotaba con fiereza en esos momentos—. ¿No has visto las noticias? —Se acercó a la ventana, escandalizado—. Vientos de sesenta nudos en las Rías Bajas. Lluvias torrenciales y cúmulos tormentosos por aquí y por allí. ¡Por todos lados!

—¿Las Rías Bajas no estaban en Galicia o por ahí?

—dudó Carmen—. Te recuerdo que nosotros vivimos en las afueras de Madrid, a las orillas del Jarama.

—Pero, pero, pero... ¿No está lloviendo ahora por ahí?

—Sí, un poco.

—¿Cuánto de poco?

Carmen parecía molesta.

—¡No sé!, pues un poco.

—¿Y dejas que Jorgito salga de noche, con lo que está cayendo? ¡Pillará algo!

—A él le gusta retozar entre el césped, ya lo sabes.

—Me da igual si le gusta o si no le gusta. Hace viento y frío, está lloviendo y no debería salir de casa a estas horas. Espero que cuando me toque recogerlo, el próximo fin de semana, no esté enfermo, porque si no...

—No estará enfermo. No le pasará nada.

—No me puedo creer que le consientas estar a cielo abierto mientras cae el segundo diluvio universal. No me lo puedo creer, Carmen. No me puedo esperar estas cosas de ti. La vida no me ha preparado para esto.

—Quería salir, estaba lloriqueando y yo, sencillamente, le he abierto la puerta... —explicó Carmen.

—¡Eres increíble! —Jorge estaba enojado—. ¡Tratas a Jorgito igual que a un perro!

El largo suspiro quejumbroso de Carmen le llegó a través del auricular como si acabara de exhalarlo justo al lado de su oreja.

—¡Pero es que *es* un perro! —contestó lentamente la mujer.

Jorge estuvo a punto de soltar un aullido.

—¡Ah!, ¡ya salió aquello! ¿Es eso una excusa, pues? —Agarró con fuerza el aparato y le rugió—. Puede que sea un perro, pero no es un perro cualquiera. Es Jorgito, ¿recuerdas? Nuestro perro. Un westhigland white terrier muy especial. Mi Jorgito. Y si tú no lo tratas como es debido, creo que yo tengo algo que decir al respecto. El juez de familia lo dejó muy claro. Tengo derecho a verlo los fines de semana alternos y la mitad de todas las vacaciones. Puedo decidir sobre cuestiones de importancia referentes a su salud, a su educación y a su alimentación. Y te digo, Carmen, que lo llames ahora mismo y lo metas dentro de casa. ¡Que lo seques y que te encargues de que no se constipe! Estoy en mi perfecto derecho de exigirte que lo hagas. Inmediatamente.

Jorge había conseguido, cuando se divorció de Carmen, que el juez encargado de su proceso de separación le otorgara derechos de visita sobre el perro. (Carmen y él no habían tenido hijos.)

—Está bien —dijo ella—. Lo llamaré ahora mismo. ¿Quieres algo más?

Jorge, de repente, se sintió invadido por un relajamiento espontáneo. Le flojearon las piernas. Estaba cansado, había tenido un día terrible en la oficina. Le dolía la cabeza. Echaba de menos a Jorgito. Y a Carmen, sobre todo a Carmen. Podía imaginarla sentada frente a la chimenea, o estirando las piernas sobre el sofá. Su cara pecosa un tanto adormecida. Sus anchas caderas enfundadas en un pantalón de chándal bien abrigado. Estaba un poco... fondona, de acuerdo, pero es que a él las mujeres le gustaban así. Las prefería cuando se adivinaba en ellas a una matrona luchando por salir ahí fuera, por asesinar a la *top model* en potencia y reclamar su orondo y fláccido lugar en el mundo. Las prefería mucho antes que a esas otras de pechos siliconados y culo endurecido en el gimnasio. Carmen era ancha y agradable. Acogedora como un buen hogar. Tenía unos dientes blanquísimos que parecían repasados con Tippex todas las mañanas, en vez de enjuagados con dentífrico común y corriente. Era una pelirroja tranquila y llena de curvas que reciclaba el vidrio y el papel y que, cuando llegaba el verano, comía helados, sonreía y disfrutaba de la vida al aire libre.

¡La echaba tanto de menos!

—No, nada —dijo, más tranquilo—. ¿Qué estás haciendo? Si puedo preguntártelo, claro.

—Oh, estaba leyendo un poco antes de acostarme.

—Qué casualidad, yo también estaba leyendo antes de llamarte —mintió él.

—¿Ah, sí? ¿Y qué estás leyendo?

—Bueno, pues un libro... —titubeó Jorge—. Una historia. Es algo así como una mujer que encuentra a un tipo estupendo, pero luego él la abandona por otra, y ella se suicida. Aunque también podría interpretarse a la inversa.

—Vaya, qué interesante.

—Sí, sí. Ya lo creo.

—En fin, voy a llamar a Jorgito para que entre en casa.

—Oh, sí. No dejes de hacerlo.

—Buenas noches.

—Sí, claro. —Jorge desconectó el teléfono despacio.

Recapacitó sobre su situación existencial unos segundos.

Él no codiciaba grandes cosas.

Únicamente quería llevar una vida sencilla, llena de pequeños placeres.

Eso era todo lo que siempre había ambicionado. Nada más.

En cambio, tenía un horripilante piso alquilado, una vieja Barbie de cuando Carmen era niña, y una herida puntillosa —difícil de localizar dentro de él—, que parecía infligirse a sí mismo sin descanso.

Se restregó la cara. Notaba el cuello rígido y le ardía el cielo de la boca.

Necesitaba dormir unas horas. Había bebido demasiado.

Cogió la muñeca de su sitio habitual encima del televisor agarrándola con fuerza de los pelos, y se encaminó primero al cuarto de baño dando unos pasos vacilantes.

OBSERVANDO A LOS GORRIONES

*El que pueda hablar consigo mismo no
buscará la conversación con otro*

M.T. CICERÓN, *Cuestiones Tusculanas*

Empezó octubre y el tiempo apenas cambió.

El final del verano había sido helador, y el otoño aventó las calles de Madrid con gotas de una llovizna inmisericorde y a rachas cascarrinada. Los ciudadanos parecían hibernar de una forma íntima, precipitada. La existencia urbana, con su habitual intensidad, se había ralentizado de la misma inquietante manera en que aflojan su ritmo ciertos procesos químicos, en el laboratorio, justo en el momento en que quien los induce los da por perdidos y se limita a esperar absorto, premonizando con pereza el desastre final, su violenta decadencia impregnada de vacío.

Pero era miércoles por la noche en Madrid, y la Academia de Vili estaba llena de aficionados a la felicidad, voluntarios emigrados de sus hogares secos y desangelados, arracimándose al calor del filósofo.

La pensée console de tout?

Afuera, en las calles del centro, los adoquines olían a

lluvia arrebatada y los capós de los coches tintineaban bajo la metralla líquida de la tormenta.

El otoño, dador de frutos, vertía así todas sus riquezas sobre la ciudad.

—¡Te falta, te falta, te falta!... —gritó Vili; todos los circunstantes lo miraron con espectación. Él señaló la figura menuda y esbelta de Irma, de pie delante de su silla—. ¡No haces más que quejarte de las cosas que te faltan, Irma! Mirándote nadie diría que tienes tantas carencias. Lo que yo veo cuando te miro es una persona joven, capaz y sana. Incluso bella. ¿Qué puede faltarte? ¿Una tercera mano? ¿Y para qué necesitas una tercera mano?

—Todos buscamos la perfección —se excusó Irma—. Todos queremos ir un poco más lejos cada día. Queremos un poco más, y otro poco. Eso es el progreso, me parece.

—¡El progreso! —Vili rugió suavemente—. ¿De verdad crees que el progreso existe?

—Sí.

—¿Y cómo definirías el concepto de progreso?

—Es un avance. Es algo que hace que las cosas sean mejores con el tiempo.

—¿Mejores para quién?

—Para todo el mundo.

—¿De verdad que para todo el mundo? ¿También para ese niño de cinco años, huérfano y comido de liendres y de llagas, que escarba ahora mismo en un basurero infectado de ratas en Lima, Perú? ¿O quizá para él las cosas no mejoran tanto con el tiempo?

Irma frunció los labios, incómoda y ligeramente turbada. Su cuello enrojeció y sus omóplatos se relajaron. Tenía una leve sensación de sofoco. No le gustaba que Vili utilizara esos argumentos. Le recordaban a su madre y a la catequesis: al remordimiento organizado como forma de control moral, a la religión más rancia. Le olían a represión y a culpabilidad.

111

Así se lo dijo al hombre.

—Está bien... Olvidemos a ese niño, pero no olvidemos que existe —reconoció Vili, a su pesar—. Porque si el progreso es una ley general que sólo falla en los casos particulares, entonces a mí no me convence. No me parece que ese avance sea real. —Hizo una pausa y se levantó de su sillón, para volver a sentarse unos segundos después—. Eso en cuanto a la prosperidad material, porque en lo que respecta a la espiritual, ¿tú crees, Irma, que la naturaleza humana es hoy día distinta a como lo era cinco, diez o veinte siglos antes de Cristo? Yo no lo creo. Yo creo que seguimos siendo los mismos seres humanos de antaño. Débiles, trágicos y violentos. Miserables y con una enfermiza tendencia a la aflicción. ¿Dónde está el progreso?

—Tal vez en nuestro propósito de que exista ese progreso, esa mejora.

—No tengo nada que objetar a algo así.

—En seguir buscando...

—Me parece bien. ¿Y tú qué buscas, Irma? —preguntó Vili con los ojos entrecerrados, mientras mordisqueaba el capuchón de un bolígrafo.

—Busco mi propio paraíso —dijo Irma—. Y en mi paraíso particular hay mucho amor. Está lleno de amor. Pero sobre todo hay bienestar, lo que hoy día quiere decir que hay dinero. Así es mi paraíso, y por eso lo busco desesperadamente. Por eso lucho cada día.

—Lo buscas desesperadamente, buscas tu propio paraíso... ¿Por qué? ¿Qué tiene de malo nuestro infierno de aquí abajo? ¿Conoces otra cosa? ¿Alguien conoce algo mejor? —Vili escrutó algunas caras que lo rodeaban.

—Nooo... —dijeron los presentes, en un murmullo.

—Yo lo conozco por mis sueños —se atrevió Irma, empezaba a ponerse nerviosa, aunque todavía era capaz de soportarlo—. En mis sueños sí existe.

—Claro que los sueños, sueños son, ¿no te parece, Irma?

—Sí, Vili. Pero son hermosos.

—Faltaría más. La vida, incluso sin amor y sin dinero, también es hermosa, ¿no te habías fijado? La vida sin más, completamente desnuda, es lo más bello y lo mejor que nos podía pasar.

—No, no para mí.

—No para ti, ¿eh? ¿Y quién eres tú? —preguntó Vili.

—Una mujer —respondió Irma. Su pelo rubio platino brillaba, era casi fosforescente.

—¿Y qué es una *mujer*?

—¿Un animal racional? —se atrevió la chica, un poco vacilante.

—Claro, hasta ella lo duda... —le cuchicheó Jorge al tipo que tenía al lado que, por otra parte, era para él un perfecto desconocido. (Ulises no había acudido aquella noche a la Academia. Tenía al crío constipado.)

—¿Sólo animal? —Vili se irguió en su sillón, sus labios dibujaban una sonrisa de burla, pero con ribetes de camaradería—, ¿sólo racional?

Irma oteó a la gente, moviendo la cabeza a un lado y luego al otro. Todos los presentes la miraban y, aunque no se sentía del todo incómoda, empezaba a ser consciente de sus miradas, y eso le impedía concentrarse de una forma adecuada.

—Animal. Racional. Y también mortal —concluyó Irma con un suspiro de alivio al ver que Vili asentía por fin.

—¿Y de qué te sirve tu racionalidad? ¿De quién te diferencia?

—Supongo que del resto de los animales.

—¡Incluidos los hombres! —gritó desde el fondo de la sala una voz femenina que Irma no supo identificar.

El público atendía religiosamente al diálogo entre maestro y discípula a pesar de los embates de la lluvia y el viento, que zarandeaban el ventanal con un desprecio tan inclemente como estruendoso.

—De los animales... —Vili pensó; hizo unos gestos teatrales con la mano, acariciándose el mentón y luego rascándose la cabeza—. Entonces lo mejor es que no actúes como un animal si no quieres parecerte a ellos, si lo que quieres es seguir conservando esa diferencia que dices que tienes respecto a las fieras. No actúes como una cabra. Ni como una hiena. No actúes como un ganso ni como un perro. Ni como una oveja. Epicteto decía que nos portamos igual que las ovejas cuando nos mueve el estómago, o el sexo, cuando nos dejamos arrastrar por el azar, cuando actuamos suciamente o con desinterés. Cuando nos conducimos así, entonces somos como la oveja y echamos a perder al hombre. A la mujer, en tu caso. Porque perdemos la racionalidad, Irma.

—Yo la pierdo a menudo, sí. Pero es que hay cosas en el mundo que me resulta difícil poder soportar, ¿sabes, Vili?

—No me digas. ¿Y qué sensación te provocan esas cosas?

—De ira, supongo... —Irma se encogió de hombros.

—La ira. ¡Ah, la ira! Cuando nos mueve la ira, la maldad o la violencia, entonces nos desenvolvemos igual que las fieras. Y unos matan. O le pegan a su mujer. Otros rompen platos y vasos porque están furiosos. Algunos somos grandes fieras asesinas; y otros, que no damos para tanto, fierecitas pequeñas y malvadas que se ensañan con la vajilla y la hacen añicos porque no pueden hacer otra cosa. —Vili abrió los brazos y examinó a Irma durante unos segundos—. ¿Eres tú una de esas pequeñas fierecillas malignas, Irma, o eres una bestia sobrecogedora y sedienta de sangre?

—Pequeña, más bien. —La joven no se sentía avergonzada confesándolo, en los últimos años había hecho muchos ejercicios mentales hasta conseguir disculparse a sí misma con sencillez por los errores veniales de su vida, ya que otros no tenía, sin sentirse gratuitamente abrumada por el peso de una culpabilidad tan amenazadora y carente de fundamento como el pecado original, e igual de omnipresente. Ahora era toda una especialista del autoperdón, o casi—. Pequeña, pero aplicada.

—Entonces no eres una mujer. Por lo menos no siempre.

—Puede ser —aceptó ella—. Puede ser que no siempre.

—¿Y por qué nos quieres hacer creer que eres judía, si eres egipcia? ¿Por qué quieres que pensemos que eres rubia, si eres castaña? ¿Por qué nos dices que eres mujer y racional, si tú misma acabas de confesar que sueles ser una pequeña fiera de vez en cuando?

—¡Porque lo intento! —arguyó Irma con vehemencia—. Trato de ser una buena mujer, una honesta *mortal*; intento que la conciencia de mi mortalidad no me impida ser racional a cada minuto. Pero también intento tener amor, y dinero. Y como vivimos en un mundo feroz, cuesta mucho conseguir esas cosas que yo necesito.

—Sí, es posible. Quizá el mundo sea feroz... —El filósofo meditó un poco, examinando con detenimiento el linóleo agrisado del suelo—. ¿Vivimos en un mundo salvaje, según tú?

—Oh, sí.

—No me cabe la menor duda, Irma: desde luego que el mundo es así. Sí que lo es, si aceptamos que está lleno de personas que, al igual que tú, suelen comportarse como fieras —concluyó Vili lentamente.

Cuando el dinosaurio se extinguió, la cucaracha ya estaba allí. Parecía mentira que hubiese pasado tanto tiempo desde entonces y el inmundo parásito aún siguiera aquí, impasible, estático y repugnante testigo de la brumosa historia de la Tierra. ¿Nos vería desaparecer también a nosotros, los humanos, como ocurriera en su día con los grandes saurios? Irma no lo dudaba ni por un momento.

Contempló con asco el oscuro ejemplar de cucaracha

madrileña. Coleaba nerviosa por el suelo de la cocina, sorprendida entre las migas caídas de algún emparedado de marisco que Andros, su novio griego, se habría preparado con precipitación para merendar.

—Tú, por lo menos, no lo verás —dijo, sonriendo con crueldad hacia el desconcertado insecto—. No verás el fin de la especie humana. Ni siquiera el mío.

Cuando la aplastó con su bota de cuero sevillano (tacones de diez centímetros) oyó una especie de lamento apagado —aunque es posible que sólo fueran imaginaciones suyas—, seguido de un débil «crachs». Quedó un rastro húmedo pegado al pavimento, algo así como una papilla entre negruzca y azafranada, igual que si se tratase de los restos de un pequeño membrillo sollozante pisoteado con violencia en plena maduración.

Lo limpió todo con unas servilletas de papel que después arrojó a la basura. Se lavó las manos con cuidado.

No le gustaba matar, ni siquiera a las moscas. La muerte le parecía a Irma algo demasiado subrepticio para la dignidad humana. Pero no podía soportar a las cucarachas. Y entre la muerte y una cucaracha elegía siempre la muerte, sobre todo porque se trataba de la muerte de un insecto y ella tenía la sensación de que el acto de la muerte era, en tal caso, algo diminuto, sin la más mínima importancia.

No obstante, no siempre estaba segura de eso.

No, no siempre.

¿Era comparable la muerte de un bicho y la de una persona? Podría apostar a que la muerte de un gusano, por ejemplo, carecía de... trascendencia, digámoslo así, al lado de la de un niño.

Sin embargo, a veces...

Irma no sabía si era posible equiparar la muerte animal con la muerte humana, o si debía hacerse a la inversa. Por un lado se corría el riesgo de santificar la vida hasta lo ridículo, y por la otra de profanarla de la manera más abyecta e impúdica posible.

No, no, no. No había lugar a dudas: entre un irrisorio hecho luctuoso —la defunción de un insecto—, y tener que soportar al insecto, prefería usar sus tacones sobre el espinazo del sujeto en cuestión y olvidarse de pamplinas animistas.

Lo mismo que no dudaba si tenía que elegir entre Shakespeare y Walt Disney.

Prefería al último normalmente, claro. Aunque, a veces...

Ah, qué terriblemente variadas son las exigencias de nuestra ignorancia. Tal vez Irma hubiera podido compartir su cocina con una cucaracha. Tal vez la cucaracha hubiese sido una buena compañía después de todo, quién sabe. Por lo menos está claro que las cucarachas saben cuidar de sí mismas desde su más tierna edad, al contrario que un hijo.

Y ya que el tema salía a relucir, a Irma le hubiera gustado tener un hijo. Todavía le gustaría tenerlo. A pesar de que, bien mirado, estaba hasta el gorro de los niños que se veía obligada a cuidar diariamente en la guardería donde trabajaba de ocho de la mañana a cinco de la tarde. Pero un hijo propio, estaba segura, sería distinto. Pequeño, desvalido, precioso. Todo suyo.

Pensar en la muerte y los hijos le hizo rememorar a su propia madre. Desde hacía un par de semanas hasta aquella noche mientras discutía con Vili, no se había acordado de ella. Se sirvió una copa de agua mineral, que enfrió con unos hielos hechos con agua del grifo, y le añadió un limón exprimido.

Fue al salón, se quitó las botas y se tumbó en el sofá sin encender las luces siquiera. Se sintió bien en la penumbra de la habitación únicamente interrumpida por el resplandor blancuzco de los rayos, que zizagueaban sobre los tejados de los edificios, cada vez más desanimados y pálidos, a medida que se alejaba la tormenta.

Su madre había influido mucho en la vida de Irma. Sí, una madre siempre es importante en la biografía de cualquiera, incluso cuando es una madre ausente, porque está muerta o simplemente porque abandonó a su progenie. Pero a Irma le parecía que la suya había sido especial, incluso un caso clínico.

Se encogió sobre el sofá y trató de evocar su cara ceñuda, agresiva, de miradas rápidas y severas. Ella, su mamá, había cogido su infancia y la había descarnado hasta los huesos. Irma todavía se sentía magullada.

Cuando era pequeña y rezaba en silencio nunca decía, como el resto de los niños, «Señor, ten piedad», sino que solía concentrarse y pedir temblorosamente: «Madre, ten piedad». Pero la piedad no era la principal virtud de su madre. Es cierto que nunca la castigó con golpes, o encerrándola en una habitación tenebrosa, ni con ningún otro tipo de anticuados correctivos sádico-pedagógicos.

No era esa clase de persona, menos mal.

No: era peor, sonrió Irma en la nebulosidad de la noche que anegaba su casa.

El primer recuerdo que tenía de su madre era una impresión vieja, tan desgastada como un jersey después de incontables lavados con detergente barato, lleno de oscuridad y adornado de palabras que se habían encaramado a su memoria al estilo de una parra que trepa desordenadamente por la indefensa pared de la consciencia. Era el de una mujer seria que agarraba con fuerza un cazo de hierro repleto de judías verdes mientras se acercaba peligrosamente a la niña que Irma había sido, que permanecía a su vez muy quieta, sentada en una silla de la cocina. A aquella niña le gustaba jugar al fútbol, aunque todos dijeran que era un deporte de chicos y ella un chicazo por practicarlo, y aquella tarde, durante uno de sus partidos improvisados en medio de la calle, había resbalado, se había caído y se había despellejado la rodilla derecha.

«Te podías haber roto la pierna, ¿me oyes?, ¿sabes las complicaciones que trae una pierna rota? ¡No tienes ni idea!, ¡te podías haber quedado coja para siempre! —le dijo su madre mientras movía el cazo arriba y abajo delante de sus ojos espantados—, preferiría enterrarte antes que verte con una pierna rota —concluyó la mujer, y por fin dejó el cazo de nuevo sobre el fuego de la cocina.

Irma había sido una niña delicada y sensitiva, a pesar de su afición al fútbol, y tampoco le hizo ningún bien oír a su madre cuando, a los trece años, tuvo su primera regla y la mujer le explicó escuetamente lo que significaba aquel malestar ensangrentado entre sus piernas: «Preferiría verte muerta antes que embarazada», fue su resumen del doloroso y crucial acontecimiento femenino. Mientras la escuchaba, Irma se mordía las uñas y pensaba que el flujo que le había estropeado las braguitas nuevas era rojo y terrible, casi tanto como los ojos de su mamá.

En fin, podía ser que el hecho de que Irma aún no tuviera hijos, a pesar de haber estado casada durante tres años, se debiera a que su madre aún estaba viva.

La señora era, y seguiría siendo mientras viviese, triste y dramática igual que una catástrofe natural. Producía en su hija el efecto de un terremoto en la India, o que la visión inesperada en la televisión de un feto muerto arrojado a la basura dentro de una bolsa de El Corte Inglés que aún conservaba el ticket de la última compra. Su madre era monocromática como la visión de un ciego. Era un pájaro que nunca había sido capaz de volar. Lo único que había aportado al mundo era su cara avinagrada, por no hablar de esa aterradora extravagancia de elegir la muerte de los demás antes que cualquier acontecimiento que implicase algo de cambio, de contrariedad, de alegría o de simple vida en la vida.

«Preferiría amortajarte esta noche antes que verte en la discoteca a las cuatro de la mañana, rodeada de fulanas y de golfos drogadictos», le espetaba sin cesar en su adolescencia cada vez que ella quedaba con sus amigas el sábado por la tarde.

Evidentemente, Irma no salió mucho por ahí, ni se divirtió demasiado en su adolescencia y primera juventud. Consiguió alejarse de su pueblo, en la provincia de Cáceres, y de la luctuosa influencia de su madre, después de tener novio formal durante casi un año, casarse e irse a vivir con su marido a Madrid, donde lo habían destinado.

Su ex marido era sargento de la Guardia Civil. Un buen hombre, honesto e irreprochable, pero ella no lo quería, ¿qué se le iba a hacer?

Cuando, aprovechando unas vacaciones de Pascua, comentó en su casa que su relación conyugal se estaba yendo a pique, la madre —siempre fiel a sí misma—, advirtió a la hija: «Preferiría ir a visitarte al camposanto antes que verte divorciada y en boca de todo el mundo».

Pero Irma ya tenía casi treinta años y, sobre todo, empezaba a sentirse cansada. Treinta años de abatimiento maternal acumulado pueden llegar a pesar mucho sobre una sola espalda, y tan pequeña como la suya además; de modo que se levantó del sofá de skay marrón, se estiró la falda, fue hasta el aparador del salón y cogió su bolso de mano, donde tenía las llaves del coche. Miró a su madre y le sonrió silenciosamente, con dulzura. Se fijó en que, detrás de la ventana, revoloteaban docenas de gorriones en un alegre torbellino de alas y de cánticos, tal vez celebrando la llegada de la primavera; y pensó fugazmente en lo triste que sería si alguno de ellos muriese en ese momento, en medio del atolondrado esplendor, del placer instintivo que supone estar vivo.

«Está bien», le contestó a la mujer que la observaba con los ojos muy fijos, anestesiados por la tensión. Dejó escapar un suspiro suave: «Entonces allí nos veremos, mamá, en el cementerio», musitó. Salió en zapatillas a la calle, se subió a su coche y volvió a Madrid sin coger siquiera el equipaje que había llevado para pasar una semana en la casa materna.

Desde ese día habían pasado más de dos años.

No había vuelto a ver a su madre, ni la había llamado por teléfono. Y su madre, tampoco a ella.

Se divorció de su marido y empezó a salir adelante por su cuenta, con la única ayuda de su trabajo en la guardería.

Sobrevivir no había sido nada fácil.

Le dio un trago a su agua aromatizada con limón y brindó por su madre elevando la copa al aire, embriagada de una tenue soledad entre las sombras del cuarto.

Había conocido a Andros, su novio, en una discoteca de Atocha, muy ruidosa y atestada de gente de lo más variopinta (cubanos, magrebíes, africanos del sur, polacos e inmigrantes en general; grupos de señores maduros, procedentes de Madrid capital y alrededores, ansiosos por ligarse a alguna treintañera; oficinistas solteras y chicas de alterne, legionarios españoles con la noche libre...). Fue un sábado de hacía cinco meses. Solía ir por allí con Katia, su compañera de trabajo en el jardín de infancia. Aquella noche su amiga iba vestida al estilo de la Madonna de los años ochenta, con una cazadora de cuero negro, varios rosarios de carey colgados del cuello a modo de collares, y un top azul marengo lleno de lentejuelas que titilaban tanto que parecían estrellas de un minúsculo e inestable universo encajado en su pechera. Irma, por el contrario, se había puesto un traje de chaqueta de popelín marrón brillante, entallado en la cintura y con unas solapas diminutas. La falda le llegaba por debajo de la rodilla y estaba calzada con unos zapatos afilados de tacón que la estaban matando.

Katia le estaba haciendo alguna confidencia cuando un

tipo se les acercó. Llevaba el cráneo rapado, aunque se notaba que no se había pelado al cero para parecer moderno, sino por disimular una calvicie fulminante. Tenía racimos de puntitos negros detrás de las orejas y por el cogote, allí donde algunos pelos todavía reunían el valor suficiente como para atreverse a salir a la luz del yermo capilar que era aquella calavera.

«Yo creía que los hombres cuando te quieren intentan hacerte feliz, ¿no?, y resulta que él es de los que piensan que quien bien te quiere te hace llorar. O sea, de los que te dan una somanta de palos cuando pierde su equipo de fútbol, y luego te dicen que los golpes son en beneficio tuyo, o sea... como si los putos puntos que te dan en el hospital para coserte las heridas fueran puntos de descuento en el puto supermercado, ¿no? O sea, una cosa así», le gritaba Katia a Irma, a voz en cuello, tratando de hacerse oír por encima del estruendo musical que inundaba el local.

«Oye, nena», el calvo se sentó al lado de Irma. Tendría unos cuarenta años y sostenía una copa en una mano y un cigarrillo en la otra.

«Qué equivocada vivo, ¿verdad? ¡Ja! —continuó Katia—, o sea, que a mí me parecía que un tío que no te pone la mano encima como no sea para bajarte las bragas con tu consentimiento, o para darte un masaje tailandés, pues que es como... una compañía más agradable para una chica. Y ahora voy y me entero por boca de este cafre que el amor verdadero consiste en pasar por... no sé, como por un saco de entrenar de ésos de los gimnasios de boxeo, ¿sabes los que te digo? No te jode.»

«¿Y tú qué le dijiste cuando te dio el tortazo?», se interesó Irma.

«¿Puedo tutearte?», le preguntó el hombre que acababa de sentarse junto a ella.

«Decir decir, lo que se dice decir no le dije nada, la verdad. Salí pitando de su casa en cuanto me largó su discurso de mierda y se dio media vuelta. No lo he vuelto a ver desde entonces. Ni falta que me hace, o sea...»

«Digo que si puedo tutearte», insistió el calvo tocando levemente el brazo izquierdo de Irma.

A ella le dolían los pies y no le gustaba la cara del intruso.

«¡Como lo intentes te rompo yo a ti también la cara a guantazo limpio!», le respondió Irma chillando.

«¡Eh, tía! Te he preguntado que si puedo tutearte, no que si puedo putearte», se ofendió el desconocido, haciendo una mueca de incomodidad mientras volvía a ponerse en pie.

«Viniendo de ti lo mismo me da, tío cerdo. ¡Largo!»

«¡Qué borde eres, chavala!»

«¡No lo sabes tú bien, capullo!»

«No sé, chica —Katia cerró los ojos un instante, parecía disgustada de verdad—, con un hombre así, tan cabrón quiero decir, una se siente tan... —pensó un poco mientras movía las manos de manera extravagante, como tratando de atrapar en el aire las palabras que buscaba—, con un tío así una se siente tan... tan... ¿cuál es el femenino de *impotente*?»

Cuando el aturdido ligón hubo desaparecido de la vista de las dos amigas, engullido por un montón de cuerpos inquietos que se balanceaban frenéticamente al ritmo de la música, ambas dejaron de hablar, miraron a la pista y sorbieron al unísono por las pajitas de sus copas llenas de *bloody mary*.

Entonces apareció Andros en su campo de visión. Se sentó sobre un taburete desocupado, a un par de metros de donde estaban las dos mujeres. Irma lo observó con satisfacción. Tenía el cabello rizado y negro y, aunque no podía verle el rostro con mucha nitidez, sí le era posible intuir su deliciosa simetría y quién sabe si una desusada suavidad masculina escondida en el mentón. Sin saber por qué, se imaginó frotando su mejilla contra la mejilla de aquel hombre, y el pensamiento le provocó una placentera sensación de vértigo en el estómago.

Él sacó un cigarrillo y se palpó los bolsillos buscando fuego. Katia encendió un pitillo en ese momento y el joven se acercó a ellas. Señaló al mechero de Katia y luego enseñó su cigarrillo. La joven se lo encendió distraídamente.

«Γραθιασ, ερησ μυι αμαβλη», dijo él.

«¡Dios mío, me estoy quedando sorda! —se lamentó Katia mirando hacia su amiga—, ¿qué ha dicho este buen mozo?»

«No tengo ni la menor idea», contestó Irma, pero le dedicó a Andros su sonrisa más encantadora.

Irma y Andros apenas si se habían separado desde aquella noche. Al principio hubo algunas confusiones entre ellos porque, como Irma no tardó en comprobar, el joven griego no hablaba otro idioma que no fuese griego. Incluso era incapaz de decir «buenos días» o «adiós». Cuando se conocieron, él llevaba sólo doce horas en Madrid, y era la primera vez que salía de su país. A ella le costó mucho enterarse de que Andros trabajaba como cocinero en la embajada griega. En algún momento de desesperación llegó incluso a sospechar que aquel hombre, que conseguía que sus entrañas se revolvieran de gozo con sólo una mirada, era un paciente escapado de un frenopático con algún tipo de dislexia extrañamente melodiosa.

No obstante, una vez deshecho el malentendido, Irma empezó a disfrutar de la incomunicación verbal que existía entre ambos.

«Eres encantador», le decía a su novio haciéndole mimos.

«Ερεσ πρεθιωσα, μη γυστα τυ πελω, μη γυστα τυ βοκα,

μη γυστασ τυ, ερησ πρεθιωσα. ¿Αθεμωσ ελ αμωρ ωτρα βεθ?», respondía él.

«¿Qué quieres comer hoy?», Irma le acariciaba la barbilla.

«Μη γυσταρια πρεσενταρτε α μι χηφε παρα κη ση μυηρα δε ενβιδια κυανδω τη βεα. Συ μυχερ τιηνε βιγωτε, χε, χε...», sugería Andros con su agradable y misteriosa voz.

«¿Sí?, ¿eso?, pues estupendo, porque a mí también me apetece», Irma se sentía tan feliz a su lado como un gorrión en primavera.

Sentada en su pequeño salón, recordó con añoranza los cuatro primeros meses de su relación con el joven cocinero griego.

Andros podía pasarse horas y horas hablando con ella sin despertar inquietud, ni ansiedad, ni terror en su corazón reconcomido de niña. Se contaban sus cosas el uno a la otra, sin comprender ni una palabra de lo que se decían y, a pesar de todo, el aire no se estremecía presagiando quién sabe qué tragedias espantosas. No sonaban alarmas que ennegrecieran las mañanas de Irma. La vida era, por una vez, misterio y alegría.

Sí, la suya era una relación perfecta, pensaba Irma alborozada: porque Andros y ella, por si fuera poco, jamás discutían. Estaban de acuerdo en todo porque el acuerdo no era una condición ni una necesidad para ellos. Ni siquiera existía en el mundo que habitaban, ya que no tenían ningún vocablo común que lo denominara.

Perfecta, perfecta sin lugar a dudas. Una relación preciosa. O al menos así lo había sido hasta hace poco, concretamente hasta que llegó aquella noche fatídica, tres semanas atrás, cuando Andros volvió de su trabajo como siempre a medianoche. Irma también estaba tumbada sobre el sofá, como ahora, esperándolo mientras veía sin mucho interés un reportaje en la tele que hablaba de sexo y ansiolíticos. Él abrió la puerta de la entrada con su juego de llaves, volvió a cerrar, sonrió con júbilo. Y en sus redondos y risueños ojos negros nada hacía presagiar el cataclismo: sus labios gruesos, encantadores, se contrajeron y estiraron mientras formaban los espeluznantes sonidos. Irma se sintió casi succionada por ellos, atraída hacia aquel túnel del horror lingüístico. Estuvo a punto de marearse y de gritar como la víctima de un descuartizamiento criminal.

«Bue-nas no-ches, a-mor mí-o», pronunció Andros lenta y claramente. Incluso daba la impresión de sentir cierta exultación infantil, o tal vez fuera orgullo, mientras lo decía.

UN HOGAR PARA ARACELI

> *Alguien le dijo a Loeyo: «Tengo sesenta años»; y el sabio le contestó: «¿Te refieres a los sesenta años que ya no tienes?».*
>
> LUCIO ANNEO SÉNECA,
> *Tratados filosóficos*

¡Qué difícil es resistirse a la adulación! La adulación se sirve de todo para ser eficaz y conseguir los propósitos del lameculos de turno. Se aprovecha de la debilidad y del desánimo ajenos, incluso de la mentira (adornada de verdades, eso sí). Araceli se preguntaba cómo había sido capaz de dejarse vencer por un simple engatusamiento senil, tan nubloso como sus ojos, tan lleno de achaques como su viejo cuerpo. Sin embargo, así había sido. Se esforzó por poner una puerta entre la adulación y ella pero, tal y como siempre ocurría, la había dejado entornada. Anselmo, por supuesto, la abrió sin llamar, propinándole incluso una patada y arramblando así con sus defensas de una buena vez. Quizás por eso Araceli se había rendido casi sin presentar batalla.

La anciana señora sintió de repente miedo, un miedo suave que recorría su espalda haciéndole cosquillas, igual que la caricia temblorosa de otra mano decrépita parecida a la suya. Recordó unas palabras que ahora flotaban errantes por su memoria: «Si quieres no temer nada, piensa que nada debes temer; mira a tu alrededor y verás qué poco se necesita para destruirte. ¿Por qué ibas a temer los temblores de tierra cuando una flema puede ahogarte?». ¡Cuánta razón había en tan pocas frases! Así que ella, que no quería temerle a nada, pensó tratando de infundirse valor que no tenía nada que temer, como dijo... Bueno, no recordaba exactamente quién lo dijo. Así estaban ahora las cosas para ella: leía algo, o lo oía en la radio (pocas veces en televisión, esa distracción más propia de viejos idiotas), y luego las palabras navegaban arriba y abajo por su cabeza hasta que encallaban y ella no recordaba de dónde habían salido; entonces llegaba la hora en que Araceli le adjudicaba a Flaubert una cita de Ronald Reagan, y a Ronald Reagan otra de Mickey Mouse. ¿Y quién salía perdiendo a lo largo de todo el proceso? ¡Mickey Mouse, por supuesto!

En fin, ya qué más daba, a su edad, si no era capaz de acordarse de algunas sutilezas cuando lo cierto era que, por las mañanas, tardaba un buen rato en levantarse porque necesitaba que alguien le diera *razones* para hacerlo.

Mientras pensaba en su temor y en su necesidad de no sentir temor, Anselmo, sentado frente a ella en su habitación —no quería ni pensar en todo lo que estarían murmurando en esos momentos algunas de sus vecinas de pasillo—, la miraba con ternura y sonreía como un imbécil que tratara de exhibir todas y cada una de sus nuevas muelas.

«¡Dios mío, qué caja de dientes tiene! —se dijo a sí misma con cierto recelo—. Se le adivina la calavera y todo.»

En ese momento, Anselmo se puso a recitar una especie de poema, o copla, o chascarrillo más bien. Quién sabía. Conociéndolo un poco, a cualquier desatino que dijera había que adjudicarle un origen más bien dudoso.

Mariamanuela, ¿me escuchas?
Yo de vestidos no entiendo
pero, ¿de veras te gusta
ése que te estás poniendo?

El hombre volvió a desplegar una amplia sonrisa jadeante. Seguramente no podía creerse la suerte que tenía: estar a solas con Araceli, y en su dormitorio. La puerta estaba cerrada, hasta el punto en que pueden estarlo todas las puertas de los asilos de este mundo, y se habían sentado el uno frente al otro, ambos alterados por la naturaleza de sus diferentes emociones. También estaban nerviosos, aunque trataban de aparentar lo contrario.

—En cuanto a su carta... —Araceli carraspeó y trató de iniciar con él una conversación más o menos coherente, dejando de lado por unos momentos la poesía—. Debo darle las gracias, es muy bonita. Todo eso de que usted querría hacerse unas cortinas con mis pestañas y que le gustaría bañarse en el fondo de mis ojos es... —tosió un poco, y aprovechó para suspirar hondamente, tomando aire—, es muy amable por su parte, Anselmo.

Lo observó cuidadosamente por encima de sus gafas. Arrogante y, en cierto modo, valiente. Un pavo real desplumado, con pantalones de tergal verde y los ojos como dos tragaluces ávidos.

En fin, llegada a ese punto...

Se preguntaba si existía la vida en la vida de una mujer que había cumplido, como ella, sus buenos ochenta y tres años. Enderezó la espalda y le devolvió a su compañero una tímida sonrisa.

De acuerdo, allí estaba, sentada delante de un hombre diez años más joven que ella. Un hombre que confesaba que la amaba con locura, y lo de la locura no le parecía ni un poquito exagerado, sino algo por completo natural, dada la edad que sumaban entre ambos.

129

Allí estaba ella sentada delante de un hombre que seguramente se hacía la ilusión de poder cambiar de postura después de media hora más de charla intrascendente. Un hombre en su habitación. El único hombre que conocía capaz de masticar los yogures naturales.

«En fin. Algo es algo —pensó maliciosamente—. Por lo menos es un hombre. Y anda que no se le nota, desde la cintura al final de su bragueta, tiene por lo menos un metro y cuarta de largura de tela en el pantalón. Bueno. Al menos está vivo. Lo oigo respirar y todo.»

—Araceli, ¿qué te parece si nos tuteamos? —dijo él—. Te he abierto mi corazón, me he declarado a ti, creo que después de eso tutearnos es lo más lógico.

—Oh, sí, sí... Anselmo. Podemos tutearnos. Tú y yo. Por supuesto —atinó a decir Araceli.

Él se miró las zapatillas durante unos segundos y suspiró.

—Nos estamos comportando como niños. Ya somos mayorcitos. Y yo te amo —murmuró mientras se llevaba una mano al pecho.

¿Estaría suplicando algo?

—Sí, es verdad. Como niños pequeños. Ya no somos niños pequeños.

—Tengo el presentimiento de que no te gusto lo suficiente, Araceli. Porque si no es así, si sólo se trata de que estás haciéndote la interesante conmigo, me gustaría decirte que, a nuestra edad, no tenemos mucho tiempo que perder.

Ella asintió y cambió con dificultad de postura en su sillón.

—Llevas razón —convino—. Tenemos medicinas, cacharros y nervios para perder. A nuestra edad uno lo pierde casi todo. Pero tiempo, nos queda poco. Para perderlo o para disfrutarlo. Llevas razón.

Araceli no quería parecer una mujer fría. De pronto eso era importante para ella. Su marido (esperaba que Dios se hubiera apiadado de su alma, en caso de que la tuviera) había sido notario. Fue un hombre ordenado, lustroso y llamativo, como si estuviera hecho de ingredientes artificiales. Pero en la cama —se ruborizó al recordarlo—, era insaciable, tanto que a ella llegaba a aburrirle. Una noche le reprochó a una sorprendida Araceli, que acababa de alegar jaqueca para evitar consumir el sacramento matrimonial por segunda vez en el mismo día: «Querida, si fueras a la Antártida, nada más llegar tú la temperatura descendería cinco grados».

Ella siempre sospechó que tenía una amante. Quizás varias. Y a lo mejor la culpa fue suya, de su frialdad.

Araceli deseó con todas sus fuerzas no parecerle a Anselmo una vieja frígida. Aunque, en lo que se refería a su marido, el asunto carecía a esas alturas de importancia, la verdad. No creía que mereciera la pena lamentarse de nada.

Anselmo hizo una anticuada reverencia que, sentado como estaba, dio la sensación de ser, más bien, un contoneo o un traqueteo involuntario producto de un dolor persistente en los riñones.

—Excelente. Me parece maravilloso que estés de acuerdo conmigo —dijo—. ¿Entonces...?

—¿Entonces... qué?

—Eso digo yo. ¿Entonces...?

—¿A qué te refieres?

Hay un tipo de mujer dura, de ésas que antes de que las hieran ya han cicatrizado. Araceli sabía que no era una de ellas. Pero le hubiera gustado serlo. Ella era más bien lo contrario, de las que cuidan la herida durante una vida entera, no con el objeto de curarla, sino de que siga sangrando. ¿Merecía la pena, a los ochenta y tres años largos, tener una aventura sexual con un hombre que tocaba las paredes con la barriga antes de llegar con las manos? ¿Exponerse a sufrir penas de amor a una edad en que es más importante cuidar la vejiga que la conciencia? ¿Y si él se iba con otra más tarde? ¿Y si no le gustaban sus pechos, que apenas merecían ya tal nombre? ¿Y si no se sentía satisfecho de los movimientos de ella? Su capacidad de maniobra no era la misma que cuando tenía cuarenta años. ¡Ah, quién tuviera ahora cuarenta años! Es curioso, cuando uno es joven piensa que siempre deseará tener veinticinco, que se pasará la vida añorando el cuarto de siglo. Sin embargo, una vez que se han sobrepasado los setenta, la edad que se recuerda con más gusto son los cuarenta años. Cuando el cuerpo ha alcanzado su granazón, como las frutas de temporada; cuando el cerebro rige sin prisas y desecha las pequeñas cosas que enturbian el ánimo. Cuarenta años. Araceli daría todas sus pastillas para dormir a cambio de volver a tener —aunque sólo fuera por unas horas— cuarenta años.

—Ya sabes a lo que me refiero. Es absurdo que empecemos a preocuparnos ahora de las apariencias —exclamó Anselmo, y se puso de pie. Araceli dio un respingo al verlo acercarse a ella—. Por supuesto, no podremos casarnos, porque tú perderías tu pensión de viuda, y no está el patio para bollos. Pero podemos, podemos...

Araceli manoseó su anillo de casada y lo miró, muy seria. Anselmo se acercó a su lado, le quitó las gafas con ternura, puso la boca en la oreja de la mujer y le dio un beso. Fue un beso cálido, suave y seco, no estaba lleno de esa especie de pastosa humedad refrigerada que cualquiera esperaría que saliera de la boca de un anciano con halitosis. No era irritante, ni mucho menos. Incluso tuvo la impresión, después de recibir ese beso que se entrelazó de forma natural con su gastada piel un poco amarillenta, de que en el mundo algo había cambiado para siempre.

Araceli calculó que hacía al menos... Años... Treinta... Quizás... Más incluso... Viuda desde... Claro que ella nunca... Su marido...

Bah, al infierno.

Cuando Anselmo le dio la mano, para ayudarla a incorporarse y llegar juntos hasta la cama, se fijó en que olía bien, como si se hubiera preparado para pasar una revisión. Su rostro redondo y arrugado sonreía, y apenas se le veían los dientes. Ni siquiera le olía mal el aliento.

Para ser sinceros, no estaba enamorada de aquel hombre —ni de ningún otro, dicho sea de paso—, pero hacer el amor con él (o lo que fuera que hubieran hecho) tampoco fue tan patético ni tan molesto como Araceli habría sospechado, aunque, desde luego, en esos momentos nadie los hubiera confundido precisamente con dos actores de cine, de ésos que tienen las piernas largas y esbeltas y la piel tan bruñida y tirante como si llevaran ceñidos al cuerpo unos impermeables de fino metacrilato.

—Vaya, nunca es tarde para iniciar una carrera de liberación, promiscuidad y desenfreno —se rió por lo bajo, tapándose con el embozo de la cama.

Llovían mares enteros en la calle, y eran mares de furia. La ventana chisporroteaba al contacto con el agua, una salva de perdigones líquidos contra el cristal que dejaba pasar un resplandor sorprendentemente ceniciento y hostil.

Anselmo se había quedado dormido, igual que un bendito. Tenía una expresión circunspecta y distinguida. Los delgados labios estaban cerrados por una vez después de lo que Araceli pensaba que sería toda una vida de sonrisas al viento. Ella sentía su proximidad tranquila en la cama, el bulto cómico de su oronda tripa y unas sombras azuladas debajo de los ojos cerrados. Ni siquiera roncaba. Podría ser un buen compañero. Apenas si lo notaba respirar. Así daba gusto dormir con un hombre.

A lo mejor se había estado perdiendo algo durante todos esos años de viudez célibe y solitaria. La compañía, por ejemplo. La conversación. La tranquilizadora certeza de que la vejez y la muerte no son algo que solamente le sucede a una misma.

Se acercó un poco más, precariamente, al cuerpo de Anselmo. Tal vez no era demasiado tarde todavía. Harían una buena pareja, bromearían sobre los postres en el comedor y serían la comidilla de todo el asilo. Ella aprendería a sonreír con la misma frecuencia e intensidad que él, e irían siempre cogidos de la mano, enseñándole al mundo entero sus lujosas dentaduras postizas.

Observó a duras penas la frente de Anselmo, perlada de humedad, y renqueó mientras se incorporaba en la cama. Seguía sin roncar. Ni siquiera lo oía respirar. Tenía los ojos hundidos y apenas le quedaba color en la cara, salvo esos rodales azul marino bajo los párpados.

—¡Dios mío! —gritó; le temblaron las manos más que de costumbre al tiempo que lo zarandeaba débilmente—. ¡Anselmo, despierta! ¡Despierta, despierta, despierta! ¡Por favor, despierta!

Cuando Ulises llegó al asilo, Araceli estaba sentada en su sillón, encogida a la manera de un ovillo usado mil veces para tejer y destejer la misma prenda. Se la veía pequeña, triste y vieja, pero capaz de guardar dentro de sí un dolor tan hondo que la hacía resollar.

—Hola, hijo... —balbuceó con dificultad.

—Hola, Araceli, ¿estás bien?

—No, claro que no, hijo.

—¿Te gustaría venir a casa conmigo y con el niño?

Ella lo miró y, después de una breve vacilación, preguntó:

—El niño, ¿dónde está mi niño? ¿Dónde lo has dejado?

—He llamado a Irma, una amiga mía que está acostumbrada a trabajar con niños, para que se quedara con él en casa mientras yo venía a buscarte. —Ulises se puso en cuclillas frente a ella, le agarró las manos con cariño y le dio un beso.

Tenía un aspecto noble y decidido, pensó Araceli, como esos perros de pura raza que erizan los pelos del cuello al menor cambio de dirección del viento. Ulises era un joven fuerte, extraordinario, aunque a veces tenía un aire demasiado solemne, incluso arisco.

—Claro, claro... Es mejor que la criatura no salga a la calle con este tiempo.

—Sí, ya sabes que ha estado un poco resfriado.

—Sí, me lo dijiste el otro día por teléfono.

—¿Te ayudo a preparar el equipaje?

—¿El equipaje? —preguntó Araceli, desconcertada—. ¿Dónde vamos?

—A casa. A mi casa. Ya he hablado con la directora y con el médico. Y tengo un taxi esperando en la puerta.

—No puedo ir a tu casa, hijo. No puedo.

—¿Por qué?

—Sería una molestia para ti y para el niño.

—Es verdad, serás una molestia.

—Pues por eso...

—Pero, ¿qué es la vida sin alguna molestia de vez en cuando?

—¿Una maravilla?

—No lo creo. Sobre todo cuando la molestia sabe cocinar como tú. Vamos... Abrígate antes de salir. Cuando lleguemos a casa me ayudarás a hacer croquetas para Telémaco.

Araceli trató de ponerse en pie, extendió la palma de la mano para que Ulises se la agarrara con brío y dio un último impulso a su cuerpo agotado hasta que consiguió levantarse.

—Anselmo ha muerto, ¿te lo han dicho?

—Me lo dijo la enfermera cuando me llamó por teléfono.

—Ha muerto. ¿Te acuerdas de que siempre estaba sonriendo? —Se inclinó hacia adelante con los hombros rígidos por el esfuerzo de ponerse en pie—. Pues después de morir se le borró la sonrisa de la cara. Por completo. Se le borró por completo.

TENGO UNA HIGUERA

Filipo amenazó por carta a los lacedemo-
nios diciéndoles que los cercaría por todas
partes, y ellos le respondieron: «¿Y nos prohi-
birás también morir?».

MARCO TULIO CICERÓN,
Cuestiones Tusculanas

Mireia Amorós, sentada regiamente en la parte del centro del pequeño anfiteatro que formaban en la Academia
con las sillas, alrededor de Vili, cruzó las piernas y dirigió
una mirada desafiante a Jacobo Ayala, que no se la devolvió porque era ciego de nacimiento.

—Pero, yo podría... Creo que es algo posible. A mí me
parece lógico —dijo la mujer, soltando un bufido. Tenía
unos ojos ligeramente saltones, y se había maquillado los
repliegues cutáneos con una sombra rosa que le daba un
aspecto extraño, como si tuviera la piel de chicle o de muñeca.

—¡Ah, claro! Te parece lógico —respondió a grito limpio Jacobo, que solía exaltarse con facilidad—. ¡Faltaría
más! Lo que ocurre es que a mí tu idea de la lógica no me
parece lógica. Punto.

—Pero ella tiene su parte de razón, creo yo. Un caso así se puede dar —apuntó Martín, que tenía veinte años recién cumplidos y solía acompañar a su primo Jacobo de vez en cuando, haciéndole de lazarillo por las calles ahora resbaladizas y húmedas de la ciudad. Lo dijo con tanta modestia que sus palabras fueron descendiendo de tono, como cuando una bicicleta aminora poco a poco el paso hasta detenerse delante de un semáforo en rojo.

Jacobo había llevado a la Academia, por primera vez, a otro invidente amigo suyo, un tal Manolo Erice, que no dejaba los ojos quietos ni un segundo, los movía arriba y abajo, y parecía estar escrutando a los presentes con miradas llenas de un interés voluptuoso, por lo que —a pesar de que todos imaginaban que no podía ver nada— estaba poniendo nervioso a todo el mundo. Martín los había conducido a los dos hasta allí, sosteniendo un paraguas mientras cada uno de ellos se agarraba a uno de sus brazos. El chico pensó que era una suerte para aquellos dos que él no empinara el codo. Dos ciegos orientados por un borracho a través de los callejones aceitosos y encharcados del centro de Madrid no hubieran sido un método muy eficaz para mejorar el tráfico.

—¡No, si ahora también le vas a dar tú la razón a ella! —se quejó Jacobo en dirección a su primo.

El chico se encogió de hombros.

Vili permanecía sentado en su sillón. Aquella noche, apenas si había dicho unas cuantas palabras. Se le veía serio y abstraído, quizás tratando de aclarar un mensaje cifrado en el aire lleno de humo de la estancia.

—Bueno, mira, Jacobo... —El que hablaba era Manolo Erice, su cuello giraba ágilmente, y nadie de los allí presentes creía que hubiera manera humana de pararlo—. A lo mejor la señorita tiene razón. En un corazón grande, pueden caber muchos grandes amores.

—¡Ja! —exclamó sarcásticamente Jacobo—. ¡Eso no te

138

lo crees ni tú! Se puede dar con un canto en los dientes si tiene sitio para uno. Un amor, y no demasiado grande. Uno y va que chuta. Y eso vale para ella y para todos los que vivimos bajo la luz de la noche.

Manolo se aclaró la garganta antes de objetar:

—Pero por la noche no hay luz ninguna.

—¡Tú qué sabrás! —Jacobo movió la mano despectivamente.

Mireia arrugó la nariz, disgustada. No entendía a qué venía tanto escándalo. Ella era una mujer adulta, y sabía lo que se hacía. Tenía cuarenta y tres años, por Dios Santo. Dirigía con bastante acierto una sucursal bancaria muy importante. No había tenido hijos por elección propia, aunque no descartaba tenerlos en un futuro no muy lejano. Si David, siendo homosexual y hombre, había podido hacerlo, no veía por qué ese lujo no le iba a estar permitido a ella. ¿Se lo prohibiría la naturaleza, la religión o la ciencia? Y si no podía tener los suyos propios, adoptaría a alguno de esos niños malnutridos, de ojos lóbregos cargados de sospechas, que se mueren lentamente en un país lejano. Tenía derecho a formar su familia, a tener una familia hecha a su imagen y semejanza. Eso fue lo que hizo el mismo Dios, aunque hubiera quien aseguraba que las historias que cuenta la Biblia sólo son habladurías antiguas hechas jirones por el paso de los siglos. Pues claro que tenía todo el derecho del mundo a vivir con su marido y con su ex marido bajo el mismo techo. Cuando se divorció del segundo, lo hizo en los mejores términos, en realidad forzada simplemente por la nueva relación surgida con su marido actual. Pero siguieron en contacto. No dejaron de quererse. Comían juntos, se veían al menos una vez a la semana, y siempre en las fiestas y en los aniversarios. Cuando él se quedó sin trabajo —era gerente en unos grandes almacenes que, de pronto, fueron a la quiebra y cerraron dejando en la calle a más de cuatro mil personas sin empleo, en su mayoría maduras y aturdidas, con un futuro laboral más que incierto—, cuando eso ocurrió ella estaba allí, a su lado. Le prestó dinero. Lo animó. Un día, en vista de que él no podía salir adelante a pesar de sus esfuerzos, le propuso a su marido de forma natural que lo invitaran a pasar con ellos una temporada, hasta que acabara su mala racha y encontrara otra ocupación. El marido actual de Mireia trabajaba como subordinado suyo en el banco (estaba dos grados por debajo de su mujer en el escalafón), y conocía a su ex desde hacía años. Su marido era encantador. Tolerante y abierto, con unos ojos preciosos de color estaño. Aceptó enseguida y así fue como Luis se fue a vivir con ellos. En principio fue un arreglo temporal, no obstante Luis era tan atento y afectuoso que lograba emocionarlos a diario. Lavaba y planchaba incluso la ropa interior, y la doblaba meticulosamente en los cajones perfumándola con saquitos de lino rellenos de lavanda natural. Hacía una comida soberbia, siempre baja en calorías (aprendió a guisar cuando se quedó en paro). Pasta fresca con langosta y cebollinos. Alubias tiernas con almejas, sin nada de grasa. Limpiaba perfectamente el polvo que la asistenta nunca parecía tener tiempo de quitar —ése que se queda incrustado debajo del televisor y entre los marcos de las puertas—, así que acabaron despidiéndola. Luis se encargó de la casa, y confesó que se sentía feliz por primera vez en su vida. Cuando Pedro (su marido) y ella llegaban a su apartamento por la tarde, recién salidos del trabajo, la mesa estaba puesta, adornada con un mantel de hilo bordado y velas aromáticas. Y se oía música suave. Bach ponía la banda sonora a sus veladas. Fue cuestión de poco tiempo que Mireia volviera a compartir la cama con Luis. La primera vez se dijo a sí misma que era por agradecimiento hacia la persona que estaba consiguiendo hacer su vida cada día más agradable y más fácil. La segunda vez pensó que, bueno, aquello iba en recuerdo de los viejos tiempos. La tercera se dejó vencer por la culpa. La culpa es de un color gris verdoso y escuece como la picadura de una abeja en el centro del corazón. Pero Pedro, su marido, no se ofendió por el engaño cuando ella lo confesó todo. «La carne no es nada más que carne, cariño —le dijo mirándola mansamente con esa expresión un poco estrábica que a ella siempre le había parecido irresistible—, nos pasamos la vida dándole importancia a cosas que en realidad no la tienen, confundiendo el precio de un kilo de carne con el valor de un kilo de alma.»

Cuando Mireia se lo contó a su mejor amiga, ésta le dijo: «Cristo bendito, qué suerte tienes. Me das mucha envidia. Te has casado con un místico. O mejor: con un imbécil».

Ahora, los tres vivían bajo el mismo techo, y se sentían más felices que nunca. Mireia estaba convencida de que atravesaba una etapa de su vida excelente para tener un hijo, daba igual que fuera de uno o de otro de sus dos maridos. Luis podría ocuparse del niño mientras ella y Pedro trabajaban. Lo de menos eran los apellidos o los genes del crío.

Ésos eran sus planteamientos vitales en estos momentos, los objetivos en los cuales cifraba su felicidad venidera, y hete aquí que, cuando por fin se atreve a exponerlos en voz alta, un ciego malhumorado, despeinado y retrógrado, se atrevía a llamarla inmoral en público y a acusarla, a ella y a cualquiera que pensara lo mismo, de no tener espacio dentro de su corazón, según unos misteriosos parámetros de arquitectura anatómica sólo conocidos por él, para darles un alojamiento confortable a sus dos maridos dentro de su pecho.

El maldito Jacobo le había hecho sentirse por unos instantes como Judith, o Salomé, o vete tú a saber qué otro tipo de judía lúbrica y pervertida. Igual que una mantis religiosa que se ha vuelto bulímica y atea. Casi había podido oír el tintinear de las campanillas adornando sus caderas y alborotando el aire al ritmo de sus balanceos espasmódicos y lascivos de vieja arpía.

Lo miró con rencor. Sus ojos pequeñitos y llenos de oscuridad, como si alguien hubiera acumulado un montón de cosas dentro de ellos a lo largo de los años, tantas que hubiese terminado por anegarlos. Olisqueaba el aire a su alrededor con la determinación y el curioso anhelo de un cachorro terrier. Tenía el borde de las uñas del color del interior de un horno refractario de los años cincuenta.

Aaaah. Qué pelmazo era, ciego y todo.

Y qué feo, por Dios Santo.

Mireia creía que los feos, para no hacerse aún más desagradables, eran todos simpáticos. Pero no. Ahí tenía la prueba. Claro que éste a lo mejor no tenía ni idea de que era un espanto. Seguramente nadie de entre sus allegados había reunido todavía el valor suficiente para decírselo.

Bueno, la verdad, ¿qué se puede esperar de alguien que cree que las noches las hizo Dios para aliviar el resentimiento de los ciegos contra los que ven?

—Dejémoslo —dijo Mireia, fingiendo indiferencia—. No tengo ganas de pelearme con nadie.

—¡Pues yo sí, yo sí tengo ganas de pelea! —cacareó Jacobo—. ¡Esto es la dialéctica, es la vida! ¡En la vida hay que pelear!

—Por eso, porque es la vida. Pero, en cuestiones de moral, no pienso discutir contigo ni con nadie.

—Claaaro... Porque sabes que llevas las de perder. Porque eso que planteas, el concubinato de una mujer con dos hombres, es una atrocidad. Hoy y siempre. —Jacobo respiraba agitado—. ¿No conocerás personalmente a alguna mujer que viva así como tú lo has descrito? ¿Tienes alguna amiga que viva con su ex marido y con su marido actual, y que se acueste cada noche con uno?

Por supuesto, Mireia no había contado que la mujer a la que se refería, el ejemplo que quería poner en discusión ante los contertulios, era ella misma.

—Eso no es de tu incumbencia, Jacobo —respondió. Y

pensó: «Quédate con las ganas de saberlo y jódete, capullo», pero no lo dijo.

Gabriela Losada, una panadera de veintiocho años, rubia y sensual, con ojos de color aguamarina, levantó la mano.

—Quizás si se tratara de un hombre que vive con dos mujeres, un musulmán por ejemplo, o uno de esos mormones... nadie se escandalizaría tanto por la poligamia. De hecho, en algunos países de por ahí, incluso es legal —alegó. Tenía una voz profunda y atractiva, con un deje andaluz.

—¡Eso digo yo! —gritó otra voz de mujer—. Los tíos son la repera. ¡Todas deberíamos tener al menos un marido de repuesto en casa! ¿A qué esperamos?

—¡Yo no he dicho que...! —Jacobo sacudió la cabeza, furioso y sin saber hacia qué lugar dirigirse para contestar—. A mi modo de ver...

Trató de explicarse, pero los murmullos a su alrededor fueron elevándose hasta convertirse en un griterío mal contenido.

Vili, que seguía sentado sin decir nada, se puso en pie. Tenía un aire entre aburrido y avergonzado.

Tuvo que gritar él también hasta que consiguió hacerse oír.

—¡Está bien!, ¡vamos, vamos! ¡Callaos de una vez! —Cuando las voces empezaron a decrecer de tono, y la mayoría de los comentarios se fueron apagando, él anunció—: Hacemos una pequeña pausa y seguimos dentro de veinte minutos con la gente que prefiera quedarse un rato más. Hasta la próxima semana para los que se vayan ahora mismo.

Encaminó sus pasos hacia la silla donde Ulises permanecía sentado y con la boca cerrada, pero escuchando con aire divertido a su amigo Jorge Almagro.

Pasó al lado de un grupo de personas que se levantaba y estiraba mientras hablaban entre ellas, sonreían, discutían, o fruncían el ceño como si acabaran de ser lastimadas en lo más íntimo por las palabras de Mireia o de Jacobo respectivamente.

Un hombre de aspecto deprimido y solitario seguía en su asiento, junto a un Francisco de Gey siempre encarado con el mundo, tal que si estuviera examinando las huellas de un crimen reciente del que todos alrededor suyo fueran sospechosos. Daba la impresión de que Francisco era uno de esos individuos que se dejan difícilmente acariciar, pensó Vili.

El hombrecito miró a Vili y éste casi esperó a que abriera la boca para decirle algo, pero no fue así, y el filósofo siguió andando.

Saludó a Jorge, y luego a Ulises.

—¿Quieres que nos tomemos un café abajo? —le preguntó a este último.

—De acuerdo —contestó Ulises; y se despidió de Jorge—: Enseguida volvemos.

Salieron a la calle.

Caía una lluvia torrencial. Nadie podía explicarse de dónde había surgido tanta agua ni cómo se las arregló para poder llegar hasta el cielo de la meseta castellana. Los dos hombres se cerraron las cremalleras de sus chaquetas impermeables hasta el cuello, Ulises abrió un pequeño paraguas plegable y ambos caminaron por la acera, pegados a los edificios, hasta que llegaron a la calle Cuchilleros. Entraron en Casa Botín, se acercaron a la barra después de sacudirse en la entrada el agua de los hombros, y pidieron café.

—Descafeinado para mí —dijo Vili—. Y con un chorrito de leche, por favor.

—¿Y usted? —preguntó un sonriente camarero.

—A mí me da igual —Ulises se encogió de hombros.

El camarero lo miró, escamado.

—¿Cómo que *igual*? —preguntó, y se rascó su canosa

barba, un tanto inquieto—. ¿Lo quiere cortado, solo, con leche, *capuccino*, irlandés...? No sé, el señor tendrá alguna idea aproximada de lo que desea.

—Oh, vamos... —Vili se secó la frente con un pañuelo de papel—. No te hagas el gracioso y pídele algo a este caballero, que está esperando.

—No sé... —dijo Ulises.

El camarero hacía juego con la decoración del restaurante. No habría desentonado en el Madrid isabelino, ni en el de la República. Tenía esa clase de aspecto intemporal. El cabello algo ceniciento, peinado hacia atrás con colonia, ya empezaba a ralear. La barbita pulcramente recortada. Unos ojos malévolos e inteligentes. Las orejas muy aplastadas contra el cráneo. El gesto decidido y propenso a los remilgos.

Empezaba a impacientarse.

—¿Se puede saber qué le pasa a todo el mundo esta noche? —Vili se removió inquieto, cambió el peso de su cuerpo de una pierna a la otra, y se apoyó con un brazo en la barra—. Póngale un carajillo de aguardiente. Bien cargado. Y gracias, buen hombre.

El barman le lanzó una mirada desafiante a Ulises y, finalmente, se dio la vuelta con bastante dignidad y se dispuso a servir las consumiciones.

—¿Dónde está el niño? —quiso saber Vili.

—En casa, con la abuelita Araceli. Hace mucho frío para sacarlo esta noche.

—Ah, Araceli, sí. Mi querida suegra. —Vili suspiró—. ¿Qué tal está después de lo de... de lo de...? Oh, ya sabes.

—Mucho mejor. Cuidar de Telémaco la distrae bastante.

—Espero que no tenga ningún percance, quiero decir... con el niño y todo eso. Ya es muy mayor, y...

—No te preocupes, el crío se quedó durmiendo cuando yo salí. Y ella está leyendo cómodamente tumbada en el sofá. Telémaco duerme bien, ya casi no se despierta por la noche. Cuando le toque hacer pipí, yo ya habré vuelto a casa —explicó Ulises.

Les sirvieron las bebidas y cada uno tomó la suya.

—¿De verdad no te molesta tenerla contigo?

—No, no me molesta. Sólo hay que recordarle la hora de las medicinas y el color de las pastillas correspondientes. Por lo demás, es una señora muy agradable.

—Sí —Vili asintió con tristeza—. Es la única mujer de su familia que aún está en su sano juicio. Porque Valentina, su hija..., bueno, te lo puedes imaginar. Y Penélope... ¡Ah, mi niñita, mi Penélope! ¿Qué le pasa a mi niña? ¿Por qué está tan desconcertada? Me pregunto qué les ha dado a las dos, a la madre y a la hija, si es que les ha dado algo.

—Ya se les pasará —aseguró Ulises, tranquilo.

—Ya no estoy muy seguro de que esto se vaya a pasar. Esto es como la lluvia, interminable. Sea lo que sea. Por lo menos no se va a pasar dentro de poco. Y hablo sobre todo de Valentina. En Penélope confío, siempre he confiado en ella, es mi niña y nunca me ha decepcionado. No espero que lo haga ahora. Sin embargo a veces noto que está tan lejos de mí, que se ha distanciado tanto que... No sé, Ulises.

Ulises negó parsimoniosamente con la cabeza.

—Hay que darles tiempo, quizás.

Notaba a Vili más cansado que nunca, tan nervioso que a veces su pensamiento se quedaba un poco rezagado respecto a sus palabras y era como si hablase con puntos suspensivos todo el rato.

—Me parece tan triste que mi mujer no sea capaz de llevarse bien con su madre... Hace mucho tiempo que yo no tengo madre, y no me importaría nada tener una ahora, cuando quizás estoy más en disposición de entenderla. Pero, ya ves. —Dio un sorbo a su café y se quejó por lo bajo de que estaba ardiendo—. Araceli podría estar en casa con nosotros. No hay ninguna necesidad de que tú cargues con una anciana. Sé que no nadas en la abundancia precisamente. —Vili sacó una chequera y garabateó una cifra, luego firmó el cheque—. Toma, creo que... creo que con esto cubrirás algunos gastos por ahora. Por si necesitas llamar a una señora para que te ayude con la limpieza, y todo eso.

Ulises recogió el cheque con gran naturalidad, sin mirarlo siquiera y sin molestarse en hacer una pantomima de rechazo del dinero. Tampoco dio las gracias.

—No me sobra, Vili, pero tampoco me falta. No te preocupes.

—¿Cómo ha ido la exposición aquella de la que me hablaste? Me refiero a la que te hicieron en Valencia. ¿Has vendido mucho?

—Lo bastante para tirar por una temporada.

—Me alegro.

—Sí —dijo Ulises.

Cuando volvieron a la Academia, los asistentes eran prácticamente los mismos de un rato antes. Casi nadie se había ido a sus casas todavía, pero Ulises consiguió una silla gracias a que su amigo Jorge le había guardado la suya mediante el expeditivo método de estirar las piernas sobre ella y negarse en redondo a cedérsela a las dos o tres personas que se la pidieron, entre ellas una señora con muletas y cara de pocos amigos, vestida con una especie de gabardina hecha de lo que semejaba vinilo marrón, muy tiesa y llena de roces. Jorge pensó si no se la habría confeccionado ella misma utilizando algunas maletas viejas y una máquina de coser a pilas. Le dio un poco de pena, pero no soltó la silla.

El aire olía a humedad allí dentro, aunque no hacía frío. Había una atmósfera caldeada que apestaba a tabaco, casi igual a la de esas grandes y desmañadas aulas universitarias con los techos altísimos, la escayola herrumbrosa y cuarteada alrededor de una lámpara de baratillo, las paredes enjalbegadas con desgana —como si la pintura se hubiera ido aguando a medida que se agotaba el presupuesto, dejando rodales más claros cerca de los rodapiés—, y un montón de chicles descoloridos de tan chupados debajo de los asientos.

—¿Qué tal? —le preguntó Ulises a Jorge una vez se hubo sentado a su lado.

—Pues ya ves.

—¿Crees que una mujer puede alcanzar la felicidad viviendo con dos maromos a la vez? —le guiñó un ojo—. ¿Has sacado alguna conclusión sobre la poligamia femenina durante el descanso?

—Sí.

—¿Cuál?

—Pues verás, creo que no hay Dios, y que la conversación es un arte moribundo.

Ulises sentía las manos pegajosas. Se las secó contra los pantalones vaqueros.

—Joder —respondió.

—No te alteres, sólo citaba a Raymond Carver. —Jorge bostezó y le echó un vistazo a su reloj.

Su amigo lo miró pasmado.

—No sabía que leías.

—No mucho. Pero soy un solitario. Me da tiempo a hacer de todo, incluso llevo una vida sexual de lo más interesante. Conmigo mismo, por supuesto. Tiene la ventaja de que nunca me tengo que dar estúpidas explicaciones sobre qué he hecho y dónde he estado. Y además, no hay ni que decirlo, jamás me engaño.

—Buen método, amigo.

—Hago lo que puedo por ir tirando.

—Sí. Claro. De algo nos tiene que servir lo que aprendemos aquí, ¿no?

—Pues sí, la verdad es que aquí he aprendido muchas cosas.

—Esta Academia no es mal sitio —asintió Ulises.

—Desde luego que no. Además, no sé de ningún otro lugar en Madrid al que uno pueda ir a estas horas, conseguir que lo escuchen y no tener que pagar ni un céntimo por ello. Es bastante mejor que un puticlub, y nunca sales borracho.

—Por eso siempre hay tanta gente aquí, porque es gratis.

Jorge se alisó las perneras del pantalón en la zona de las rodillas con el mismo cuidado que si estuviera doblando la servilleta del desayuno.

—Mireia se ha largado —dijo.

—Qué pena. Me gusta esa mujer. Y me encanta que defienda la poligamia femenina.

—A ti te gustan todas, Ulises.

—¡Como a ti!, ¿o no?

—Todas todas, no.

—Pero la mayoría.

—Sí, bueno. Tal vez la mayoría.

—Pues ahí lo tienes.

—De todas formas —Jorge entrecerró los ojos soñadoramente; pronto los abrió del todo para fijarse de forma momentánea en la cercana figura de un hombrecillo mustio—, con Mireia no tienes nada que hacer, chaval. Te lo digo para que no andes perdiendo el tiempo. Ésa no dejaría que la tocaras ni metiéndote antes las manos en la freidora. Está casada, y bien casada.

—Pero, Jorge, la chica es una ardiente defensora de la poligamia. Su marido y yo podríamos llegar a un acuerdo —bromeó Ulises.

—Bueno, en ese caso...

Reanudaron la sesión. Cambiaron de tema. Mireia ya no estaba presente y Jacobo había perdido gran parte del interés por su cruzada contra la poligamia femenina después de tomarse tres *gin-tonics* en un bar cercano, en compañía de su amigo Manolo y su primo Martín.

Pero los ánimos estaban aún revueltos.

—Mire usted, don Vili. —Una señora se puso en pie. Era gordita y no muy mayor. Tenía la piel de la cara encarnada y llevaba un gorro impermeable que, sobre su cabeza, parecía el sombrerete de un champiñón—. Yo no consigo alcanzar la felicidad, ni a través del bien ni a través del mal. Mi marido está paralítico desde hace cinco años.

—¡Oh, cielos! —Alguien sentado a su lado le preguntó—: ¿Un accidente de tráfico?

—No, no... —contestó ella—, se desnucó en las escaleras de casa mientras tratábamos de grabar un vídeo doméstico gracioso para un concurso de la televisión.

—Cuánto lo siento, señora.

—Más lo siento yo.

—¿Ganaron el concurso, por lo menos?

—Siií —la mujer vaciló—. Nos dieron el premio, pero era poca cosa; mi marido perdió su empleo y yo tuve que ponerme a trabajar. Él era camionero. Yo limpio pisos por horas. Él está ahora en casa, y yo me paso los días en la calle. Y la felicidad, ¿dónde está?

—Buenobuenobueno, ¡ya empezamos con los dramas personales! —se quejó Johnny Espina en un puro aullido—. Este... vamos a centrarnos en el tema y a dejar de lado las intimidades, porque si yo contara mi caso... o sea, el expolio a que fue sometida mi tierra americana a manos de España, la madre patria, que la saqueó, la violó, la exprimió, le dio por culo...

Alguien dijo que estaba hasta las narices de oír a Johnny quejarse, que si tanto odiaba a España podía volverse al sitio de donde había salido y no volver nunca más.

—¿Quién ha dicho eso? —Johnny se levantó y escudriñó unos cuantos rostros, enrabiado—. ¿Quién ha sido?

Hipólito Jiménez se puso en pie.

—He sido yo —dijo con sencillez.

—¡Ah, claro! El hijoputa...

Hipólito salió de detrás de una fila de sillas llena de gente que miraba a los dos rivales con cara de sobresalto e interés, igual que espectadores bronceados en un partido de tenis.

—Oye, Johnny... —dijo el chico.

Sus espaldas parecieron aún más anchas de lo que ya eran debajo del jersey verde de lana rústica que se había puesto. Aparentaba ser un campesino extraviado en el centro de una ciudad en la que sólo hubiera ruido, indiferencia y avidez.

En su asiento sobre la palestra de la estancia, Vili cerró los ojos, desmoralizado. ¿Pero qué les pasaba a todos últimamente? ¿Sería la lluvia? ¿El mal tiempo acabaría por volverlos locos de remate?

—¡Tenías que ser tú! —cloqueó Johnny—. ¡Pagad de una vez la Deuda Histórica! Todo lo que nos habéis robado.

—Yo no le he robado nada a nadie —gimió Hipólito—. Yo soy pintor, ¿sabes? Nací en el año mil novecientos sesenta y nueve.

—Hijo de padre desconocido.

—... No estaba allí cuando el jodido Colón descubrió América. —Suspiró y se acercó balanceándose amenazadoramente hasta donde estaba Johnny—. ¡Dios! ¡Ojalá el puto Colón se hubiera quedado quieto y no hubiera ido a ninguna parte! Así, ahora yo no tendría que estar aquí, pagando sus jodidos errores de navegación.

—¿Qué dices? ¡Pagad la Deuda...!

—¡No tendría que aguantarte a ti!

—Quieto ahí —le ordenó Johnny—. No te acerques a mí o llamo a la policía.

—Llámala. Mientras no venga en barco... En carabela, quiero decir...

—No me des golpes bajos, cabrón —bramó Johnny.

—Sólo los lanza a tu altura, capullo... —chilló histérico alguien más a sus espaldas.

Vili intervino antes de que comenzara una auténtica pelea a puñetazos. Los amenazó a grito pelado con prohibirles para siempre la entrada en su Academia, golpeando el suelo con el tacón de sus botas y batiendo palmas igual que el maestro de ceremonias de un circo para niños desquiciados.

Casi media hora después, cuando los ánimos se fueron calmando y todo el mundo volvió a sentarse en su sitio, el espacio estaba cargado de pesimismo y de un inevitable rencor, espeso y maloliente, que llevaba tiempo esperando su turno y ensuciaba el aire.

—La vida es un asco —dijo en voz alta Miguel Acebo, un funcionario del Ministerio de Agricultura que frecuentaba con asiduidad la Academia.

—Sí, desde luego. Un asco... —coreó la mayoría del auditorio.

Entonces, Vili se enfureció de verdad. Era la primera vez que los concurrentes lo veían así de enfadado. Lo que le ocurría, pensaba él entretanto el corazón le latía con fuerza, era que Valentina, su mujer, lo había cocido antes de salir de casa aquella tarde y, luego en la Academia, entre unos y otros, lo habían asado.

Ya no podía más.

Empezaba a estar sobradamente harto. ¿Qué era él, después de todo? ¿Un filósofo, o un pobre idiota ingenuo? Sintió un espasmo nervioso en el voluminoso estómago. El dolor le hizo doblarse sobre la cintura.

¿Pero qué estaba haciendo, por el amor de Dios? Él era rico, podía ir donde quisiera, hacer lo que le viniera en gana. Dejar a su mujer plantada, con todo su equipaje de neurótica amargura y desencanto. No tenía más obligaciones que las que él mismo se había creado. Ni horarios, ni jefes. Ni siquiera hijos naturales. Podía viajar más a menudo, comer en restaurantes exóticos de países lejanos, leer a Séneca frente al mar de Japón, dejar de buscar el diálogo con los demás e intentar a hablar sólo consigo mismo.

—De modo que la vida es un asco... —rugió, y se hizo un silencio absoluto—. ¿Por qué seguís vivos, entonces? Nada os complace. No conseguís hallar la felicidad. La vida no os parece suficiente recompensa. ¿Qué hacéis aquí, pues?

Los contertulios estaban mudos y lo miraban con tanta atención como si lo estuvieran vigilando.

—Escuchadme bien porque voy a contaros una historia. Es una historia que aprendí de Plutarco. En los viejos tiempos, ésos a los que siempre os remito cuando quiero que aprendáis algo sobre vosotros mismos, hubo un ciudadano llamado Timón que un día decidió subir a hablar a la tribuna. —Vili sacó un pañuelo de papel arrugado del bolsillo de su pantalón y se secó con él el cuello. Estaba sudando y le temblaban las manos—. Se hizo un gran silencio, porque el hecho de que Timón se decidiera a hablar no era nada habitual, de modo que todos contuvieron la respiración y lo escucharon. Y Timón les dijo: «Tengo un solar, oh, atenienses, y en él creció una higuera en la que se han saboreado muchos ciudadanos. Como he decidido edificar en aquel sitio, me ha parecido conveniente advertirlo en público para que, si alguno de vosotros quiere ahorcarse, lo haga antes de que arranque el árbol». —Hizo una pausa y observó en derredor suyo el amontonado conjunto de rostros serios e intrigados—. Pues bien, esta Academia es mi higuera, amigos míos, todos vosotros habéis disfrutado de ella a lo largo de los dos años que lleva abierta, pero hoy, esta misma noche, he decidido cerrar el local, talar mi árbol. Antes de que eso ocurra, aquí la tenéis todavía. Si alguno de vosotros quiere ahorcarse, puede hacerlo ahora mismo. Mañana será tarde.

Mañana, pensó, haría las maletas y cogería un avión rumbo al otro lado del mundo. Cuanto más lejos de Madrid y de la Academia, de Valentina y de la lluvia, mejor.

Sí. Mucho mejor cuanto más lejos.

Se dio la vuelta en dirección a su asiento. Se sentía cansado y abatido, una isleta despoblada en medio de un mar hostil, erosionada por el salitre y envuelta en la luz sucia de los verdosos ocasos solitarios.

Ni siquiera vio al hombrecillo que, a espaldas suyas, se levantaba de su silla, avanzaba temeroso y falto de estilo, pero con una mirada decidida, entre los asientos que rodeaban el suyo y, a una distancia de menos de dos metros de Vili, proclamaba con una voz arrulladora, casi femenina:

—¡Gracias por prestarme su higuera, señor!

Luego sacaba un diminuto revólver del bolsillo de su gabardina, un artefacto que parecía de juguete, y antes de que casi nadie lograra darse cuenta de lo que ocurría, lo acercaba a su sien derecha.

Vili se volvió cuando oyó un chillido de Gabriela. Le sobresaltó el timbre histérico y alarmado de aquel alarido.

El hombrecito cerró los ojos y se disparó.

Pero la bala no salió por la sien izquierda del desconocido, tal y como él debía tener previsto. Tampoco se quedó atrancada contra algún mal pensamiento, o un hueso inusitadamente robusto dentro de su pequeña cabeza.

No ocurrió nada de eso. No hubo sangre derramada, ni tragedia irreparable. No hubo agonía. Aunque sí hubo delito: intento de suicidio (en algunos países, ¿castigará la ley esta infracción con la pena de muerte?).

No, no hubo nada de todo eso porque otra mano se cerró con rapidez y firmeza sobre la mano del suicida, y desvió la bala hasta el techo: una mano atenta al servicio de un ojo raudo.

SEGUNDA PARTE

LO QUE TENEMOS

LA CULPA

Penélope cree que la vida es una lucha a brazo partido contra la culpa, la obligación, la angustia, el miedo a lo desconocido, la dependencia, los deseos de justicia, el temor, la preocupación, la postergación, la falta de amor por uno mismo y la absurda inclinación a vivir en el pasado que a todos nos invade de cuando en cuando.

Una lucha contra todo eso y contra algunas cosas más.

Para combatir a tantos enemigos en su vida personal, y en la profesional, se rige por las reglas del arte de la prudencia de Gracián. Su padrastro le había regalado el *Oráculo Manual* cuando cumplió dieciséis años, pero ella no supo extraer enseñanzas del libro —ni de ése ni de ningún otro, dicho sea de paso— hasta casi veinte años después. Entonces no sabía nada. Puede que ni siquiera supiese leer. O por lo menos, no sabía lo que leía, ni lo que veían sus ojos o tocaban sus manos. No se enteraba de nada. Estaba poseída por esa descabellada glotonería existencial de la juventud para la que todo es apetito, ansia, derroche y sueño.

Ahora, sin embargo, sí que sabe. Penélope sabe algunas cosas. No todas, ni falta que le hace, pero las suficientes como para ir tirando.

Sabe que es necesario elegir bien a los amigos y a los

enemigos, y saber valerse de ambos. Que hay que actuar siempre como si nos estuvieran viendo. Que hay que dejar a los demás con deseo de nosotros, y no saciarlos jamás. Que no debe engañarse sobre ella misma ni sobre nadie. Que debe conocer bien sus defectos y no explicarse con demasiada claridad, porque la mayoría de las personas no valoran lo que entienden y veneran lo que les resulta indescifrable. Penélope ha aprendido el arte del disimulo, porque ser transparente en un mundo despiadado significa no tener futuro: por eso es necesario enmascararse a menudo. En plena selva, los insectos más frágiles sobreviven camuflados entre la vegetación, los verdes confundidos sobre las hojas verdes, y envueltos en las podridas los del color de la carroña.

Penélope ha aprendido a tener buen sentido. Más vale un grano de buen sentido —decía Baltasar Gracián— que montañas de inteligencia.

Ha aprendido a tener gusto y cuidado al hacer las cosas, a tener valor, celo y cordura. Y, sobre todo, a saber esperar.

Desde luego que sí. Penélope sabe ahora al menos un par de cosas.

Hace apenas unas horas que ha vuelto de París. El París del Sena y de Christian Dior, el París huraño y de cielos andrajosos cosidos al bies a modo de sedas grises que languidecen elegantemente mientras impiden que el sol se vea. Ha estado allí seis días en calidad de nueva *wonder girl* de la moda española, intentando no pestañear ante la estatura de las modelos, tratando de parecer desencantada, dura y visionaria, tal y como todos esperan que sea. Los desfiles han sido un éxito. Sus diseños hablan el lenguaje de las flores y tienen la gracia natural de algo que va más allá de lo puramente contemporáneo. Las levitas de tusor blanco, las

chaquetillas de shantung por debajo de la cadera, los oto-
manes labrados, el lamé de las camisas escotadísimas, la
falla y el gazar volaban sobre los talles de las modelos,
ajustándolos, insinuantes y osados, haciendo creer a la
gente que, más que vestidos, eran vaporosas plumas o pieles nacidas junto a los mismos cuerpos.

Una estilista del *Vogue* francés le preguntó dónde había
hecho el *training*. ¿*Chez* Nina Ricci?, ¿o quizás en Balencia-
ga? Su jefe arrugó los labios y fulminó a la mujer con la mirada. Penélope sonríe al recordar la injuria tatuada en su
vieja cara. La idea del crimen flotó en el aire alrededor del
hombre hasta que la señora decidió darse la vuelta y alejarse para hablar con un conocido.

Y es que todo París ha estado de acuerdo: sus creacio-
nes son únicas, incluso provocadoras, porque Penélope
sabe lo que se hace. «En estos tiempos en los que ya lo hemos visto casi todo, y no sólo en el mundo de la alta costura, sino en todas las artes —afirmó en su columna diaria
una famosa cronista de moda parisina—, la única provocación posible es la inteligencia, por eso hay tan pocas pro-
vocaciones hoy día. Penélope Alberola Gordón, amigos
lectores, es verdaderamente una de ellas.»

Ah, quizá no fuera inteligencia después de todo, pensó
entonces Penélope, pero desde luego sí que era buen sentido, *su* buen sentido. Y se sintió orgullosa de ella misma.

Han sido seis días muy intensos, pero aun así ha tenido
tiempo para un breve romance con un cazador de tendencias rubio y fornido, pero bastante distraído, de Future
Concept Job.

Se llamaba Jeremy y era diez años menor que ella. Hacía dos que trabajaba como *coolhunter* en Milán, donde estaba su empresa, y acababa de regresar de Tokio. Fumaba
mucho, tomaba fotos a cada momento (apenas dejó la cá-
mara tranquila las tres veces que se metieron juntos en la
cama, y luego ella tuvo que robarle los tres carretes de fo-

tos a escondidas, mientras él dormía), y terminó por mancharse de coñac la preciosa camisa de color celeste que llevaba puesta. Penélope llegó a pensar que estaba acostándose con una versión algo mejorada de Mr. Bean, o de Mr. Magoo, y la idea no le hizo ninguna gracia. Cuando volvió a Madrid, ni siquiera se despidió de Jeremy.

Desde que dejara a Ulises, los hombres no le duraban mucho. Había conocido a varios. Oh, nada importante en ningún caso. Si hacía memoria, podía verlos a todos ellos, muy formales y puestos en fila, incluso a Jeremy, que era el último de la colección. Con los brazos estirados a lo largo del cuerpo y una sonrisa culpable en la boca abierta. Esperando algo. Como si los hubieran desembalado nada más llegar de donde quiera que viniesen, y ahora aguardaran su turno encima del escritorio de Penélope, semejantes a cartas por contestar.

Han sido unos cuantos, es cierto. Once para ser exactos. Pero, en resumidas cuentas, ella sigue sola.

Pese a todo, no le importa estar así. Lo deseó expresamente a lo largo de todo el tiempo que duró su matrimonio. Estar sola siempre es algo con lo que puedes contar, se dice a sí misma.

En algún sitio ha leído que las mujeres, a partir de los treinta años, tienen tendencia a ser monógamas cuando se trata de lesbianas, pero que esa graciosa propensión tiene su reverso en las mujeres heterosexuales que, después de cumplir esa edad, suelen buscar trato sexual fuera de su pareja, sobre todo si llevan más de cinco años casadas o viviendo con el mismo hombre.

A lo mejor ése es su caso. Ella ha pasado con Ulises más de la mitad de su vida, de uno u otro modo. Quizás todo lo que le ha ocurrido en los últimos dos años, desde los treinta y tres a los treinta y cinco, no ha sido más que una serie de sutiles maniobras, perpetradas por su delicuescente instinto tan proclive a seguir las tendencias, y encaminadas a mantener la fiabilidad de las estadísticas sobre el comportamiento sexual del género femenino. Es posible, ¿por qué no? Todo el mundo sabe que la vida está hecha de atavismos, plenitud e iniquidad.

¿O quizá sus aventuras posconyugales no son más que una forma de vengarse de Ulises?

Bueno, y qué más da.

Se mira en el espejo del baño mientras recuerda el viaje de vuelta. No ha sido lo que se dice agradable, menos mal que era corto. Hubo turbulencias, el aire acondicionado estaba puesto a una temperatura exageradamente baja, las azafatas resultaban vulgares, como camareras hastiadas y poco atentas que sospechan que nadie dejará propina; y el ruido de los motores, incluso en la zona reservada a los pasajeros de primera, era ensordecedor. Ni siquiera le fue posible fantasear con su reciente éxito en París, tan brutal era el traqueteo de la nave. Por si fuera poco, Jana, su ayudante, tuvo un súbito ataque de confidencialidad hacia ella y le arruinó el trayecto a fuerza de lloriqueos y enternecimiento gratuito. Acaparó toda su atención y no tuvo ni un segundo para recrearse en el glorioso recuerdo de sus recientes desfiles.

A veces, detesta tener tanto sentido de la realidad. Resulta francamente molesto.

Debió darse cuenta de que incluso las nubes negras que rozaban las alas del avión, y las manchaban de una humedad polvorienta, presagiaban que las cosas no irían del todo bien.

Y así fue, como pudo comprobar poco después de poner los pies en Madrid.

Pero entonces, al tiempo que sobrevolaba Francia atravesando el humo sucio de los nubarrones cargados de lluvia que venían del Atlántico Norte, no pensó en nada que no fuera el placer del trabajo bien hecho y la cháchara lacrimógena de Jana.

Les sirvieron unas copas de champán casi congelado.

Cuando dio un sorbo a la suya, los dientes le rechinaron y la lengua se le quedó embarrancada de dolor en mitad de la boca.

—¿Pretenden que agarremos una pulmonía? —le preguntó fastidiada a la azafata, señalando la bebida.

La mujer sonrió. Su sonrisa era tan ancha que hubiera servido para rodearle toda la cabeza. Su expresión era resignadamente tolerante, un poco desdeñosa, a pesar de que hizo casi una reverencia mientras contestaba que lo único que podían hacer para remediarlo era meter la botella un ratito en el microondas de a bordo, en caso de que los pasajeros se amotinaran y las cosas se pusieran feas de verdad. Seguidamente soltó unos grititos alegres, pero a Penélope le sonaron un tanto espectrales.

—Era una broma, disculpe —dijo la azafata, sin dejar de sonreír.

—Ya.

—Si quiere le puedo servir un café.

—No, déjelo. Muchas gracias.

Jana sorbió su bebida, apurándola de un trago, y miró a través de la ventanilla. Tenía unos ojos preciosos en los que se hubiera podido recoger kilos y kilos de miel. Empezó a sonarse la nariz, y al poco las lágrimas corrieron por sus mejillas perfectamente maquilladas.

—Oh, vamos, Jana... No es para tanto —dijo Penélope—. Puedes pedir un zumo, o un café. Incluso un whisky. Aunque... espera. Todavía no son más que las... Las doce. Cielo santo. Sólo son las doce del mediodía y ya estamos empinando el codo, ¿qué te parece?

—Me parece estupendo. No me vendría mal emborracharme. O drogarme. Quizás un poco de crack me sentaría bien antes de almorzar. —La chica suspiró—. O peyote.

—¡No digas tonterías! ¿Se puede saber qué te pasa? Crack, por favor... —Penélope trató de estirar las piernas, pero no pudo.

—¡Oh! —exclamó Jana por toda respuesta.

Empezó a llorar de verdad, vertiendo dos chorros de lágrimas paralelos que no hubiesen salido tan rápidos y abundantes de haber surgido de dos pequeños aspersores escondidos entre los ojos.

—Va, va, vaaa... —la consoló Penélope—. ¿Te quieres calmar, Jana? Hay un señor en la fila de al lado que nos está mirando —susurró agachándose un poco mientras hablaba.

—¡Que se joda!

—¡Ssssh!, baja la voz, ¿quieres?

—Ese señor cotilla de la fila de al lado... —Jana lo señaló con un dedo acusador.

El hombre se dio cuenta y trató de disimular bajando la vista hacia el periódico que sostenía con dedos inertes. Tenía el cutis del color de la ternera demasiado cocida, y un repentino interés por algún artículo del *Financial Times* que le hizo embutir la nariz entre sus páginas, tapándose la cara por completo.

—Ése o cualquier otro... —continuó Jana—. Por mí, que los jodan a todos.

—¡Dios mío!

—Ay, Penélope...

—¿Qué ocurre?

—Me he peleado con Mauricio.

—Vaya, así que era eso.

—Sí. Eso.

—¿Y ha sido una pelea importante?

—Bueno... Fue antes de venir a París. Precisamente un día antes. Lo he pasado fatal aquí, tan llena de remordimientos y... Claro que tú dirás que no se me notaba, y es verdad. Es que yo soy una profesional. Cuando trabajo, trabajo, me cambio el chip y ya está. Fuera problemas personales, hola problemas laborales. —Jana se secó las lágrimas y se llevó la mano al pecho, como tratando de aminorar la marcha de su corazón—. Todo ha sido culpa mía. En fin, eso creo. Me gustaría otra copita de champán.

Penélope llamó a la azafata y se la pidió.

—Culpa mía y del horóscopo.

—¿El... el horóscopo?

—Sí. Ya sabes. El que sale en el periódico. «Mal día para ti, Tauro, hoy te esperan noticias desagradables en tu oficina», o «el sol brilla para Géminis en todo su esplendor. Estarán más activos sexualmente que nunca, atractivos, emprendedores, llenos de ideas...». Ese tipo de cosas.

Penélope tenía la mirada perdida.

—¿Nunca lees el horóscopo, o qué? —le preguntó Jana.

—Sí, sí. Bueno, alguna vez que otra. No es algo que me llame mucho la atención.

—Pues eso. El horóscopo. Yo me lo tomo muy en serio. —Jana tomó aliento, sacó un espejito de su bolso de mano y empezó a retocarse el maquillaje mientras hablaba—. La verdad es que creo profundamente en la predicción astrológica. Me da mucha tranquilidad leer el horóscopo diariamente. Un buen karma que no veas. Ya sabes que no soy religiosa, no voy a misa, no me he hecho budista como casi todo el mundo que conozco... En fin, que creo que tengo derecho a poder leer el horóscopo diariamente, ¿no?

—Claro, claro.

—No es que sea una de esas pobres chicas supersticiosas, pero estoy convencida de que es mejor no tentar a la suerte. No soy una ignorante. Naaah. Ni mucho menos. Tú me conoces... —Guardó la polvera de nuevo en el bolso—. Tengo estudios universitarios, por Dios. Sé recitar de corrido el nombre de doce recientes premios Nobel en áreas biomédicas y físicas. No todo el mundo sabe hacerlo. No es igual que recordar el último premio Nobel de la Paz, o de Literatura. Los de ciencias nadie se los sabe. Yo, sí.

Penélope levantó una ceja.

—¿No te lo crees? —preguntó Jana, como si estuviera a punto de llorar de nuevo.

—Sí, por qué no.

La azafata sirvió más champán a Jana, que se lo agradeció con un escueto movimiento afirmativo de cabeza.

—No, veo por tu cara que no te lo crees. Pues mira, te los recitaré. David Baltimore, Renato Dulbecco, Walter Gilbert, David Hubel, Arthur Kornberg, Joshua Lederberg, Susumu Tonegawa, James Watson, Sheldon Glashow, Steven Weinberg, León Lederman y Murray Gell-Mann —enumeró muy solemne; cualquiera hubiera dicho que estaba declamando algún poema enrevesado que sonaba demasiado experimentalista—. ¿No te lo creías, eh?

—Sí, Jana. Te he creído. No era necesario que...

—Lo que trato de decirte es que soy una chica juiciosa y competente. Hago bien mi trabajo, ¿no? Tú puedes dar fe de ello, porque no sólo soy tu ayudante y tu secretaria, además te sirvo los cafés, me ocupo de que tu declaración de la renta esté entregada dentro de plazo, de que tengas siempre un par de medias de repuesto en la oficina y, si hace falta, te compro los tampax. Y soy capaz de tener relaciones sentimentales maduras y equilibradas con los hombres.

—No lo dudo.

—Pero el horóscopo para mí es algo así como... como mi guía espiritual diaria. Incluso dejé de fumar gracias al horóscopo.

—Ah, ¿sí?

—Sí. Un buen día de hace cuatro meses abrí el periódico, como cada mañana, y leí: «Géminis, ¿cuándo piensas dejar el tabaco? Hoy te plantearás la posibilidad de abandonar ese vicio enfermizo para siempre, y lo conseguirás.

Tú siempre consigues lo que te propones». De modo que yo me dije, ¿y por qué no? Al fin y al cabo el tabaco es una auténtica mierda.

—Produce cáncer de pulmón.

—Bueno, a mí lo del cáncer de pulmón no me importa mucho, pero no estaba dispuesta a tolerar ni un día más ese mal aliento. El tabaco es algo de lo más maloliente en cuanto una se fija un poco.

—Sí, también.

—Así que dejé el tabaco aquel mismo día. Simplemente, cuando acabé de desayunar no me fumé el cigarrito mañanero. Y hasta hoy. No he vuelto a probarlo. Ni siquiera sé cómo pude fumar alguna vez, visto desde aquí. Y mi aliento huele a rosas todos los días, no a chimenea atascada.

—Pues vaya, es estupendo, Jana.

—Me consuela, Penélope. Quiero decir, el horóscopo. La vida es tan insegura que, si cuando me levanto de la cama para ir a trabajar no pudiera leer mi horóscopo y saber así lo que me va a ocurrir a lo largo del día, me daría un patatús. Me moriría mientras mojo las galletas en mi café con leche. Nunca me han gustado las sorpresas.

—No me digas. —Penélope se estiró la blusa y trató de encajar las rodillas debajo de la bandeja de su asiento.

—No. Porque suelen ser todas malísimas. En fin, la mayoría.

—No exageres.

—Bueno, el caso es que, como tú sabes, Mauricio y yo vivimos juntos desde hace cinco meses. —Jana le dio un sorbito esta vez a su copa—. Es tan guapo, tan atento, tan... Claro, es Virgo con ascendente Leo, dentro de él hay orden y fuerza animal a la vez. Es un chico tan independiente y tan seguro como yo. Cuando nos conocimos, enseguida congeniamos. A mí me gustaba muchísimo vivir sola, y él estaba encantado de vivir solo, así que nos fuimos a vivir juntos. Y hasta hoy. Bueno, hasta hace unos veinte días...

—¿Qué pasó? —preguntó Penélope, resignada.

—Entonces ocurrió. La catástrofe, Penélope, te lo juro. Porque la cosa es que, evidentemente, desde que estoy con Mauricio, además de leer mi horóscopo cada día, también leo el suyo. Y esa horrible mañana, me levanté encantada de la vida, como casi todos los días menos cuando me va a venir el período, abrí el periódico, leí mi horóscopo. No tenía nada de particular. Entonces leí el suyo. Y ocurrió la tragedia.

Hizo una pausa para crear tensión dramática.

—¿Qué pasó? —se sintió obligada a interesarse Penélope, de nuevo.

—¿Quieres saber lo que decía exactamente?

—Exactamente, sí.

—Pues decía: «Virgo, si vives en pareja puede que hoy te plantees abandonarla, o al menos engañarla, porque conocerás a otra persona que te arrastrará a una pasión enloquecedora como nunca antes la habías conocido. Ha llegado tu momento en el amor. Esa persona será la más especial de tu vida, tanto que te hará perder el juicio si no tienes cuidado». Eso decía. —Las lágrimas asomaron tímidamente de nuevo a los grandes ojos de la joven—. Estuve a punto de desmayarme sobre mi tazón de Winnie the Pooh.

—Bueno, sólo apuntaba a una posibilidad. Decía «puede que», ¿no es cierto?

—Puede que, sí —asintió Jana, parecía una niña pequeña y desamparada en un mundo de gigantes malos—. Mauricio es modelo, ese día estaba en Nueva York desfilando. Ya sabes en qué mundo se mueven los modelos. La mayor parte del tiempo están rodeados de culos perfectos, miradas lúbricas y chicas con brazos de dos metros de largo terminados en garras. Son frágiles. Cualquiera lo sería viviendo como ellos viven. Mauricio es tan guapo. Siempre pensé que era una suerte tener un novio tan guapo y que no fuese marica. Ese día enloquecí. Lo llamé a Nueva York, pero por supuesto no estaba en su hotel. Ni siquiera sé qué hora era allí. Hablé con él al día siguiente, cuando me llamó a casa por la noche, ya muy tarde, creo que para él serían las seis de la mañana. O sea, que no se había acostado todavía.

—Tendría el *jet lag*. Esos viajes de cuatro días cruzando el océano trastornan el sueño de cualquiera —la tranquilizó Penélope.

—Sí, o eso o me había estado poniendo los cuernos por ahí.

—Cuando tengas varias opciones para elegir, te aconsejo que escojas la mejor. No te quedes siempre con la mala. Eso te hará sufrir de forma gratuita. Y es absurdo sufrir gratuitamente cuando ya tenemos tantos sufrimientos que nos cuestan un montón. —Penélope se echó el pelo para atrás, detrás de los hombros. Tenía una hermosa melena rubia que le llegaba un poco más arriba de la cintura.

—El caso es que apenas pude soportar los celos, y cuando volvió a casa tres días después, yo ya estaba histérica de los nervios.

—Oh, no.

—Oh, sí. Me comporté con él de mala manera. No paré de hacer alusiones irónicas a la aventura que había tenido. Él no se daba por enterado, me decía una y otra vez: «¿Jana, te encuentras bien?, puedo llamar a mi médico». Un maestro del disimulo.

—Quizás no disimulaba, cariño.

Jana negó con la cabeza, tristemente.

—Entonces yo decidí pagarle con la misma moneda. Pero no tenía ánimos para salir por ahí a buscar un lío sólo por despecho. La verdad es que, a lo largo de nuestra relación, yo lo engañé una vez. Al principio. Cuando todavía lo nuestro no era muy sólido, y más que por deseo, que no lo sentía, por debilidad, por tontear un poco, porque me sentí halagada por el tipo, que era impresionante. Un fotógrafo americano. Pero te aseguro que esas experiencias de sexo esporádico y rápido con auténticos desconocidos no están hechas para mí. No disfruto nada. Cuando llevas un tiempo con un hombre pues, bueno, tienes confianza con él y en la cama todo es mejor. Puedes decirle: «Por aquí, ve por aquí. Eso me gusta, sí». O: «No, no tires por ahí, tío, que te estás equivocando. No me toques ahí porque me estás poniendo los pelos como escarpias y no le veo la gracia al asunto». Pero cuando haces el amor con alguien que acabas de conocer, o que ya conoces, pero con el que nunca te has acostado... ¡Ja! Tienes que aguantarle toda clase de torpezas y cosas repugnantes y babosas que él cree que te hacen delirar de placer cuando en realidad de lo que te dan ganas es de cagarte en su madre. Tienes que disimular con unos quejiditos estúpidos y hacerle creer que has acabado para que él se dé prisa y termine de fastidiarte y... Y al final, acabas teniendo fama de ser una puerca calenturienta, aficionada a los polvos rápidos. —Jana hizo un gesto de repulsión—. En fin, que no me gusta nada el sexo ocasional. Una no puede ir de polla en polla, porque eso a la larga resulta ser un juego de la oca bastante agotador y proclive a los chancros infecciosos.

—Huuum.

—¿No estás de acuerdo?

—Bueno, yo... Sí, la verdad.

Penélope pensó fugazmente en algunas de sus conquistas recientes. Jana llevaba su parte de razón. Pero ella había estado tan ocupada con el juego de la seducción, del que tan necesitada estaba, que prácticamente en todas las ocasiones había relegado su propio placer a un segundo, incluso inexistente, término.

—Pues eso, que como no tenía ganas de salir a buscar ligue por ahí, decidí inventármelo.

—¿Queeeé?

169

—Me lo inventé. Un amante imaginario es mucho menos pesado que uno real. Y no tenía que acostarme con él. Con quien yo quería acostarme era con Mauricio. Con él sí. Es fenomenal, me conoce. Sabe lo que me gusta. Es tierno y tiene un cuerpo perfecto. Se dobla como un junco. Lo quiero, por Dios. Con eso está dicho todo.

—¿Cómo que imaginario?

—Pues... empecé a mandarme a mí misma cartas de amor, firmadas por un tal Pablo. Las escribía con el ordenador de la oficina. Luego las dejaba en algún sitio donde sabía que Mauricio las vería, pero dando la impresión de que estaban ahí bien guardadas, fuera de su vista. Me negaba a hacer el amor con él diciéndole que estaba cansada, pero poniendo cara de «mira, no lo necesito, ¿sabes?, porque ya estoy servida». Como cuando una come en un buen restaurante antes de llegar a casa y luego no le apetece la comida familiar que hay preparada sobre la mesa. Me rociaba con Eau Sauvage antes de salir del trabajo. Y convencí a Jaime, el chico del reparto, para que dejara algunos mensajes en mi contestador en los que sólo decía, poniendo voz desesperada: «Jaaaana, Jaaanaaa, nena... Esto...». Y luego colgaba. Cosas así.

—Hay que ver.

—Pues sí. Hasta que, claro, Mauricio estalló. Fue un día antes de que voláramos a París. Él tenía que hacer un viaje a Tokio esa misma tarde. Y antes de que yo llamara a mi taxi, me dijo que no estaba dispuesto a soportar más cuernos ni un día más. Que él era un hombre fiel, y pedía lo que daba. Y que a la vuelta de Japón pasaría por el apartamento a recoger sus cosas, aunque prefería no tener que despedirse de mí. Me dijo que me había amado como un loco, y yo a cambio me había comportado con él como una loca. —Jana soltó unas lágrimas; una rodó delicadamente hasta su labio superior y ella la lamió con la punta de la lengua—. ¿No es encantador? Cualquier otro me hubiera dicho que me había portado como una puta. Pero no él. Él me dijo «como una loca». Y la verdad es que dio de lleno en el clavo. —Emitió un sollozo deprimido—. Sólo entonces se me ocurrió pensar que a lo mejor el horóscopo de aquel día estaba equivocado, o que él había sido una excepción en su signo. Puede pasar. Me parece.

—¿Y no le contaste la verdad? Quiero decir, que eras tú la que se mandaba todas esas cartas y susurros y todo eso.

—No. Llamé al taxi, cogí mi maleta y bajé al portal. Él se quedó en casa sentado frente a la tele. Con la tele apagada.

—Oh, Jana.

—Vuelve mañana. Tiene que pasar a recoger sus cosas.

—Dile la verdad, cuéntaselo todo.

—Sí. Eso debería hacer, ¿a que sí?

LA OBLIGACIÓN

Cuando llegan al aeropuerto de Barajas, Penélope coge la prensa del día que había metido desordenadamente en ese hueco del asiento delantero donde alguien sitúa siempre las instrucciones para casos de urgencia. Extraiga el paracaídas de debajo de su asiento y no lo abra sin habérselo puesto previamente. No salga por las puertas de emergencia si están bloqueadas. Asegúrese de que tiene el cinturón abrochado y el respaldo de su asiento en posición vertical antes de saltar al vacío. No moleste a las azafatas si nota síntomas de infarto: ellas no pueden hacer nada por usted, pero se pondrán más nerviosas todavía. Cuando el avión explote, colóquese sobre la boca la mascarilla con mucho cuidado. Si no dispone de oxígeno, no respire, por favor.

Con tanta charla no le ha dado tiempo de echar un vistazo a los periódicos. Lo hará cuando llegue a casa. Quizás hablen de su éxito parisino en las secciones de Cultura y Espectáculos.

Aún no sabe que lo que leerá no le va a gustar nada.

El chófer de la empresa va a buscarlas. El cielo está turbio, como un gigantesco caramelo de café a medio chupar que hubiera rodado por el barro, y llovizna insistentemente, aunque con menos ímpetu que en días anteriores. Jana le dice al hombre su dirección y la dejan a ella primero. Media hora más tarde, Penélope abre la puerta de su casa. Huele a pulimento para la madera, seguramente la chica de servicio debe haberse ido hace muy poco.

Después de ducharse y cambiarse de ropa, de recordar sus desfiles (el *glamour*, los flases de las cámaras, las flores al finalizar los desfiles), saca de la nevera una ensalada de pasta fría que le ha dejado la asistenta, se sirve una copa de vino blanco alsaciano y se encamina hacia el sofá de su despacho. Esta tarde no irá al taller, ni a la oficina, y, de todas formas, tiene trabajo en casa.

Mientras picotea con un tenedor la comida, ojea por fin los periódicos. La noticia viene destacada en todos ellos, en el apartado de Sucesos.

Marca el número de teléfono de la casa de sus padres. Le tiemblan las manos, pero puede controlarlas después de unos segundos. No contesta nadie. ¿Cómo estará Vili? Es el único padre que ella ha conocido y, aunque no sea su padre biológico, ese detalle jamás le ha importado. Pide un taxi, busca en el vestidor una gabardina y se dispone a esperar la llegada del coche.

Le abre la puerta la nueva criada, flaca y de mediana edad. Tiene aspecto de tristeza general, como si se hubiese dado por vencida respecto a algo después de mucho intentarlo, y da la impresión de que, en algún momento de su vida, la cabeza se le quedó atascada cuando trataba de hacerla pasar a través de una especie de tubo que le ha dejado impreso en la cara un aire entre aplastado y estirado. Mirarla da un poco de lástima, y Penélope desea que su madre no se dedique a torturarla persiguiéndola por la casa con un puñado de pelos entre las manos, de ésos que obstruyen el desagüe de la bañera.

—Hola, Roberta, ¿está mamá?

—La señora ha salido con sus amigas.

—¿Y mi padre?

—Está en su habitación, pero... —titubea y se frota las manos en la falda, a la altura de las caderas.

—He venido a verlo.

—Me ha dicho que no quiere que nadie le moleste. Él no... Los periodistas, y toda esa gente que llama y que...

—Yo no soy nadie. Por lo menos no *ese* tipo de nadie.

—Bueno. Pase.

—No le avises, yo lo buscaré.

Penélope se quita la gabardina y se la entrega a la mujer. Recorre el vestíbulo y el pasillo a grandes zancadas, atraviesa la biblioteca y la salita de estar, pasa al lado de su antiguo dormitorio sin siquiera reparar en él.

Cuando está frente al despacho de Vili, llama con los nudillos suavemente, apoyándose en el dintel de la puerta, y trata de oír algún ruido proveniente del interior.

—Roberta, ¡déjeme en paz! ¿No le he dicho que no quiero que me importunen? —Se oye la voz disgustada de Vili.

—Soy yo, Penélope.

Una especie de zumbido. El entrechocar de cristales. Los pasos lentos y vacilantes de Vili sobre la crujiente madera del piso.

—Francamente, cariño... —dice Vili cuando abre por fin la puerta, antes de abrazarla tan intensamente como si, en realidad, se estuviese derrumbando sobre ella.

Valentina se levanta del sillón cuando entra su hija, la besa en las mejillas y exclama: «¡Vaya sorpresa, nenita!». Su voz suena como un débil gruñido de desaliento.

Eufrosina, Aglae y Talía, sus amigas, miran a Penélope tan fijamente que ella teme que a partir de ahora conseguirán llevarla escondida en las retinas hasta el fin de sus vidas, que se quedará en los ojos de aquellas tres mujeres, grabada de algún modo. Sus músculos y huesos y cartílagos, todos allí dentro, reducidos.

Inexplicablemente, se siente molesta, igual que si acabaran de robarle algo muy íntimo. Pero está acostumbrada a las miradas penetrantes, a todo tipo de miradas. Envidiosas, lujuriosas, asesinas, complacientes. Una mirada no puede hacer daño aunque quiera, y ella lo sabe; las miradas son sólo ojos enfocando hacia alguna parte, buscando y restregándose contra las cosas con ayuda de la luz.

Las saluda y compone una sonrisa amable y seductora, aniñada. Hay que saber estar en cualquiera que sea el sitio. Tener una conducta ordenada, discreta y previsora. Además, que ella sepa, un poco de elegancia jamás le ha hecho mal a nadie.

«Viejas arpías», piensa mientras las besa una por una procurando no rozar sus labios con los pómulos excesivamente maquillados de las señoras, fríos, un poco húmedos y tan finos como el papel de seda, se diría que a punto de quebrarse y dejar al descubierto algo más íntimo y terrible que la simple carne viva debajo de la piel madura.

Las conoce desde niña. Las ha visto endurecerse y envejecer con una leve desesperación ribeteada de incredulidad y resentimiento que, a menudo, las vuelve patéticas, puede que hasta malvadas. Y en otras ocasiones, encantadoras, para qué negarlo.

No sabe si les tiene aprecio o si las aborrece. Es curioso, piensa, cómo a veces no estamos seguros de qué sentimos hacia ciertas personas. Ni siquiera de si sentimos algo.

—¡Oh! Valentina, es tu hija, la modelo. ¡Cuánto tiempo hace que no te vemos, niña! Estás siempre tan ocupada.

¡Qué guapa estás... estás increíble! Y parece que tienes más pecho que antes. ¿Una talla más, o dos? Me pregunto por qué las chicas de hoy en día tenéis esa obsesión con las tetas. Cuanto más grandes, más se caen luego. Hasta el punto que tienes que tener cuidado al andar para no pisártelas, oye lo que te digo.

—No, éstas no se caen. La silicona es dura como una piedra de molino. Y no es modelo, es diseñadora de modas —susurra Aglae, inclinándose sobre Eufrosina, que acaba de hablar—. Pero parece una modelo. Fíjate, es tan guapa. Te vemos en todas las revistas, Peny, cariño.

—No llevo silicona. Mi pecho aumentó con el embarazo y... —dice Penélope.

—Ah, bueno. El niño, claro. En fin... Pero ya tiene dos añitos, o algo así, ¿no?

—No es eso, me refiero a que me gustó cómo me quedaba. —Penélope sonríe seductoramente—. Y, para seros sincera, uso sujetadores de aumento desde entonces.

—Siéntate con nosotras, le pediré a la muchacha que te traiga algo de beber —Talía, la dueña de la casa, le indica un pequeño diván al lado de la chimenea.

—Por mí podéis seguir con vuestra conversación, sólo he venido para estar con mi madre un rato y acompañarla luego. Claro que si molesto... —Penélope se acomoda en su asiento

—¡No molestas en absoluto!, ¿qué bebes?

—Un martini, gracias —pide. Se coloca el pelo detrás de los hombros y se estira la falda sobre las rodillas.

—Estupendo, así tendremos una opinión más. La opinión de una chica de hoy en día —dice Talía, sus labios se distienden en una mueca remilgada—. Hablábamos de los pubis prominentes.

—¿Los qué?

—Pubis prominentes. Demasiado abultados. —Eufrosina baja la voz cuando se percata de que entra la sirvienta.

Enseguida se quedan solas de nuevo y ella continúa—: Me refiero a los coños. Gordos. Demasiado gordos.

—Un médico le dijo a Eufrosina que tenía el pubis prominente y que debería hacerse una liposucción del monte de Venus —explica Valentina.

Penélope le nota a su madre los ojos ausentes, más azules y más fríos que nunca. Como dos trozos de cielo arrancados directamente del espacio exterior y encolados después, sin mucho miramiento, en medio de su cara.

—¿El médico te dijo eso? —Penélope contempla a Eufrosina divertida; prueba su martini—: ¿Y cómo se sabe una cosa así? Quiero decir... ¿han hecho estadísticas, o algo?

—Ese cirujano es un hombre, ¿qué puede saber él de coños?

—¿Qué puede saber un hombre de nada?

—Nada, efectivamente, pero opinan sobre todo.

—¿Cuántos coños se ha comido ése para saber qué altura deben alcanzar? —pregunta Aglae, y agita las pulseras de oro que tintinean en sus muñecas—. ¡Por Dios santo!, ¡si encima es maricón! Y un garrulo. Es un garrulo carnicero que te está dejando hecha cisco con tanto cortar y pegar. Dentro de poco, como sigas así, necesitarás un mando a distancia hasta para mear.

—Y está forrándose a costa de tu simpleza —añade Talía.

—¿Cortar y pegar...? —Penélope mira a su madre, interrogándola con un guiño.

A su cabeza acude un montoncito de imágenes tan inocentes que parecen amenazadoras. Un pubis angelical, unas tijeras infantiles para cartulina y el *Cut & Paste* de la pantalla de su Macintosh.

—Oh, sí. Le ha hecho una reconstrucción ahí abajo. Bueno, el médico lo llama así. —Valentina parece apagada, mordisquea una aceituna y mira a la alfombra con detenimiento—. Le ha recortado los labios mayores y menores.

Le dijo a Eufrosina que así tendrían una apariencia más juvenil. Como un coñito de instituto. Pero ahora le parece que el pubis está demasiado alto y que es muy gordo.

—¿Apariencia?, ¿quién piensa en la apariencia cuando apagas la luz y dejas que el barrigón medio cegato de tu marido se te ponga encima y te aplaste? —Talía señala acusadoramente a Eufrosina.

—Realmente, es lo primero que oigo... —Penélope da un trago. Siente que sus dientes, al igual que el martini, también acaban de emerger del hielo—. Y eso que, en el mundo en el que yo me muevo, se oyen cosas que...

—¿Para esto hemos hecho una revolución sexual? —Aglae da un gritito nervioso y se revuelve en el sofá. Es delgada, y en cierto modo gentil, piensa Penélope, a pesar de ese aspecto que tiene de haber sido frotada, de arriba abajo y no hace mucho, con un paño humedecido—. ¿Para esto fuimos a la universidad, y luego hicimos carrera, y mientras tanto dejamos que un montón de salidos, con granos y halitosis y pichas cortas y mugrientas nos metieran mano con la excusa de la dichosa revolución de mierda? ¿Eh, eh? ¿Para esto? ¿Para acabar dejando que un cretino de bisturí fácil nos recorte y liposuccione el origen del mundo?

—¿El qué? —pregunta Eufrosina.

—El coño. *El origen del mundo* es el título de un cuadro, de Gustave Courbet —explica Penélope, muy seria—, en el que aparece un coño. Negro y peludo.

—Ah, por un momento...

—¿Para esto nos hemos reconstruido y vuelto a reconstruir, y nos hemos psicoanalizado y arruinado pagándole al jodido psicoanalista que, al final, no ha sacado nada en claro? ¿Para acabar otra vez mutiladas? ¡Hasta cuándo las mujeres vamos a ser tan tontas como las mujeres!

—Ah, ah... —susurra Penélope, con voz ronca—. Oh, ah...

—No somos más de lo que somos, ¿verdad? —Talía se

levanta y da una vuelta por el salón. Busca un vaso limpio con expresión distraída hasta que consigue uno del aparador y sonríe igual que si acabara de tropezarse con un tesoro perdido.

Eufrosina está sentada cómodamente, tiene una apariencia entre estúpida y misteriosa, y no parece muy avergonzada a pesar de la regañina de la que está siendo objeto.

—¿Y qué me decís del sexo oral? —pregunta. Mira de forma pícara una por una a sus amigas, y por último a Penélope.

—¿Anal? —Valentina se toca la nariz, despistada.

—No, oral, oral, oral. Sexo oral.

—¿Sexo oral? ¡Válgame el cielo! —Aglae arruga el ceño y sus pupilas se contraen felinamente—. Para el bestia de tu marido seguro que *sexo oral* quiere decir hablar un poco del tema antes de entrar al ajo. Algo así como: «¿Eufrosina, qué te parece si te la meto?». Para Eugenio eso es sexo oral, ni más ni menos.

—Bueno, pero...

—Para eso no necesitabas hacer papiroflexia con tus labios mayores y menores —asiente Talía.

—Lleváis razón —dice Valentina—. Estoy absolutamente de acuerdo.

—Cristo bendito... —Penélope vuelve a dar un trago. Ya casi ha terminado su copa. Podría beberse otra. O dos.

—Pero... y si una tiene una aventura, y si una encuentra a alguien que quiera practicar con una el sexo oral *de verdad*.

—Yo detesto francamente el sexo oral. De verdad.

—¿Por qué?

—Bueno, no todo. Puedo soportar que un hombre me haga un *cunnilingus*, pero después de nuestra maldita revolución sexual... ah, ya no. Ah, no. Ni hablar. Ya tuve bastante en su día. —Aglae mueve la cabeza a un lado y a otro—. Nunca me gustó ser una chupapollas. Odio las felaciones con toda mi alma. En realidad, siempre las he odiado, incluso entonces, cuando era revolucionario hacerlas y todas nos sentíamos obligadas a decir lo mucho que nos gustaba. Las odio.

—¿Y eso?

—Figúrate. Sólo ver un pelo en el plato de la sopa ya me pone histérica.

—En fin, pero, insisto... —dice Eufrosina.

—¿En qué insistes, en tratar a tu coño como si fuera el bajo de tu falda, doblándolo y desdoblándolo cada dos por tres? Para ya, Eufrosina, detente. Deja de cometer actos terroristas contra tu cuerpo. Porque, de hecho, no creo que los resultados merezcan la pena. —Talía se inspecciona las uñas mientras habla pausadamente—. Eres un mal ejemplo para el género femenino. Las mujeres estamos obligadas a ser lo contrario que tú eres.

—Pero no, bueno, esto... Quiero decir...

—Eufrosina, ¿cuándo aprenderás?

—Quiero decir que, aunque no se vea, lo que tenemos debajo de las bragas *sí* es importante.

—En tu caso, cada vez menos.

—No sé... —Eufrosina da un resoplido, canturrea—, a *mí* me *gusta cómo me* ha *quedado.* Y, cuando lo tenga un poco menos grueso...

—Pero, pero, pero... —Aglae se pone de pie. Se levanta la falda.

Lleva unas bragas altas, de encaje rosa, caras y de buena calidad, pero de línea anticuada. Está tan delgada que parece que no tuviera caderas, como si también a ella alguien se las hubiera recortado. Penélope piensa en una muñeca sin piernas, que sólo tiene tronco. Un tronco alargado, de plástico, enfundado en unas horribles bragas de encaje rosa y de línea anticuada.

¿Y qué hace ahora? ¿De verdad está bajándose las bragas? La falda se le escurre sobre las rodillas y, por un instante, Penélope no puede ver nada más. Pero la mujer decide que la falda es un estorbo, así que se desabrocha la cremallera y se la saca por los pies, la pisotea un poco y luego le da un puntapié para ponerla a un lado. Libre ya de ella, todas pueden ver cómo ahora se desembaraza de las bragas, que salen despedidas y llegan cerca de la enorme mesa de cristal del salón. Están arrugadas con descuido cerca de la pata de la mesa, poco estéticas y acusadoras, parecen decirle a Aglae: «Todavía no puedo creer que me hayas dado la patada de esta manera, que me hayas echado fuera de ti sin contar conmigo, y sin que esté sucia todavía». Todas pueden verle a Aglae el monte de Venus inesperadamente tupido, en forma de triángulo isósceles invertido, en el que predomina el color negro, aunque veteado de brochazos plateados que van siendo más importantes, y clareando el pubis, a medida que la mirada se escurre hacia abajo, al vértice del triángulo.

—¡¿Qué tiene de malo esto, eh?! ¿Me lo queréis decir? —Aglae señala su entrepierna con un dedo índice agarrotado, tembloroso. Se despatarra en medio del salón como una amazona.

Se miran unas a otras.

—Nada —dicen a coro.

Penélope puede verle el trasero caído, aunque armonioso, y unos complicados pliegues de piel chupada adornando su cintura, como si fueran los restos apergaminados de una partida de carne desecada expuesta desde hace mucho a la intemperie.

—¿Es poco apetecible? ¿Ya no lubrica como antes? ¿Pérdidas de orina? ¿Mínimos niveles de estrógenos y progesterona? ¿Sequedad? ¿Tirantez? ¿Dolor?

—Nooo...

Lo peor de todo es que Aglae no está borracha, ni drogada, ni nada parecido. Lo mejor de todo es que Aglae es así. Y que no resulta grotesca, ni loca, ni obscena.

Penélope reconoce que es muy difícil pasear con gracia por un salón lleno de personas, aunque sean viejas amigas e hijas de viejas amigas, con una blusa de lunares hasta la cintura y unos zapatos de tacón mediano, el culo al aire y unos pendientes de plata y nada más encima.

Ha visto a modelos hacerlo y mostrarse intolerablemente zafias. Y eran chicas de quince, diecisiete años.

Veinte, las más maduras.

Preciosidades en flor.

Ninguna tenía cincuenta y seis ni pensaba cumplirlos dentro de poco. Ninguna de aquellas muñequitas habría aguantado como la que ahora tenía delante, con el orgullo y la insolencia de atreverse a ser lo que es repercutiendo por toda su piel y su rostro, embelleciéndolos, dotándolos de una hermosa dignidad casi fiera. No, ninguna hubiese sido capaz.

Penélope se da cuenta en ese momento de lo atractiva que es la vieja bruja de Aglae, de lo verdaderamente cautivadora que es. Percibe toda su sensualidad, su feminidad, y se siente embriagada, celosa. Es una mujer deseable. Tan deseable. Tan combativa, desinhibida e inesperada. Parece limpia, parece que no oculta ninguna herida lacerante, ni por dentro ni por fuera. Penélope se da cuenta de que quiere ser como ella cuando tenga su edad, incluso ahora mismo quiere ser como ella, y querría haberlo sido en el pasado. A los diecisiete y a los veinte. Le hubiera gustado ser siempre así. Igual que esa mujer. Hermosa, muy hermosa. Tan hermosa.

—Tu coño es una maravilla —dice Talía, y se acerca más, para observarlo mejor.

—La verdad es que sí —dice Valentina. En las últimas reuniones que han tenido no ha estado demasiado habladora y, esta tarde, menos que nunca. Así que, en cuanto abre la boca, todas las demás la miran medio embobadas, expectantes—. Sí, la verdad...

—Es sólo un coño. Pero es lo que tengo. Me gusta. Y yo también a él —dice Aglae, y se sienta.

Cuando lo hace, parece que el aire se espesa con partículas de tiempo. Penélope quiere que vuelva a ponerse de pie y a pasearse a lo largo y ancho de la estancia. Si esa mujer estuviera otra vez de pie, se podría respirar mejor, piensa con una nostalgia ensimismada.

—Es horrible —exclama Eufrosina, de repente.

—¿Quéee?

—No, no me refiero a tu coño, que es precioso, y está sin operar, no como el mío —continúa; por primera vez en toda la tarde parece un poco atribulada—, quiero decir que es horrible saber que una tiene cincuenta y seis años. Quiero decir que es terrible. ¡Cuando pienso en todas las cosas que no podré hacer ya...! Descubrir el amor, perder la virginidad, o morir joven. Quiero decir que es terrible saber que una tiene la edad que tiene y que, por mucho que se empeñe y tome leche enriquecida con calcio a diario, sus piernas ya no van a crecer más.

—Ni tu coño tampoco, así que deja de cortártelo una y otra vez. No es una estrella de mar... —le dice Talía, y saca un cigarrillo. Penélope le pide otro y los encienden a la vez—. Tenle un poco de respeto. Te ha dado tres hijos y mucho placer. Ni te plantees lo de la liposucción.

—Ah, yo qué sé.

—Y sé optimista. Puede que seas gorda, fea y menopáusica, pero ¿qué importancia tiene todo eso comparado con el hecho de que, uno de estos días, te tienes que morir?

—Enséñanoslo —le pide de repente Aglae a Eufrosina—. El coño.

—Ay, bueno. Yo...

—Bájate las bragas y enséñanoslo. Queremos ver lo que ese cafre te ha hecho. Podemos denunciarlo. Podemos hablar mal de él en la tele. Podemos montar un escándalo.

—Verdaderamente... —Penélope le da una larga calada

a su cigarrillo, el humo le entra en los ojos y se restriega para aliviar el escozor—. Desde que una vez fui a ver cine uzbeko, yo...

—Haremos de tu coño una estrella internacional. Sacaremos su foto en Internet para que sirva de aviso a millones de menopáusicas del mundo tan desquiciadas y tan ricas como tú.

—O podéis ir a que os hagan lo mismo que a mí, no me ha quedado tan mal... —dice Eufrosina, pero inmediatamente se arrepiente y se calla.

De todas formas, ninguna de las demás mujeres le hace caso.

—Venga, a ver.

—No, que no.

—Vamos, no seas miedica. Si puedes enseñárselo a ese cantamañanas, ¿por qué no a nosotras?

—No es lo mismo.

—Esto es mucho mejor. Nosotras no te vamos a hurgar dentro de él.

—No vamos a cortar ni a coser. No vamos a hacerte nada.

—Sólo tienes que bajarte las bragas. Puedes cerrar los ojos si no quieres ver cómo miramos.

Penélope piensa en ablaciones. Piensa en patios de colegio. Se toca un granito que le ha salido cerca del labio superior.

Vamos, cagueta, bájate las puñeteras bragas de una vez antes de que nos pille el director, piensa sintiendo una alegría retorcida, y acaricia su muslo derecho con una mano ansiosa. Queremos ver lo que tienes ahí abajo. ¿Cómo hicieron para vendarte, para detener la hemorragia? ¿Te pusieron una sonda y no tuviste que ir a mear mientras estabas convaleciente? ¿Qué sentiste la primera vez que te masturbaste después de la operación? ¿Sientes lo mismo que antes? ¿Sientes algo? ¿Puedes sentir?

Penélope piensa en ablaciones y en cirugía estética mínimamente invasiva, o reconstructiva, o destructiva, o vaya usted a saber qué. Piensa en ablaciones y Tercer Mundo. Piensa en Cirugía Estética y Primer Mundo.

En cuerpos jóvenes. En sexo salvaje. En bebés.

Echa de menos a su niño. Su niñito pequeño y suave.

Recuerda el cuerpo de Ulises en las madrugadas de los buenos tiempos. Y aquella sustancia que parecía quedarse adherida a su piel después de hacer con él el amor, y que en realidad no existía, pero que era leve, y fragante, dejaba sobre ella una maraña de dulzura.

Ulises, el muy hijo de perra.

Penélope tiene ganas de gritar. No sabe por qué piensa en todas esas cosas a la vez. No se llevan bien entre ellas dentro de su cabeza.

Tiene ganas de que Eufrosina se baje las bragas de una vez.

—Vamos, hazlo, no te cortes —le dice, baja la voz hasta el susurro—. Si no pasa nada...

—Está bien. —Eufrosina se pone de pie—. Os lo enseñaré.

Suspiran aliviadas y se preparan a observarla con detalle.

—Os lo enseñaré si vosotras también me enseñáis el vuestro —añade con un mohín de triunfo.

—El mío lo tenéis todas más que visto desde principios de los años sesenta —se queja Aglae.

—No me refiero a ti, sino a las demás.

—Yo no tengo inconveniente —dice Talía. Se sube la falda y se baja las bragas.

Talía es viuda, pero lleva puesto un tanga negro que, sospecha Penélope, pertenece a esa clase de lencería que sólo puede ser adquirida por correspondencia, o en un *sex-shop*. Ajá, se dice a sí misma, ajá; *casi* todas las mujeres queremos casarnos, pero desde luego absolutamente todas deseamos enviudar alguna vez. Talía ha conseguido realizar ese sueño perverso. Qué arpía más deliciosa. Ha enterrado a su marido, que murió de muerte natural (todas las muertes lo son, bien pensado, ¿o es que hay alguna antinatural?, ¿no es natural morirse tarde o temprano, sea de lo que sea?), y ahora compra tangas que parecen filamentos de linóleo ideados expresamente para torturar la raja del culo de quien los lleva puestos. Y tiene el pubis afeitado... de arriba hasta abajo. Pelado como una naranja. Por completo.

—No me lo puedo creer —exclama Aglae.

—No está mal. Rompedor —dice Valentina.

—Vaya, vaya, cariño... Ji ji ji... —Eufrosina le guiña un ojo.

Penélope tose como una niñita constipada.

—La verdad, la verdad, yo creo... —comienza a balbucir, aunque no consigue explicar nada. Tampoco tenía pensado hacerlo.

Eufrosina le dice que ánimo, que ahora le toca a ella. Penélope duda un momento pero... qué diablos. No cree que el suyo esté peor que los de ellas.

Se desnuda como si estuviera haciendo un estriptís para un grupo de ejecutivos japoneses en visita turística. Valentina y sus amigas la vitorean hasta que acaba y ya está desnuda. Se lo ha quitado todo. El sostén de aumento, la braguita de seda lila que tiene puesto un salvaeslip arrugado y algo húmedo, los pantys y el vestido. No siente frío, ni vergüenza. De hecho, le parece que debería hacer esto más a menudo.

—Oh, pero si es pelirrojo —dice Aglae—. Claro, ya casi no me acordaba de que eras pelirrojita de pequeña, como ahora te tiñes el pelo de rubio, se me había olvidado.

Valentina las mira sonriendo.

—Estamos locas —dice—. Como cabras.

—Sí, somos unas viejas cabras cachondas y pervertidas.

—Pero no nos va mal así.

—Podía irnos peor.

—Pues sí.

—Vamos, Valentina —anima Eufrosina—. Es tu turno, a la palestra. Hoy nos estamos despendolando bien.

—No, yo no. —Valentina se encoge sobre sí misma, se rodea el pecho con sus brazos, como abrazándose, se rebulle en el sofá.

—Pero si te lo hemos visto ya, aunque sea hace tiempo. ¿No recuerdas la universidad? ¿Y cuando nació Peny y tú...?

—He dicho que no, y es que no.

—¿Por qué? —chilla Eufrosina—. O todas, o nada. Además, si ahora tienes un tipazo. Has adelgazado un montón en los últimos tiempos, no como yo. Estás muy bien, estás delgada y...

—Tengo cáncer. A menudo sangro —dice Valentina—. Cáncer de útero.

—Pues... ¿Ah, sí? Pues te sienta muy bien, te sienta... —Eufrosina traga saliva, titubea—. ¿Me disculpas? Creo que acabo de ver a alguien...

Aglae se levanta y coge sus bragas, las estira con cuidado. Se acerca hasta Eufrosina y la obliga a sentarse de nuevo.

—Cierra el pico, Eufrosina. Por favor —dice—. No digas más sandeces, ¿quieres, cielo?

Penélope está sentada muy quieta, desnuda por completo, abandonada encima del canapé. Su piel es la de una fruta estival, tiene diminutas pecas marrones sobre los hombros y marcas rojizas allí donde más apretaba la ropa interior que se ha quitado. La mirada, de un vivo color azul como la de su madre, está ausente. Tiene las manos apoyadas sobre el vientre (la piel ahí está intacta, el embarazo no le dejó ninguna huella, tiene un vientre redondeado y terso, una beldad dispuesta para el goce); tiene las manos colocadas púdicamente la una sobre la otra. No lleva joyas. El pelo rubio, desordenado y largo, tapándole a medias los pechos, cubriéndole una parte de las areolas sonrosadas de sus senos, tan tiernas que parecen dos sombras carnosas hechas de melocotón. Podría pasar por la virgen de una tabla flamenca, una virgen niña, mucho más joven de lo que es. Se asemeja a una dulce muchachita retratada antes de perder para siempre la inocencia. Las piernas, separadas con descuido, dejando ver el origen del mundo. Esa hondura de vello rojizo —estrecha, rebosante de soledad—, tiene por dentro la textura de la manteca y sabor azucarado algunas noches. Penélope ha dejado los pies sobre la alfombra, descalzos, uno un poco torcido en una postura incómoda que ella no se preocupa de cambiar. La boca ha quedado entreabierta y sus dientes relucen dentro de ella como trocitos de papel inmaculados que contrastan su blancura con el rubor de los labios.

LA ANGUSTIA

Madre e hija van sentadas dentro del coche, en los asientos traseros. Penélope ha hecho varias llamadas («Dios mío —ha gimoteado Jana al oírla—, tu madre con cáncer y yo con el corazón roto. ¿Quién nos va a curar a todas nosotras, Penélope?, ¿quién?»), y luego ha pedido que vaya a recogerlas el chófer de la empresa. Ruedan discretamente por las calles de un Madrid lluvioso y amortecido. Sus cuerpos no se tocan, cada una contempla las aceras encharcadas a través del cristal empañado de su ventanilla.

Es curiosa esta sensación, piensa Penélope. Pensar que tu madre va a morir dentro de poco, quizás ahora, aquí mismo, a tu lado.

Respira hondo, se acaricia la muñeca izquierda, luego acerca a su nariz el trozo de piel bajo el que le late el pulso. Le gusta tocarse cuando está inquieta o preocupada. Pasarse la mano entre los muslos desnudos, por los hombros, la cintura, los brazos. Y olerse. Sabe que es una forma de autoconsuelo infantil, pero eso la tranquiliza. Cuando era niña y tenía algún disgusto, corría a echarse sobre su cama. Hocicaba, hurgaba entre las sábanas, se revolcaba en ellas, husmeaba su olor, se reconocía y encontraba alivio. Todo

189

muy animal, se dice, y no puede evitar sonreír fugazmente, tristemente.

—Dios mío, madre... —se atreve a decir por fin.

—No empecemos —replica Valentina.

—¿Por qué no me has contado nada?

—¿Qué habría sacado con decírtelo? ¿Me hubiera curado yo, o hubieses enfermado tú? —Valentina gira la cabeza y observa a su hija—. Tú ya tienes tus propios problemas. Estás ocupada. No podía hacerte eso, no quería que sufrieras por mí. Sé que no soy la madre perfecta, pero...

—Yo tampoco lo soy.

—... pero siempre he tratado de hacerte sufrir lo menos posible. Y ahora no iba a ser menos.

—La vida... —Penélope tiene ganas de llorar, pero no puede. Quiere decir algo, pero no sabe hacerlo.

—La vida cambia. Ha cambiado. Lo hace todos los días. Aunque las cosas no son lo que *no* fueron. Quiero decir que esto sigue pasando desde que el mundo es mundo. Quiero decir que la gente se muere cada día, y que nunca son los mismos. Alguna vez nos tiene que tocar, ¿no te parece?

Valentina sonríe. Una sonrisa luminosa, maternal por una vez. Acerca la mano hasta rozar con la yema de los dedos el vestido de Penélope.

—No le des tanta importancia. Nos estamos muriendo todos. Yo no soy la única, aunque lo haré más rápido.

—Pero deberías, deberías...

—Oh, venga, Peny, no empieces con eso. He visto a los médicos que tenía que ver, he contrastado las opiniones que tenía que contrastar y he visitado las clínicas que debía visitar. No me engaño sobre lo que me pasa, ellos no me han engañado, y desde luego no estoy dispuesta a someterme a una tortura hospitalaria para conseguir cinco meses más de vida mineral, ni siquiera vegetal. Enchufada a una máquina y llena de agujeros con cardenillo, igual que una lata agujereada en un campo de tiro. Con la misma movilidad que una lata, con su misma vida de lata agujereada que sólo es capaz de saltar cuando recibe un nuevo disparo, una nueva dosis que te alarga la vida, pero a la vez te arranca otro trozo de cuerpo, te hace otro boquete para que se te escape por él el alma. ¿Quién quiere eso? Por supuesto, no la gente que lo tiene. No me parece una buena idea, ¿sabes? Y no olvides que estamos hablando de mí, que yo soy esa lata, y que no quiero entrar en ningún campo de tiro. Prefiero ir directamente a la basura en cuanto me quede vacía.

—Pero... ¿por qué no se lo has explicado a Vili, por qué te has dedicado a torturarlo en vez de contárselo todo y tenerlo a tu lado? —Penélope le coge la mano a su madre y los dedos de ella sueltan la tela del vestido para entrar tímidamente en contacto con los suyos. No sabe bien cómo hacerlo. Hace mucho que no lo hace. Que no la toca en ningún lado. Apenas unos besos que dejan correr una ancha franja de aire entre los labios y las mejillas, un abrazo sin brazos, un empujoncito en el hombro. Nada. Ya no sabe qué significa tocar a su madre. Agarrarse a sus faldas con fuerzas, para que no se escape. Meterle la mano en el escote, el lugar más calentito y suave del mundo, y dejarla allí metida. Esconder la cara en su axila cuando se presiente algo malo.

Penélope piensa en Telémaco, siente una punzada de dolor en el estómago. Su rayito de sol. Tan rubio y tan abandonado. Se dice que todavía es demasiado pequeño, que pronto lo recuperará y le enseñará a meterle la mano dentro del escote. A no dejar de hacerlo mientras viva, y que diga misa el psicoanalista de la familia, aquel amigo de Vili que tuvo medio loca a su madre hacía años.

—Llevamos mucho tiempo juntos, Vili y yo.

—Por eso. Él te quiere. Siempre te ha querido.

—Pero yo no quiero compasión, y eso es lo único que recibiría de él si se lo contara. Prefiero ser una bruja antes que una pobre enferma desahuciada. El desamor me da vida, por lo menos. La pena consigue que me entren ganas de morirme y, en mi situación, puedes imaginarte...

—Me parece que lo subestimas, madre.

—Puede ser. Pero no quiero que se entere, ¿de acuerdo? Además, éste es un mal momento para él, con todo lo que ha pasado. El tipo ése que fue a suicidarse a la Academia... Demos gracias porque no lo consiguió. Aunque sean gracias a Ulises, si me lo permites. De todas formas es... un asunto desagradable. Vili está muy alicaído. No quiero que sepa nada de mi enfermedad. Nunca he querido, y menos ahora.

—Lo que tú digas.

El coche se detiene delante del edificio donde viven Vili y Valentina. El chófer saca un paraguas, les abre la portezuela, deja que Valentina se apoye en su brazo para poder salir. Está chispeando. Penélope tiene ganas de llorar y supone que quizás sea, sobre todo, a causa de la lluvia. La sucia lluvia y su propensión a anegar los lagrimales de las chicas guapas que, como ella, salen a la calle acompañadas de sus madres moribundas.

—Mírame, ¿quieres? —pregunta de repente Valentina, inquieta. Se toca la cara, pasa la mano con ligereza por sus pómulos—. ¿Tengo arrugas?

—Sí, en el pantalón —contesta Penélope, y hace un puchero.

—Oh, qué encanto. —La madre la besa en los labios y recoge con los suyos (desmaquillados, macilentos) una lágrima pequeña y descarriada rodando cerca de la boca de la hija. La sorbe como si tuviera sed.

Entran en el portal de la casa. Una detrás de la otra.

Hoy día, la alternativa para una mujer que no sabe mover el culo es saber mover el cerebro, se dice Penélope. Si bien, ella es partidaria de dominar ambas disciplinas, a ser posible.

Y baila. Le gusta el reggae.

Impossible Love, de UB40. Melodías de hace tiempo. Sus viejos discos, su vieja cama adolescente, sus pósters amarillentos, su antiguo olor.

Está bailando sola, en mitad de su dormitorio, en la casa de sus padres. Se sube encima de la cama y balancea las caderas al ritmo de la música. Da saltos (esta vez su madre no va a reñirle), igual que cuando era niña.

Ay de mí, piensa Penélope. Ay de mí.

Estoy bailando, con dientes y uñas yo me defiendo.

Cierra los ojos mientras se mueve y puede ver una oscuridad plagada de piedras preciosas. Crisopacios, calcedonias, berilos. Girando. Girando sin parar en esa negrura chispeante de brillos que sólo puede encontrarse detrás de sus ojos cerrados mientras baila.

Caen mares de agua detrás de los cristales de su galería, y tiene la impresión de que han pasado décadas desde que volvió de París. Sin embargo, aterrizó hace unas horas, y sólo está atardeciendo. El sol se pone, oculto tras la sábana encenagada de las nubes rebosantes de lluvia. En la calle, el aire tiene un color enigmático, malévolo.

¿Presagia alguna destrucción inminente?

El vicio de soñar es la más cuerda de las enfermedades mentales. El de recordar, la más inútil. Pero Penélope recuerda. En este momento, cuando su madre se muere (siempre se estuvo muriendo, como ella misma dice, sólo que ahora va a hacerlo de un instante a otro), ahora que la mujer de la que partió la célula primigenia de donde saldría ella va a desaparecer dejando únicamente su cuerpo exangüe, su envase vacío, siente la necesidad de hacer memoria.

Ella tiene quince años, curvas femeninas, ideas locas, muchas pecas que parecen los restos de otra piel más tostada que alguien ha deshecho sobre su piel con agua hirviendo, imaginaciones nocturnas, ni un ápice de cinismo y el olfato de un perro joven.

Y ahí está ese chaval, Ulises, en el patio del colegio. Ulises, el hermano mayor de Héctor (ese muchachito tan guapo y amable, que está en la misma clase que Penélope y que ella no sabe que es casi idéntico al hijo que alguna vez tendrá con Ulises).

Claro que eso será en el futuro, y entonces Penélope no pensaba en el futuro. El futuro no existía entonces porque, entre otras cosas, nunca ha existido.

Ahí está Ulises, un chico alto, serio, un poco despeinado, que siempre la mira de esa manera (al principio, Penélope creía que ella era la única chica a la que Ulises miraba de esa manera).

Él está a punto de acabar la secundaria, el año que viene irá a la universidad. Dicen que boxea en un gimnasio cada tarde, en cuanto sale de clase; dicen que pinta bien, que pone de rodillas los colores cuando coge un pincel entre sus manos. Sus amigas dicen que todos dicen que será un gran artista. Pronto. Dentro de poco. Ya ha vendido dibujos por ahí. Ha participado en algunas exposiciones con pintores importantes —muy importantes y muy mayores—, y eso que sólo tiene diecisiete años.

Tiene diecisiete años, pero su mirada es antigua. Similar a la de alguien muy anciano que ya lo hubiera visto todo. El origen del universo y el del mundo. La explosión final. Todo lo que ocurre entre esos espacios de tiempo. O sea, todo. Una mirada incansable que confunde a Penélope, la hace sentirse boba, fea a veces, y otras tan bella que se cree la reina del baile.

Por eso es todo tan raro.

Vili dice que lo que a ella le pasa es a causa de las proteínas. Que necesita tomar proteínas y más proteínas todo el rato. Dice que, por lo pronto, no debería pensar en chicos porque son todos unos cabrones. Que debería esperar unos años más, hasta ser lo suficientemente fuerte —por dentro y por fuera— como para poder defenderse de ellos a hostia limpia, si hace falta.

Pero ella piensa en Ulises en cuanto puede. Lo hace sin querer. A veces, se despierta a media noche, soñolienta y despistada, va a hacer pis al baño de su dormitorio y la cara de él aparece en medio de un enorme espacio despejado que se abre en su pensamiento como una flor noctámbula.

Y así, constantemente.

Penélope está hablando con Héctor de matemáticas, la semana próxima tienen un examen, también cotillean sobre los profesores y el resto de sus compañeros, y se ríen estruendosamente como niños, como lo que son.

Héctor sonríe siempre, no como Ulises, que tiene ese aire de animal al acecho. Cuando sea mayor quiere ser viajero y andar a lo largo del mundo, dice con los ojos chispeantes de deseo y de urgencia. En clase todos le llaman El Caminante. Héctor dice que Ulises, cuando se enfada, dice tacos en alemán (muy, muy fuertes). ¿Se enfadará a menudo?

Están sentados en un banco cuando se acerca Ulises. Le habla a su hermano con ternura. Penélope nunca hubiera imaginado que alguien tan hosco, tan montaraz como él —a veces, de lejos, tiene toda la pinta de un ave rapaz indignada—, pudiera ser ni siquiera un poco delicado.

Luego el joven se calla de repente, se sienta en el suelo, de cara a Héctor y Penélope, y los mira con interés. Está tan concentrado observándolos que resulta exasperante.

Es un mochuelo, piensa Penélope. No, es una lechuza macho. No, es un búho en celo recién llegado de los pantanos. Impaciente por comer carne cruda y volar a sus anchas en mitad de la noche.

No, es un lobo feroz de fantasías tenebrosas. Firme en su puesto, vigilante, salvaje.

Penélope nota que su cuerpo está consumiéndose mientras él la mira. Héctor sigue hablándole, no le da la más mínima importancia a la presencia de su hermano, probablemente está más que acostumbrado a sus rarezas, pero ella está temblando, aunque no quiere que ninguno de los dos muchachos se dé cuenta. Está profundamente trastornada, presa de un terrible cambio neurológico, como si el dominio de su cerebro hubiera pasado del hemisferio izquierdo al derecho en sólo dos segundos. La materia de la que ella está hecha se conmueve de repente. Y siente todo el odio del mundo, el mal del mal, lo bueno de lo malo, toda la enfermedad del mundo, la belleza del horror, el placer del dolor y todo el amor del mundo concentrados en su talle.

Está a punto de marearse. Cierra los ojos con fuerza, la nariz se le arruga con el esfuerzo. Qué mal me siento, piensa... Nunca me había sentido así de bien en toda mi vida, piensa.

Héctor le pregunta si le ocurre algo y ella niega, sacude la cabeza y su pelo se agita con un fulgor de oro viejo.

Le entran ganas de orinar. Siempre que se pone nerviosa, o se emociona, tiene que salir corriendo al baño. Siente que la vejiga le quema, un escozor agradable que le baja hasta el pubis y la distrae con su gozoso cosquilleo.

Y se echa a reír, luego se encoge de hombros.

No sabe qué hacer ni qué decir. No sabe nada. Aunque eso, por lo visto, le importa un rábano.

Hay tanta sabiduría, un instinto tan puro en el momento que acaba de vivir, que la sensualidad durará más allá del instante.

Qué desdichada, qué impecablemente se enamoró Penélope de Ulises aquella mañana de colegio, sin saberlo.

Cuando suena el timbre anunciando el fin del recreo, Héctor y ella se levantan.

Ulises hace lo mismo. Se acerca a la niña y le dice que le gustaría acompañarla a su casa por la tarde, cuando acaben las clases.

Ella asiente, ¿es que podría haber hecho otra cosa?

Penélope y Héctor se van en dirección a su aula.

Ulises se queda quieto en el patio, y los mira alejarse.

LA POSTERGACIÓN

Cierta vez (hace tiempo de aquello), Vili le leyó a Penélope un fragmento de la obra china Lun Yü: Los antepasados que pretendían ilustrar la ilustre virtud en todo el reino, primero ordenaron sus propios estados. Como deseaban ordenar sus propios estados, primero arreglaron sus familias. Como deseaban arreglar sus familias, primero procuraron cultivarse ellos. Como deseaban cultivarse ellos, primero enmendaron sus corazones. Como deseaban enmendar sus corazones, primero trataron de ser sinceros de pensamiento. Como deseaban ser sinceros de pensamiento, primero ampliaron al máximo sus conocimientos. Dicha ampliación del conocimiento reside en la investigación de las cosas.

Penélope no lo entendió muy bien en su día, pero le llamó la atención y apuntó el texto en su diario adolescente. Se lo aprendió de memoria.

Así era Vili, así es Vili: en vez de enseñarte oraciones, o darte una bofetada, un consejo paternal y manido, o un fajo de billetes, te lee a Plutarco, te recita un poema chino. Unas palabras que se hincan a la manera de un clavo en los sentidos de una, allí encuentran su destino, y es como si llevaran siglos buscándote y buscándolos.

La investigación de las cosas. Eso es algo que suena poderoso.

Ahora ya lo va comprendiendo, dentro de lo que cabe.

Le da vueltas a la idea mientras anochece y su madre trastea en la cocina, haciendo panecillos calientes. En realidad, son precocinados, Valentina nunca ha sido —ni falta que le ha hecho— lo que se dice una perfecta ama de casa, ésa que corta la leña, enciende el fuego, asa la carne, espanta a las fieras y acarrea el agua desde el río. También está troceando una piña que si no comen esta noche se echará a perder.

Penélope le da vueltas y más vueltas al concepto mientras Vili permanece encerrado en su despacho (aunque ha dicho que saldrá a cenar: le ha dado unas voces a la criada para asegurarse de que lo oye, cree equivocadamente que Roberta está sorda, y nadie sabe de dónde ha sacado tamaña idea).

Como Penélope desea ilustrar su virtud, primero ha intentado ordenar su propio estado, el mismo que es su pequeño reino: vanidad, orgullo herido, independencia, un hogar roto, un hijo abandonado, una madre que se muere, un padre deprimido por primera vez en su vida, una carrera profesional en la que está obligada a matar para no morir, a galopar siempre a la cabeza.

Es agotador, y muy complicado, organizar todo eso de buenas a primeras pero, al menos, ha conseguido enumerarlo. Contar siempre es bueno. «Haz una lista», le decía Vili cuando era pequeña. «No se te puede olvidar nada si haces una lista.»

Como Penélope desea arreglar su propio estado, primero ha intentado arreglar su familia.

«Tienes que hablar con Vili», le ha dicho a su madre hace poco más de media hora. «Contárselo todo, pedirle su amor, su compañía. No puedes morirte así.»

«Vete a la mierda, cielo mío», le ha contestado su madre.

Ha llamado a Ulises por teléfono.

«Quiero a mi hijo», le ha dicho. «Tráemelo esta noche a casa de mi madre, se quedará conmigo de ahora en adelante. Ya eres libre de salir a trotar por ahí en busca de las faldas que tú quieras.»

«El niño es mío», le ha respondido Ulises. «Ni siquiera sabe que tiene una madre. Desde que te fuiste de casa solamente lo has visto cuatro o cinco veces. Lo he criado yo. Lo quiero. No tienes derecho a quitármelo.»

«Tráelo a casa, de todas maneras. Necesito verlo. Quiero ver a mi niño. Ya discutiremos esto más despacio», ha dicho Penélope, y ha colgado.

Como Penélope desea arreglar su familia, primero ha procurado cultivarse ella.

«Vili, ¿tienes por ahí algunos libros que me puedan interesar?», le ha preguntado a su padrastro desde el pasillo, acercando la boca a la puerta cerrada a cal y canto del despacho de Vili. «Hace más de un año que no leo más que revistas...»

Como Penélope desea cultivarse ella, primero ha procurado enmendar su corazón siendo sincera de pensamiento.

«Ulises, maldito embustero infiel. Grandísimo hijo de puta. Cariño mío, Ulises. Tus manos, amor mío, tus manos...», se ha dicho a sí misma moviendo en silencio los labios, aunque nadie la miraba, ni siquiera podían oírla.

Como Penélope desea ser sincera de pensamiento, primero procura ampliar sus conocimientos a través de la investigación de las cosas.

Y, aunque parezca una táctica tan inútil como un péndulo en el mar, echa mano otra vez del recuerdo.

Penélope ya tiene dieciocho años, está preparada para hacer el amor con Ulises por primera vez. Su primera vez (de él no acaba de estar segura, aunque llevan tres años juntos: toda una vida).

Lo ha seguido a la facultad de Bellas Artes. A Ulises apenas le queda un año más para terminar los estudios, aunque se hubiera ido el mismo día que llegó de no haber sido porque se lo impidió su padre. Ella lo seguiría hasta el infierno. Puede que tenga que hacerlo, aunque no lo sabe todavía.

Héctor está en Sevilla, estudia ingeniería naval. A veces le envía postales a Penélope en las que apunta cosas como «El Guadalquivir tiene los ojos del color de los tuyos», o «Mi hermano es un cabrón con mucha suerte», o «Me aburre estudiar, yo sólo quería viajar, vivir», o «Hoy no he comido más que un bocadillo de queso, y se me ha quedado pegado a los dientes».

—Hagamos el amor —le propone a Ulises una noche. Ya han hablado de ello antes, muchas otras veces.

—Qué gran idea —responde él—. Yo pondré el pene.

Están sentados en una terraza, al aire libre, cerca del Templo de Debob y los jardines de Ferraz. Corre una suave brisa de principios de verano. El bochorno del estío aún no ha arremetido contra Madrid. Dentro de poco llegará el calor insoportable, y todo el mundo sentirá una extraña dificultad para respirar, cierto hastío.

Se levantan y echan a andar. Ulises la coge por la cintura.

—Pareces un melocotón —le dice, y le muerde la oreja.

Penélope disfruta del escalofrío, luminoso, intenso. Lo deja bajar suavemente por su columna vertebral hacia abajo.

Abajo.

Más abajo.

Percibe el pequeño rastro de baba traslúcida que ha quedado entre los labios de Ulises y su piel, ambos enganchados por una tela de araña líquida e indestructible, enlazados para siempre. Ese rastro de saliva es su anillo de compromiso. Exquisito, valioso, único en el mundo.

La baba se enfría desde su oreja hasta su cuello mientras caminan. Era muy fino, un hilito muy sutil.

No es justo, piensa Penélope.

Le entran ganas de llorar. No es justo, no es justo.

De pronto, la chica siente miedo. Al dolor, a la decepción, a la pérdida. Tal vez no sea una buena idea, después de todo. No deberían acostarse juntos todavía. Tendrían que prolongar indefinidamente ese estado de extraña inocencia en el que se encuentran. Con besos que son acontecimientos. Con caricias por debajo de las bragas y fantasías y música y pretensiones y nada más. No quiere dejar de ser una niña (nunca querrá dejar de serlo; sin embargo, eso tampoco ella lo sabe en este momento). No quiere que su vagina se ensanche tras el coito hasta hacerse tan grande como un túnel, hasta que pueda entrar cualquier cosa por ella. Trenes, fugitivos, cualquier cosa. Ah, cualquier cosa no, por favor. Ella no quiere. No quiere volverse viciosa ni arrebatada ni madura.

Desea quedarse estancada en este momento de su vida. Un bosque congelado, una reserva natural. Inmóvil, sin cambiar nunca. Como una postal, una fotografía perfecta. Quiere que ocurra ahora. Ahora que ignora tantas cosas, que es inoportuna, torpe y vital. Quiere mantenerse intacta, dormida en una de las cimas del paraíso, y permanecer así por los siglos de los siglos para que todo el mundo pueda mirarla, apreciar la maravilla.

—¿Qué te pasa? —le pregunta Ulises, y deja correr morosamente la mano por su espalda, va bajando por su cintura, un poco más y otro poco.

¿Qué le pasa? ¿Niñerías? ¿Miedo? ¿Confusión? Vértigo, tal vez. Le gustaría llamar a Vili y pedirle su opinión, pero probablemente se enfadaría con ella, le diría que ya es mayor de edad, que prefiere no estar al tanto, y luego no dejaría de mirarla enfurruñado, en silencio, de forma rara, durante meses y meses. Además, Ulises no la dejaría llamarlo. Volvería a besarla en la oreja, le pediría que lo olvidara y ella lo haría.

—Venga, Penélope... —La mano va bajando, un poco más, otro poco. Resulta difícil andar así por la calle; la gente empezará a mirarlos; cualquiera que se ponga detrás de ellos podrá verle a la chica la ropa interior—. ¿Tienes miedo?

—No. —Siente un pánico que la paraliza.

—Mi padre no está en casa, no vuelve hasta el lunes. Iremos a mi habitación. No tienes nada que temer. Pondré música, y tengo... bueno, ya sabes.

—No, no sé.

—Preservativos.

—Ya. Tenemos que preservarnos.

Aunque el amor no pueda protegerse, en realidad.

No consigue andar bien, apenas si puede dar un paso sin sentir que se le doblarán las piernas y caerá arrodillada en mitad de la acera, como una potrilla que acaba de nacer. Mira el rostro de la gente con la que se cruzan al pasar. Todos parecen estar afligidos por padecimientos atroces.

Ulises la besa en el cuello, y Penélope mira a las estrellas, un poco compungida. Ulises saborea su cuello, da pequeñas chupadas a la piel limpia y perfecta. Ella nota la barbita suave y rubia de él arañando ahí, irritándola lenta y enloquecedoramente.

—Podría comerte —dice él—. Eres como un melocotón. Llegaría hasta el hueso. Y lo roería como un perro hambriento.

Están a punto de tropezar con otras personas que andan por la acera en sentido contrario. ¿Por qué cuando una está enamorada toda la gente con la que se cruza parece ir en sentido contrario?

—Cogeremos un taxi —dice Ulises.

—Por mí... —Penélope empieza a estar mareada, le gustaría irse a casa corriendo, dejarlo allí plantado. Que se jodan los chicos, como dice Vili, que se la machaquen con una piedra.

—Llegaremos antes, no quiero que te canses ni que te pongas nerviosa. —Ulises saca la mano de debajo de su falda, suelta las pequeñas bragas de algodón de la chica, que tenía enredadas entre los dedos.

—Por mí no hace falta, de hecho creo, creo...

Ulises se aleja un poco de Penélope, pisa la calzada, otea la calle en busca de la luz verde de un taxi. Es tan guapo, y tiene ese aire tan decidido, que mirarlo resulta insoportablemente grato.

—No sé por qué, siempre que necesitas un taxi en esta jodida ciudad... no hay manera —refunfuña, dice algo en alemán, por lo bajo.

Penélope se acerca a la pared de un edificio próximo mientras lo espera. Necesita apoyar la espalda contra algo. Cualquier cosa sólida que evite que se caiga redonda en el suelo. Algo que la mantenga despierta y en posición vertical.

No se lo puede creer. No puede creerse que se sienta así de mal, débil y aterrorizada, cuando ha sido ella la que ha propuesto hacerlo. Ulises nunca la ha presionado, jamás ha insinuado que deberían darse prisa en hacerlo, dice que ni siquiera le parece que hacerlo sea algo importante. Ella sabe que es verdad, que él no miente, que no disimula. Sabe que puede esperarla todo el tiempo que Penélope desee. Pero también teme que busque a otra. Sabe que lo hará, que lo ha hecho o que no tardará mucho en pensarlo. Sospecha que tiene a otra chica. Otras incluso. Que tiene una multitud de chicas entre los quince y los setenta y cinco años (a Ulises la edad de las mujeres no es algo que le preocupe o que le moleste, precisamente), que tiene a su disposición un montón de mujeres apasionadas que no le dan tantas vueltas a las cosas como hace Penélope. Que disfrutan de su cuerpo y saben cómo hacer gozar a un hombre. Sí, las tiene por ahí, escondidas en alguna parte, tiene en alguna parte a todas esas chicas complacientes y alegres, sencillas, siempre abiertas de piernas, pasándose la lengua por los labios.

No cree que él sea virgen como ella.

A Penélope le resulta difícil imaginarlo.

«Los chicos se buscan pronto la vida», le dice Vili. Y añade que él también fue chico y por eso lo sabe, de buena tinta. Dice que los hombres sólo piensan en ir esparciendo por ahí su semilla y lo mismo les da si cae sobre diosas o paralíticas, sobre vacas o en medio de un campo rebosante de amapolas.

Ulises y Penélope han crecido juntos, se han besado, han rodado con las piernas entrelazadas por el suelo, conocen sus cuerpos y sus lenguas, cada rincón de piel del otro, han trenzado miles de veces sus pensamientos y sus manos, ¿qué necesidad habría de consumar un acto así de carnal, de implacable, de infligir esa herida sin remedio en el cuerpo de Penélope, si no fuese porque ella teme que podría perderlo?

Está bien, piensa Penélope, está bien. No lo perderé, no puedo perder a este hombre. Éste es mi hombre y no voy a perderlo.

Ulises consigue que se detenga un taxi y le abre la puerta para que entre ella primero.

Le apoya la mano en las caderas mientras la chica pasa y se acomoda en el vehículo. Huele a humo de habanos, y la radio está conectada en una emisora deportiva.

Él le coge las manos con sus manos mientras le dice al taxista la dirección. Le cuenta los dedos uno por uno, los de las dos manos de Penélope, que tiemblan un poco.

—¿Cómo estás? —le pregunta—. ¿Estás tranquila?

Penélope deja escapar un gemido apenas audible. Le gustaría hacer pedazos la realidad. Rasgarla con sus uñas como si fuera un póster de papel policromado, y luego patearla acusadoramente dando gritos de guerra.

—No sé, tengo... Tengo la boca seca —dice.

—Cuando lleguemos a casa te pondré algo de beber. Una Pepsi bien fría. Con mucho hielo.

—Sí. Eso.

El taxi se detiene frente al edificio, Ulises paga la carrera, baja del coche, se acerca hasta la puerta de Penélope. Penélope todavía sigue sentada dentro del automóvil, no ha hecho ni un solo ademán que indique que piensa moverse y salir de allí algún día.

—Venga, melocotoncito —dice él, y le abre la portezuela, le tiende la mano con una sonrisa. Sonríe pocas veces de manera tan abierta. ¿Por qué, entonces, Penélope no consigue apreciar del todo esa sonrisa?

Cuando entran, la casa está a oscuras y él enciende una lamparilla china que hay sobre el aparador del vestíbulo.

Su habitación da a la calle, pero es una calle tranquila, apenas pasa algún coche de cuando en cuando, y están en un séptimo piso. El alumbrado callejero se cuela débilmente dentro del dormitorio y forma surcos de borrosa luz amarilla que parecen estar acechando a Penélope, igual que rayos justicieros.

Ulises enciende el tocadiscos, baja el volumen hasta que la música no es más que un susurro acariciador, degradado.

—Te traeré tu bebida —le da un beso en la mejilla—. ¿Tienes ganas de ir al baño? No quiero que luego me digas que te estás meando. Te conozco, gatita —le guiña un ojo y le da otro beso, esta vez en la boca. Se va a la cocina.

Penélope conoce esta habitación tan bien como la suya propia. Ha estado aquí innumerables veces. Ha hecho bocadillos para ella y para el padre de Ulises, ha repasado los temas de los exámenes, ha posado en sujetador para que la retrate Ulises, se ha refugiado del mal humor de su madre, incluso ha dormido en esa cama en más de una ocasión.

Ahora, no obstante, cree que ha entrado en un espacio

insondable y desconocido, lleno de peligros. Un espacio profundo como el cosmos. Ésta es la cueva del dragón. El cubil del zorro. El escondrijo de la serpiente. Cada rincón está plagado de presagios sombríos. El aire que se respira aquí le quema los labios.

Se siente atontada. Quizás hubiera debido beber algo. Un whisky. Cerveza alemana. Sangría. Un par de litros de algo que pudiera entonarla.

Va al cuarto de baño, se sube la falda, se baja las bragas y se sienta a orinar. ¿Debería lavarse? ¿Tiene que usar el bidé como una prostituta francesa, o sería mejor una ducha?

Se huele los brazos, se quita las bragas y las olfatea como si buscara un rastro, frota su nariz contra la parte humecida que ha llevado pegada al pubis hasta hace un segundo. No huele mal —huele a algo tierno, fecundo y escondido—, claro que es su propio olor, y eso no cuenta. Se dará una ducha, pase lo que pase una ducha no puede sentarle mal, el agua sobre su piel apaciguará este volcán de locura e inquietud que siente.

Abre el grifo y se desnuda. El agua es purificadora. El agua caliente arrasa las inmundicias por muy incrustadas que estén donde sea. Siente vértigo, cierra los ojos y piensa que el agua es un chorro de lava hirviendo y ella un árbol a punto de florecer en primavera.

—Penélope... ¿dónde estás? —Ulises entra en el baño, deja el vaso encima de una repisa, corre despacito la cortina de la ducha—. He llamado a la puerta, pero no me oías.

La mira desnuda bajo el agua. La mira como siempre la mira, como ella piensa que únicamente la mira a ella, y a nadie más.

—Estás temblando, ¿está fría el agua?

—Eh, no... No, no está fría.

—Tienes miedo —dice él—. No tenemos por qué hacer nada si tienes miedo. Si tú no quieres, no tenemos por qué hacer nada, te lo he dicho muchas veces.

Penélope se da la vuelta, cara a la pared, frente a frente con los azulejos del baño, decorados con motivos marinos. Barcos de vela. Ostras con perla. Olitas de mar. El agua le entra por los ojos y todo le parece ondulante y acuático, inestable.

—Sí, sí quiero. Quiero hacer contigo el amor. No voy a aplazar esto más. Quiero que tú seas el primero. Y también el último —dice de espaldas a Ulises—. Te quiero. Te, te... te he elegido, ¿entiendes?

Ulises entra en la ducha, al lado de ella, y se pone bajo el chorro del agua. Está vestido, sus zapatos sueltan churretones negros al disolverse la porquería de las suelas en el agua caliente. Los pies de Penélope se ensucian al ser lamidos por esa hediondez.

—Cariño, cariño... —dice.

Le coge la cara entre las manos y la besa en los ojos, le pasa la lengua despacio por las cejas y baja hasta llegar a esa pequeña curva respingona que queda entre la nariz y el labio superior. Entonces la besa en la boca. La boca de ella busca la de él, frágil, vehemente.

Ulises se desnuda y deja caer la ropa y los zapatos, que atoran el sumidero en unos segundos. Cortan el agua y salen de allí. Él revuelve el armario hasta dar con una toalla limpia, y seca a Penélope despacio. El pelo, las axilas, las ingles, los pies. Igual que a una muñeca. La coge en brazos y salen al pasillo.

Él es fuerte. Ella sabe que es fuerte. Lo quiere así.

Los techos son altísimos, el inmueble es antiguo.

—¿Estás bien? —le pregunta.

—No. Sí. —Todavía está mojada, el pelo le chorrea un poco y cada vez que una gota rebota contra el suelo, la madera parece que cruje o que chisporrotea, a punto de incendiarse.

—No tengas miedo, te quiero, no voy a hacerte daño. Yo nunca te haría daño, lo sabes, ¿no?

—Sí. No.

Los engaños de los sentidos. La gran mentira de la carne mortal se pone en marcha. Penélope acurruca la cabeza contra el cuello de Ulises y le susurra que lo ama. Que lo ama y que lo ama.

Un estremecimiento la sacude. Su sangre es joven y ardiente. Lo ama y lo ama. Eso es lo que ocurre, nada más.

Ulises la deja sobre la cama, tendida, puesta a secar. Un sueño empapado de labios rojos. Bonita y joven, asustada como una cervatilla.

Le besa los dedos de los pies. Se los cuenta igual que le cuenta los dedos de las manos, lo hace con la lengua. Uno, dos, cinco. Y otra vez uno, dos, cinco.

—Me haces cosquillas —dice Penélope—. No empieces.

Él va subiendo piernas arriba. Su lengua, sus músculos tensos que están esperando algo. Sus hombros de boxeador juvenil. Sus manos. No puede haber otras manos como las suyas en el mundo. ¿Qué hace con sus manos? ¿Dónde ha aprendido todo esto? Que nadie se atreva a decirle que en los libros. Todo no está en los libros. En los libros no puede haber ni una pequeña parte de todo lo que existe, de todo lo que es, de todo lo que hay, de todo lo que hubo, de todo lo que ha sido.

¿Dónde ha aprendido Ulises a hacer esto?

Ella se está derrumbando. La invade un torbellino de pensamientos equívocos. Quiere moverse, ayudarle, pero se siente absurdamente paralizada por la excitación, sobrecogida por lo que está ocurriendo. Debería hacer algo. Tocarlo, acariciarlo. Lo ha acariciado muchas veces. En ocasiones ha tocado incluso su pene —largo, sonrosado, huidizo, un animal extraño con el que nunca ha sabido qué hacer—, le ha besado la espalda, la cintura, los huevos. Pero ahora no puede hacer nada. La inmovilidad es su refugio en medio de la tormenta de estas sensaciones. Permanece atenta a cada lengüetazo, a cada pulsión de la yema de los dedos de Ulises, los está disfrutando.

¿Han pasado minutos, horas, días desde que están aquí, solos en este cuarto? Inmensidades de tiempo, en cualquier caso.

Él le besa el pecho. Acaricia con los labios sus pezones. Se han arrugado hasta convertirse en dos botones pequeños e insolentes.

Jadea.

—Podría comerte —dice Ulises—. Pero no te comeré.

Ulises le levanta las caderas con sus manos. Sus dedos, ¿dónde están ahora sus dedos? Penélope no puede ver, no distingue quién es quién. Delirios erráticos, redundancia. Su pensamiento está lleno de olores y sólo hay eso. La polla de él no es más que un espacio imaginario que penetra —suave, muy suavemente— dentro de su cuerpo, que es otro espacio imaginario.

El dolor —discreto, persistente y humillante— no puede evitar que Penélope deje escapar una espiración satisfecha. Está viviendo una fantasía tan densa que parece real. No es capaz de desligar el daño del goce, de hacer con ellos dos montoncitos separados: Garbanzos negros, garbanzos blancos.

Él sale de su cuerpo pronto.

—Tranquila, ¿te ha dolido? —le pregunta con la boca encima de su boca; se están respirando—. Tranquila, tranquila... Esto es el amor.

Y ella no sabe que lo que él dice es cierto.

Ulises no se ha corrido, tampoco lo hará luego. No quiere saciarse, no es eso. No, no es eso. Sólo quiere que ella sepa lo que es el amor, está dispuesto a enseñárselo.

Mete la cabeza entre las piernas de Penélope. ¿Qué pretende? Nunca nadie había puesto su lengua ahí. Nadie en toda la vida. Era un sitio inaccesible. La más alta cumbre, el más hondo abismo. Qué sensación tan tierna, tan vulgar.

Penélope es una uva verde y jugosa, y Ulises la está chupando, exprimiendo, comiéndosela. Agarra la cabeza de él, la presiona un poco contra su vientre.

Ulises es tenaz, no parará hasta encontrar lo que busca.

Cuando lo encuentra, ella se contrae, cierra las piernas sobre su cabeza, se balancea y gime como una gata. Calladamente.

Perdida. De ahora en adelante, estará perdida para siempre en un jardín secreto. Ya nunca volverá a salir de aquí, ni a encontrarse con la que ella fuera.

Completamente perdida para siempre.

Ulises tiene la mirada de un amante satisfecho.

Lo ama y lo ama y lo ama.

Él se acerca a su boca, la besa y ella nota su propio sabor en los dientes. Un poco de sangre escogida y otro poco de humedad, la savia de una flor de agua.

Le devuelve los besos.

Y es mucha la dulzura.

LA DEPENDENCIA

Penélope es consciente de que ha tenido suerte. Para una mujer, eso es importante, tener suerte con el primer hombre.

Ella encontró a Ulises, y él lo era, era un hombre. Todas las mujeres no tienen tanta fortuna, piensa.

Recuerda a sus amigas. Por cierto, ¿dónde están sus amigas de la infancia, de la adolescencia, de la primera juventud? ¿Dónde se han quedado? No ha vuelto a ver a ninguna. ¿Es culpa suya? Se dice con pesar que es muy probable.

Tenía una amiga que perdió la virginidad a los quince años recién cumplidos. Fue con un chico del colegio, en el asiento trasero de un Renault 5 estropeado que alguien dejó abandonado en la Casa de Campo. Él le bajó las bragas y los pantys al mismo tiempo, metió su cosita esmirriada y roja dentro de ella, se movió durante treinta segundos, le babeó la blusa y cuando acabó le dijo que se notaba que a ella le iba el rollo, que podían verse más veces.

Otra de sus amigas lo hizo con un colega de su padre con el que estaba obsesionada. Abogado como su padre. Es tan maduro y viril..., decía antes de acostarse con él. Fue poco después de que le rompiera su himen cuando descubrió que el obseso era él. Le ató las manos a la espalda con una bufanda acrílica (ella tenía alergias cutáneas, y después de aquello le salió un sarpullido tan virulento por los brazos y la espalda que su madre tuvo que llevarla al dermatólogo y estuvieron inyectándole antihistamínicos durante días). Le ató las manos, la penetró con violencia y después frotó su miembro ensangrentado por la cara de la chica. Ella tenía diecisiete años y aquella tarde, en casa del amigo de su padre, se enteró de que había películas de sado-bushido japonés que a él le excitaban. Y de bondage, candie-burning, chocking-spanking, pissing, hard-raping, shauing, enemas y shit-pating. Se enteró aquella tarde, en casa del amigo de su padre, de que a él le gustaban sobre todo las jovencitas que son brutalmente sometidas, y de que pensaba que «algunas sufren, pero acaban con un vicio increíble». Se enteró aquella tarde. Antes ni siquiera lo hubiera imaginado.

Por eso, y por muchas cosas más, Penélope sabe que es una mujer con suerte. Con mucha suerte. No debe desperdiciarla.

Va en busca de su madre. No está en la cocina. Huele a pan caliente y hay una gran ensalada en la encimera. Con roquefort y manzanas troceadas, verduras amargas y aceite de oliva.

Coge un trozo de fruta y se relame mientras mastica.

—¡Mamá! —grita, pero nadie responde.

Roberta entra por la puerta, le dice que quizás esté en su dormitorio, descansando antes de cenar.

—A veces se echa un rato en la cama a estas horas —dice.

Penélope va hasta la habitación de su madre y llama con los nudillos de la mano. Golpea levemente la puerta.

—¿Mamá?

No está cerrada con llave, y entra. Hay en la estancia un olor espeso y agrio, medicinal. Deberían ventilar un poco, aunque entrara la lluvia y empapase las cortinas. Un huracán estaría bien, piensa, o un ciclón tropical que pasara allí dentro con su furioso perfume de mar encabritado y lo barriera todo a su paso.

Su madre está sentada sobre la cama y tiene una goma apretándole el muslo. Está introduciendo en su carne una aguja hipodérmica, absorta.

—¿Mamá?

—Ah, hola. Pasa —dice ella, y termina de inyectarse. Desanuda la goma de su pierna. Se cierra la bata. Nunca había tenido las piernas tan flacas y, de pronto, esa delgadez le parece a Penélope la cosa más triste que nunca ha visto.

—¿Qué estás haciendo?

—Ya ves, soy una yonqui. —Valentina sonríe—. Es morfina. Muy pura. El dolor se hace a veces insoportable. Me temo que ya soy una adicta, como Sherlock Holmes. Pero el médico me ha dicho que no me preocupe, que no necesitaré irme a una granja a desintoxicarme.

—Pero...

—Cielo, me moriré antes. No te angusties. —Se echa en la cama, apoya la cabeza sobre la almohada y cierra los ojos.

¿Se siente en paz? ¿Ya no le duele lo que sea que le duela, o el dolor sigue intacto, clavado en su sitio? ¿De dónde ha salido todo ese dolor que se expresa en una secuencia tan minuciosa? ¿Sabe lo que se hace el dolor, sabe que duele, se da cuenta?

—Mamá... Ya casi nunca hablamos, o no mucho —dice Penélope. Se tumba al lado suyo en la cama—. Hace tiempo que no te digo que te quiero, madre.

—Yo tampoco, pero así es la vida, no le des importancia. Son muchas más las cosas que no se dicen que las que se dicen. Y no pasa nada.

Penélope espera que llegue Ulises con el niño. Se mira en el espejo de su antiguo baño y se retoca el maquillaje cuidadosamente. Quiere estar bella. No únicamente para que él la vea y sufra, sino porque sabe que, algún día, el tiempo esparcirá sus macabras carcajadas sobre las cenizas de lo que ella es ahora. Su piel, su juventud, su fuerza, su ser.

Quiere ser bella de verdad, no sólo tener un aire.

Se mira el perfil; se quita un pelo suelto que tiene pegado al costado y lo tira en el retrete.

Lleva un vestido negro escotado que resalta aún más el tono áureo de su piel. «Tú no eres blanca, eres dorada», le decía Ulises en otros tiempos.

Este vestido le sienta bien, lo que no es raro teniendo en cuenta que es una creación suya. Negro, sencillo, hecho a medida, de efecto demoledor. Como la muerte.

Ah, sí, el negro es un buen color.

Recuerda a una clienta, una vieja noble italiana que le confesó en Milán, después de uno de sus desfiles: «*Cara*, el negro es un acierto. Por eso me ha gustado tu colección. El negro es el color ideal. Yo tuve una vez hasta un amante negro porque, *cara mía*, combinaba bien con todo».

Es verdad. El color negro y la muerte rara vez desentonan, si se analizan las cosas hasta el fondo, nunca resultan inapropiados.

Tiene ganas de llorar, de partir el espejo de un puñetazo. Pero no lo hace, sabe que no hará nada. Que se limitará a seguir mirándose y a esperar. Desea ser deseada por encima de todo, por encima de las lágrimas y de los espejos rotos y de la tristeza.

Su madre se está muriendo.

Hay un pequeño cofre en el armarito del baño. Todavía están aquí sus alhajas adolescentes. Pendientes de plata, camafeos, pulseras de piedrecitas marinas, y un collar de perlas auténticas que le regaló Vili en un cumpleaños.

Cuando se lo dio, Vili le dijo guiñándole el ojo: «Con un collar de perlas siempre parecerás una señora».

Quizás debería ponérselo.

Lo desabrocha y lo coloca alrededor de su cuello, sujetándose el cabello a un lado.

Pensándolo mejor, se lo quita y lo vuelve a guardar en el estuche. Al diablo. ¿Quién quiere parecer una señora, al menos delante de Ulises? Ella lo que quiere es parecer una auténtica zorra.

Llaman al timbre de la calle y Penélope oye a Roberta dirigirse al recibidor con sus pasos cansinos.

Ya casi es la hora de la cena.

—¡Pregunte quién es antes de abrir! —oye decir a su madre. Se ha levantado y dijo que buscaría un buen vino para acompañar la ensalada y la langosta.

—Dice que es Ulises, su yerno, ¿le abro? —grita a su vez la mujer, en la otra punta de la casa, sosteniendo en una mano el telefonillo del portero automático.

Ulises ha llegado. ¿Vendrá con el niño? Si no lo ha traído, Penélope lo matará, y así ya no tendrán que discutir más por la criatura. Ni por nada.

—Ábrale —ordena Penélope.

Va taconeando hasta la puerta de la entrada y se dispone a esperar que Ulises suba hasta el ático. El ascensor es lento, antiguo y lento. Ella está impaciente.

Abre la puerta de par en par y se coloca bajo el dintel, los brazos en jarras, mientras intenta poner orden en sus anhelos.

El rellano es amplio, decorado con pesados muebles decimonónicos, y no hay más vivienda en esa planta que la suya, con la puerta principal y la de servicio cada una en un extremo.

El ascensor llega por fin, traqueteando y tosiendo de cansancio, como un viejo fósil de hierro y cables.

Ulises abre la puerta con dificultad. Lleva al niño en

brazos, una bola de pelo blanco pajizo acurrucado contra el pecho de su padre. El crío va vestido de cualquier manera. A pesar de que todo lo que lleva puesto son prendas caras y de buen gusto que le suministra Penélope, se nota a la legua que Ulises no se esfuerza por combinarlas con un poco de gracia. Telémaco está amodorrado, y ella confía en que no haya pasado frío durante el trayecto en taxi. Porque Ulises habrá cogido un taxi, ¿verdad?, aunque es muy capaz de haber arrastrado a su niño por los transportes públicos madrileños a pesar del mal tiempo y todas esas bacterias y toses y mugre que Penélope supone flotando en cualquier enser que pertenezca a la municipalidad: peligros insospechados para la inocencia y la salud de su cachorrito. Si es así, si ha venido en autobús o en metro, Penélope ya tiene una razón más para matar a Ulises en cuanto se presente la ocasión.

—Hola —dice Ulises—. Me parece que no son horas para obligarme a sacar a Telémaco de casa. Es sólo un bebé, y ya debería estar durmiendo. En su cuna.

—¿Cómo has venido?

—¿Cómo que cómo he venido?

—¿Has cogido el metro, el autobús?

—No, he cogido un taxi, y espero que tú me abones el importe, guapa. He pedido una factura. La tengo por alguna parte dentro de este bolsillo... —se palpa torpemente con una mano mientras sujeta el cuerpecito con la otra. Telémaco se rebulle, gruñe un poco.

Penélope lo fulmina con la mirada. En fin, al menos lo intenta, pero el empeño no resulta eficaz porque él sigue ahí, de pie, a dos pasos de ella, examinándola burlonamente mientras busca el resguardo. Enfadado, despectivo, arrogante.

Aunque la arrogancia suele ocultar una buena cantidad de desesperación debajo; no es más que una máscara y ella lo sabe, por eso puede oler su desaliento envuelto en altanería. Un bombón relleno con capas y más capas de emociones contradictorias, espurias y verdaderas, inciertas pero absolutamente lacerantes.

¿Te duele, Ulises? ¿Qué es lo que te duele? ¿Te duele a menudo, o sólo de tarde en tarde? ¿Es muy profundo el dolor? ¿Te duele tanto como a mi pobre madre? ¿Cuál es tu morfina, Ulises?

—Creo que ya va siendo hora de que vayamos delante de un juez de familia y aclaremos nuestra situación. Por el bien de Telémaco —dice él.

Ah, si pudiera asesinarlo ahora mismo.

—Dame a mi niño —ella tiende los brazos hacia él.

—No te conoce, encanto —sonríe a medias Ulises. Su voz es suave, nunca grita, ni siquiera cuando está muy enojado—. ¿De qué hablas? ¿Tu niño? Lo has visto unas cuantas veces desde que lo abandonaste, cuando aún necesitaba ser amamantado, y te atreves a decir que es *tu* niño.

—Claro que es mi niño. Mi niño pequeño. ¡Dámelo!

Ella empieza a elevar el tono de voz. Siempre procura mantener la calma delante de Ulises. En serio que lo pretende. Lo intenta de verdad.

Están en el rellano, separados por unos tres metros de distancia. Por millones de kilómetros de espacio sideral abarrotado de cuerpos celestes enloquecidos, sin órbita fija.

—Es mi niño. Mío, mío, y mío, ¿me comprendes?

—No, no te comprendo porque sólo la madrastra de Cenicienta podría comprenderte del todo. Pero intuyo vagamente lo que quieres decir.

Telémaco se despierta a causa de la discusión, gira, abre los ojos. Qué ojos resplandecientes. Se los frota con un puñito desorientado. Luego se mete los dedos en la boca. Todos ellos. Mira a Penélope con curiosidad. Hace al menos tres meses que no la ve. Ella ha estado ocupada. Nueva York, Roma, Tokio, París. No ha parado en los últimos tres meses, siempre de aquí para allá, como una peonza girando por el mundo y convirtiendo cada centímetro cuadrado del suelo que transita en pulcros y ordenados cúmulos de billetes.

—Ni siquiera te conoce —dice Ulises, y pone a Telémaco en el suelo.

Penélope abre los brazos para que él se acerque.

Se agacha hasta ponerse a la altura del niño.

Callada, definitivamente silenciosa, ¿qué podría decirle?

—¿*Mu... mu... tter*? ¡Maaaaaammmmá! —exclama Telémaco, con una gran sonrisa que en un segundo evoluciona hasta ser un puchero ansioso para volver a trasmutarse en sonrisa acto seguido. Un plañido que le sale por la nariz y le hace atragantarse. Y luego todo un carcajeo gutural y nervioso. Jei, jua, gujá, jujú, hum.

Corre hacia Penélope dando tumbos como un muñeco patizambo de juguete que empieza a quedarse sin batería.

—Mocoso —masculla Ulises—. Traidor. Enano. Mujeriego.

VIVIR EN EL PASADO

La carne es débil, pero el alma lo es todavía más.

Tal vez, como decía Mark Twain, la vida sería infinitamente más feliz si pudiéramos nacer a los ochenta años e irnos acercando poco a poco a los dieciocho.

Claro que no es así como ocurre, por lo común.

La primera vez que Penélope sorprendió a Ulises con otra mujer, todavía no hacía un año que se habían casado.

Ella pensó que la carne es débil, tratando de encontrar una justificación ante tanta ignominia.

Ulises había obtenido placer. Un orgasmo. Un polvo. Plis plas. Laxitud poscoito. Relax. Y lárgate, nena.

Penélope obtuvo orgullo herido. Celos. Rabia. Llantos histéricos. Ganas de matar. Trastorno mental no transitorio.

Esto es, quien mostró mayores síntomas de debilidad fue el alma de ella, no la carne de Ulises.

Pero Penélope era joven, todavía no había vivido ochenta años, ¿es que podría haberse comportado de otra manera?

Penélope no es una octogenaria, tiene veintiséis años y es una muchacha impetuosa. Está despechada, piensa en los placeres prohibidos de los manicomios. Sí, debería abandonarse. Extraviarse de una vez por los tortuosos caminos de la razón. Si ella —que no es tan buena dibujante como Ulises— tuviera que pintar una línea recta que representase la racionalidad, la pintaría llena de curvas.

Quiere volverse una chiflada. Ser demente está lleno de ventajas. Una no tiene que ir a la cárcel ni dar explicaciones cuando mata o roba o secuestra o hiere o se acuesta con el primero que llega. Una no tiene que trabajar porque nadie está dispuesto a consentir que lo haga. Y si se empeña en hacerlo: privilegio de minusvalía mental en las oposiciones para funcionarios. Y luego están los descuentos en los museos y en los parques temáticos. Puede dar positivo de cocaína o fenobarbital o Valdepeñas en los controles de la policía. Puede fumar, engordar e insultar a la gente por la calle. Puede pensar lo que quiera y hacer lo que le venga en gana y a nadie le resulta increíble que una, estando como está —o sea: como una cabra—, también forme parte del proceso evolutivo.

Está más que claro: volverse loca sólo le puede reportar ventajas.

—¡Me voy a volver loca! —le grita a Ulises—. ¡Te acuestas con tus modelos, cerdo cabrón! ¿Ésos son los cuadros que pintas? ¿Con qué los pintas, con la polla? ¿Desde cuándo lo haces? ¿Desde cuándo me engañas? ¿A cuántas has metido en mi cama? ¿Para eso traes modelos a casa? ¿De dónde las sacas, de los anuncios de contactos? ¿Del barrio chino?

En Madrid, que ella sepa, no hay barrio chino.

El barrio chino.

Cuando alguien va de turista a Pekín, ¿es educado que le pregunte a cualquiera que encuentre por la calle hacia dónde cae el barrio chino?

Se concentra en su furia.

Qué bien sabe.

Aaaaah, hasta puede mascarla.

Se da cuenta de que él acaba de otorgarle el privilegio de comérselo vivo.

Tal vez lo haga.

Higaditos espolvoreados con poleo, casi crudos.

Criadillas a la sal: veinte minutos en el horno precalentado y listo para servir a la mesa.

—¿Cómo, cocococó... mo? —gimotea—. Yo me paso las horas muertas en ese centro asqueroso, después de haber acabado en la asquerosa universidad, estudiando todos esos patrones y sisas y diseño industrial. ¡Y aprendiendo a coser! Mierda, no tienes ni idea de lo frustrante que puede ser una aguja. Y tú, tú... uuuuú. ¡Oh, tú!

Los dos están en la cocina del apartamento que Vili les ha regalado por su boda y que Penélope tardó dos años en decorar a su gusto, antes de casarse. Ulises está desnudo, parece reservado y tranquilo, como si su lábil exposición corporal no fuera un obstáculo para estarlo. No debe serlo. Al menos, para él.

Ella busca los cuchillos de trinchar con la mirada perdida, pero no recuerda en qué cajón suele meterlos exactamente. Está muy alterada. Ni siquiera sabe para qué quiere localizarlos. Aquellos bonitos cuchillos de acero japonés que compró en la Teletienda.

La modelo ha recogido sus bragas de encima de un caballete churreteado de óleos y ha acabado de vestirse en el pasillo. Era muy alta, por lo menos dos metros. Sin exageración. Y muy seria. No ha dado explicaciones, no ha dicho nada. Ha salido lo más rápida y discretamente que ha podido. Ha puesto cara de estar omitiendo algo. Tenía unos labios gordos, porcinos. Una chupapollas, segurísimo. Penélope está convencida de que se ha ido babeando.

Guarra. Puta. Ojalá te mueras en la escalera. En la calle. Que te atropelle un coche. Que te caiga un rayo y te parta el coño.

—Pe, yo te quiero. Eres la única mujer de mi vida.

Penélope comienza a dar vueltas igual que una alimaña acorralada. Va al salón, al estudio de Ulises, a la cocina. Se nota fatigada, no puede respirar bien. Ha subido una montaña de ocho mil metros, sin *sherpa* ni nadie que la ayude a portar la mochila, y acusa el desgaste físico, va a morirse de debilidad. No debió subir tan alto. Cada paso que da se convierte en una náusea, como cuando levanta el pie en la oscuridad, preparada para apoyarlo sobre un peldaño, y luego resulta que ni hay escalón ni hay nada, sólo el suelo liso y un vértigo inesperado, una pirueta de la mente que pone boca abajo el estómago.

Se muere. No puede ni resollar.

—Aj, aj, ajjj... —exhala el aire a duras penas.

—Pe, mi amor... Mi amor, mi amor...

Penélope siente que sus ojos se han vuelto del color del agua sucia.

—Pe, mi amor...

Oh piedad.

Da vueltas de un lado a otro. Morirá en el intento. Pero, ¿qué está intentando? No consigue recordarlo.

Quiere parar y mirar algo, concentrarse mirando algo. Algún objeto, una silla, la televisión apagada. No puede hacerlo. Tiene que moverse, seguir este ritmo que sólo ella escucha.

Sexo. Fruslería evanescente.

Amor. Todos los amores son monstruosos en el fondo. Todos tienen algo perverso. Estas ganas de poseer, de ser los únicos en disfrutar y padecer su pueril pornografía, su espeluznante intimidad.

Un desperdicio de fuerzas impuesto por la tradición y la biología.

Eso es.

Hay que joderse.

¿Y la deslealtad? Bueno, también. Maldito sea el cretino, que por primo, mezcló las cosas del amor con las del honor.

Matarlo. Hacerlo trizas.

Qué noble parecería Ulises una vez reducido a carne picada. Qué inocente y manejable.

—¿Cómo has podido acostarte con alguien así, además? ¡Menuda mujer! —solloza Penélope—. ¡Si es enorme! Sexualmente podría haberte matado. Te saca toda la cabeza.

—Quizás... bueno. Como es más alta que yo, me ponía nervioso que posara para mí de pie, así que le pedí que se sentara y... una cosa nos fue llevando a la otra —dice Ulises, y lo dice de una manera muy formal y grave.

Encima.

—Querrás decir... —dice Penélope.

—Quiero decir lo que quiero decir, lo diga o no lo diga —se defiende él—. Es sólo sexo. No le des tanta importancia. Además, había tomado precauciones.

—Pero esa, esa especie de bestia... de... ¿Cómo has podido, eh? —lloriquea Penélope—. ¡Pero si se ve a la legua que es de esas mujeres a las que les asoma el clítoris por debajo del dobladillo de la falda!

—Penélope. Tampoco hay que insultar, amor mío.

—¿Insultar? Pero qué indignante, qué sádico, qué...

—No me digas eso, cariño...

—¡¿Cómo has podido, cerdo asqueroso?! —Penélope suelta un bramido y hasta ella misma se sobresalta por la potencia de su voz—. ¿Es que no has visto *Atracción fatal*? Llevan veinte años reponiéndola en televisión, por Dios Santo. ¿No sabes lo que les pasa a los hombres casados que tienen aventuras? ¡Esa, esaesaesa... tipa que acaba de irse de aquí con el culo al aire podría ser Glenn Close!

Ya lo decía Bonnie Tyler, el mundo está lleno de hombres maduros; aunque Ulises, y que el cielo ampare a Penélope, ni siquiera es todavía un hombre maduro. Ya lo decía Bonnie Tyler, lo hacen, lo hacen, lo hacen los hombres casados. Lo hacen, lo hacen, lo hacen hasta ponerse morados.

—Cariño, tú eres lo mejor que me ha pasado. En la vida real —dice Ulises.

—¿Y cómo te lo tomarías *tú* si ahora salgo *yo* por ahí y busco otro tío y lo meto en tu cama? En mi cama. En la cama que ambos compartimos. ¿Qué pensarías si yo y él... si él y yo y yo y él y yo...? —Cuánta gente, piensa. Dos no pueden ser tantos. Está muy alterada.

—No estaba en nuestra cama, Pe.

—Estaba tumbada, despatarrada, en medio de tu estudio, que es lo mismo —dice ella.

—No es lo mismo —protesta Ulises.

—Para mí, sí.

—Mi amor, mi amor... —él intenta tocarla, aunque Penélope lo rechaza—. Estás llena de ideaciones celotípicas.

—¿De qué?

—De celos injustificados.

—Dios... Injustificados... Ideaciones celotípicas. Hablas como un puto juez.

—Mi amor, mi vida... Ven aquí. Deja que te abrace, deja que... —dice Ulises.

—¡Y una mierda! —contesta iracunda Penélope, y rompe a llorar adornando su aflicción con largos y gemebundos aullidos.

Están tomando el té en casa de Aglae, una amiga de su madre. (Su madre tiene unas amistades tan raras, tan similares a ella...) Ulises y Penélope están sentados en un sofá, frente a la mujer, y el marido de Aglae está disecado en un rinconcito soleado del salón, junto a un ficus. Ambos parecen agradecer los rayos de sol del atardecer que entran por el balcón, aunque la planta se muestra más efusiva. El ma-

rido de Aglae es un tipo corpulento, aunque en otro sentido distinto al que lo es Ulises. Mientras éste tiene bíceps y
tríceps y otra serie de músculos a juego bien marcados, que
ha conseguido a fuerza de boxear en un gimnasio durante
años, el marido de Aglae es grande y gordo y ahí termina
su robustez.

Penélope sabe que está soñando, pero saberlo no logra
que disminuya su inquietud. Le parece que las cosas no
son todo lo correctas que tendrían que ser en el salón de
Aglae. No deberían ser así. Vamos, a ella se lo parece.

—Me suelo compadecer muchísimo de los perros
—dice Aglae, que va vestida como un ama dominante: botas altas de cuero negro, sostén de cuero negro, ligueros de
cuero negro y nada más a la vista. Bueno, sí. Todo lo demás
a la vista—. Me suelo compadecer porque, pobrecitos míos,
me parece tristísimo para ellos que vivan en el mundo extraño de los humanos y que, encima, no hablen el idioma.

—Claro, claro —corean a la par ella y Ulises.

Aglae se levanta y va hacia su marido, que se mantiene
muy tieso en su puesto, de pie, enseñando un poco la dentadura cadavérica, con gesto inconsolable (debe ser duro haber pasado por las manos de un taxidermista sólo para com-
placer a su esposa y hacer más agradable la convivencia).

—¡Y tú te callas! —le grita Aglae al fiambre disecado de
su cónyuge; luego, dirigiéndose al par de tortolitos, pero
sobre todo a la tortolita—: A los hombres no se les puede
dejar pasar ni una.

Aglae le restriega a su marido un pañuelo de cuero negro por las comisuras del hocico. Frota con energía y determinación en medio de la boca entornada, igual que se hace
con el vaho rebelde de los espejos.

—Tengo que llamar a los de la empresa de mudanzas,
para que me lo lleven uno de estos días al dentista. Que se
lo acerquen al doctor Morillo, a la clínica de Rosales —dice
la mujer mientras lo lustra—. Hay que limpiarle el sarro.

Ulises se pone de pie, se acerca al extravagante matrimonio. Se inclina. Mira con detenimiento la cara del marido.

—¿Eso amarillo que tiene entre los dientes es sarro? —pregunta, curioso.

—Pues claro.

—¡Que Dios me perdone! —dice Ulises, desolado—. Yo creía que era orina.

Vuelven a sentarse. Aglae agarra entre sus manos la taza de té. Tiene las uñas pintadas de cuero negro, ¿cómo se las habrá ingeniado para hacerse tamaña manicura?

—La boca es una cosa muy íntima —dice Penélope señalando al marido.

—Sí, desde luego. En ese sentido es como el culo —asiente Aglae.

—Sí, en ese sentido, y en otros muchos —corrobora Ulises.

—Así que, siguiendo con lo nuestro, por eso me decidí a montar la asociación —concluye Aglae, más para sí misma que para los otros.

—¿Qué asociación?

—La Asociación de Perros Explotados Sexualmente —Aglae pronuncia las palabras con tanta intensidad que reciben cada sílaba en los oídos como si fuera un latigazo.

—¿Hay perros así? —se interesa Penélope—. No me lo puedo ni creer. En qué mundo vivimos.

—Como lo oyes, querida.

—¿Y quién los explota?

—Bueno, ya sabes... Hablamos de mafias aragonesas, de oscuros intereses urbanísticos, de amas de casa insatisfechas... Pero sobre todo hablamos de zoofilia y de cine porno —su voz se vuelve reservada, acariciadora—. No podéis ni imaginaros la de chanchullos, el submundo, las circunstancias turbias, el dinero, el poder, las altas esferas... ¡Ja! No podéis ni imaginaros.

—Podríamos, si nos lo explicaras un poco mejor —dice Ulises, y Penélope lo mira con rencor por haber hablado.

Él se encoge de hombros.

—¿Y tú qué haces al respecto? —pregunta Penélope.

—He creado esta Asociación —se puede percibir la mayúscula de la palabra cuando la pronuncia—. La he fundado. La presido. La dirijo. Recaudo fondos. Monto escándalos al respecto. Chantajeo a alguna gente para conseguir dinero con el que sufragar mis campañas. Y recojo a los perritos y les doy tratamiento psiquiátrico, manutención y un hogar feliz en el que curar las heridas de sus almas caninas e inocentes.

—¿Cómo recoges a los perros?

Aglae mira de reojo a su marido, que continúa impertérrito al lado del ficus. Hay una mosca andando tranquilamente, y probablemente dejando sus detritos, por su iris derecho.

—¿Se ha movido? —pregunta Aglae, ansiosa—. No me digas que se ha movido.

—Yo creo que no.

—¿Se ha movido o no se ha movido? ¿A que voy para allá...?

—No se ha movido —dice Ulises.

Penélope vuelve a lanzarle una mirada torva.

—Me decías que recogías a los perros...

—Ah, sí... Eso. Pues... tengo mis contactos y... —Aglae fija su atención en Penélope. Bruscamente, gira el cuello en dirección a su esposo, tratando de sorprenderlo.

—Te digo que no se ha movido.

—No lo subestimes —murmura Aglae venenosamente.

—Los perros, los recogías y... —Penélope se pregunta de dónde le viene este repentino interés por los chuchos explotados sexualmente. Siente una gran curiosidad, tiene que reconocerlo.

—Mira, como se haya movido... —Aglae hace un gesto desabrido; arruga los labios, malhumorada.

—No se ha movido —insiste Ulises—. Tu marido... ¿cómo se llama tu marido?

—¡Gordon, Flash Gordon! —ahora parece que Aglae está amonestando a un potro encabritado.

—Ah, pues es un nombre propio muy... propio —reconoce Ulises—. Pero no se ha movido.

—Nuestro matrimonio es un infierno. Aunque ahora menos, claro... —Aglae lo señala con un látigo que hay apoyado en el brazo de su sillón—. Cerdooo... Se acostaba conmigo, y luego se negaba a pagarme lo que me debía.

—Pero, ¿no dices que es tu marido? —exclama Ulises.

—Por eso, querido. Tú mismo me das la razón.

—Bueno —tercia Penélope—, estábamos hablando de los perros, y tal.

—Claro. Yo conozco gente. Productores de cine XXXX. Utilizan a los pobres animalitos y, una vez que no rinden lo suficiente en el plató, se deshacen de ellos. Una patada y hala, a tomar viento. Perrera municipal y una andropausia y una vejez indignas y menesterosas. Objetos sexuales desechados. Peor que los condones usados. Mucho peor, dónde va a parar —explica Aglae—. Yo los acojo. Les doy cariño y compañía.

—¿También los liberas de sus obligaciones fornicadoras? —pregunta Ulises morbosamente.

—Ah, conmigo son libres. Si les apetece o algo, pues ellos mismos. Pero aquí no hablamos de obligaciones ni de esclavitudes. No hay cadenas. Ni siquiera les pongo collar.

—¿Y no es más... no sé, más cómodo, no está mejor visto dedicarse a los huerfanitos, o algo así? —Ulises no está dispuesto a cerrar la boca. La abre y le da un considerable trago a su té.

—Porque tú lo digas —responde Aglae.

—¿Y dónde los tienes? —quiere saber Penélope.

—¿Dónde tengo qué?

—Los perros.

—Aquí en casa, por supuesto. No les voy a poner un piso aparte, me cargaría totalmente la terapia de recuperación. Son seres muy dolidos, lo han pasado muy mal y tengo que tenerlos a mi lado, cuidarlos y curarlos. Emplear todo el tiempo que haga falta. ¿Por qué? ¿Quieres verlos?

Penélope sabe que está soñando y que no debería dejar que le enseñaran esos perros. No debería verlos. Ni quiere ni debe. Bueno, es probable que quiera, pero no debe.

—Me encantaría —dice. Y se pone a batir palmas.

Aglae asiente, se levanta y se encamina majestuosamente hacia una puerta lateral, mientras observa de reojo a su pasmado marido, tan quietecito y triste.

—Como se le ocurra moverse... —dice entre dientes.

Abre de par en par la puerta y, al instante, la habitación se llena de alegres ladridos. Se llena de perros de todas las razas y colores imaginables. Varios de ellos se acercan a las piernas de Penélope, que observa sus movimientos pélvicos con atención. Asqueada, fascinada.

—Pues no me parece a mí que hayan sufrido tanto —Ulises levanta la voz por una vez, para hacerse oír entre el estruendo de los ciento y un chuchos—. Tienen toda la pinta de haber ligado bastante más que yo.

Es entonces cuando Penélope comienza a fijarse bien en los perros. Les da una patada y los aparta bruscamente de sus piernas en cuanto se da cuenta de lo que pasa.

Grita aterrada. Está sudando.

Grita otra vez. Se sube al sofá, tratando de librarse de ellos.

Los mira de nuevo y ahí está el horror pleno, completo, perfecto. Perturbador y atrayente, como todos los espantos escritos dentro del corazón por una fantasía inconsciente y torturada: los perros tienen la cara de Ulises. Todos ellos. Su mismo hocico peludo y húmedo. Los ojos redondos e interrogantes. La lenguaza fuera de la boca, cayendo dos palmos por debajo de la cara. Las orejas largas y puntiagudas, escuchándolo todo. El mismo desgraciado y glotón...

—Penélope, cariño, ¿qué te pasa? —Ulises la zarandea suavemente, tratando de despertarla.

—¡Aaaaagh! ¡Aaaaaggggggh! ¡Iiiiiiggggh! —brama ella, empapada en sudor frío.

—Despierta, Penélope, preciosa...

—Un perro. ¡Eres un perro!... —jadea ella, exacerbada, dando manotazos al aire.

—Cariño, ¿cuándo vas a olvidarte de esa historia de la modelo? ¿No te he dicho mil veces que no significó nada para mí? —susurra Ulises, apenado. Y le acaricia con ternura el pelo mientras ella tiembla.

DESEOS DE JUSTICIA

Tac, tac, tac, suenan los tacones de Penélope atravesando la casa, abrazando a su hijo. Cuánto pesa ya este muchachote, pero podrá acarrearlo, tiene suficiente fuerza, tiene que tenerla.

Mientras su madre se muere delante de sus ojos, Penélope se pregunta qué es lo que siempre le ha pedido ella a la vida. Se responde que ha deseado obtener de la vida lo mismo que el público demanda de la televisión: emoción, realidad, protagonismo, éxito de audiencia, comedia y drama, algo de qué hablar.

¿La vida se lo ha dado? Es posible que un poco de todo eso sí haya habido, pero no cree haber cumplido todas sus expectativas todavía. Tampoco pide demasiado: las suyas no son tan ambiciosas como las de Ulises, por ejemplo.

Ulises se dedicó a la pintura porque la amaba (a la pintura, por supuesto), tenía tanto talento para pintar que cayó en la trampa de la permanencia. Creía que pintando cuadros prodigiosos terminaría por convertirse en un mito imperecedero.

Penélope, sin embargo, no entiende ni siquiera el concepto de eternidad. ¿Cómo iba a entenderlo si es una simple mortal?

Tac, tac, tac...

Sabe que los lienzos se pudren en los museos, a pesar de ser resucitados —reelaborados, recompuestos, rehechos— cada cierto tiempo. Sabe que en el arte —en la vida, en general— abunda el artificio, la vanidad, la disipación. No cree en la eternidad, únicamente confía en la moda. En la representación pasajera, pero incesante.

Eso los diferencia a ella y a Ulises, entre otras cosas: Penélope sabe que coleccionar relojes no la convertirá en inmortal.

Penélope sabe, sabe y sabe. Y cuanto más sabe más la abruma el peso de todo lo que no sabe. Pero, vaya, ¿qué puede decir?

Lleva al niño entre los brazos y camina con determinación, lo aferra igual que si fuera su presa. Su niño, su niño. Hacía tres meses que no lo veía y es su niño, por Dios, su bebé pequeñito.

Cuánto pesa.

Tac, tac, tac, suenan nerviosos sus tacones contra el viejo entablado del suelo.

Penélope es una magnolia Delavayi que ha cerrado sus pétalos sobre el pequeño insecto que se le ha posado encima.

Es una intrépida exploradora afrontando con coraje lo desconocido. Un largo pasillo, la noche lluviosa, la jungla doméstica, un marido huraño y traidor, un hijo inocente, una madre.

Penélope es también una madre. Una madre que tiene una madre que se muere, que siempre se ha estado muriendo.

Pero cómo pesa su chiquitín. Ha crecido mucho, es todo un hombrecito.

Telémaco se agarra a su cuello. La carne prieta del niño huele a membrillo. Ella atraviesa la casa con él a cuestas como si atravesara la noche. Sus pasos, cada uno de sus pasos, son un movimiento contra el desasosiego. Podría llegar hasta la cocina aunque se volviera de repente asmática, paralítica y jorobada.

—Deja que lleve yo al niño en brazos —dice Ulises. Va detrás de ellos, la mirada fija en la cintura de Penélope. La mirada perdida.

—No.

—Pesa mucho.

—Da igual.

—¡Mamá! —chilla Telémaco, y le da un beso empapado de babas mientras le rodea el cuello con los brazos.

El impecable vestido negro de Penélope tiene ahora algunos rodales de humedad alrededor del escote, y huellas de barro en la parte del halda, donde el niño ha rozado con sus botas.

—Le están saliendo dos muelas —dice Ulises, taciturno—. Produce más saliva que un rottweiler.

—Cariño —dice Penélope, y frota su nariz en la nariz del crío.

—Te quiere munnnncho —dice Telémaco.

—¿Quién me quiere mucho?

—YoooOoooO... —vuelve a abrazarla y a besarla. Es un hijo del amor, es el único ser feliz de esta casa.

Un hijo es una condena a cadena perpetua. Qué gozosa sentencia ahora, aquí, con él en los brazos hurgando con sus deditos pringosos en la tibieza de su escote. Floreciendo los dos, apasionados y saludables mientras caminan juntos, el pechito del uno pegado al regazo de la otra. Haciéndose compañía y besándose. Carne de la misma carne. El amor verdadero en sazón.

Tout n'est pas dégoût et misère.

Llegará a la cocina sin dejarlo en el piso para que camine él solo; aunque pesa bastante.

—¡Telémaco! —Valentina sale a su encuentro, da una palmada inesperada, pero sin demasiado vigor. Debe estar cansada—. Hola, Ulises —dice luego, aún más apocada—. ¿Cómo está mi madre?

—Hola —contesta Ulises—. Bien, está bien. Se ha quedado en casa. Hace mal tiempo para pasear niños y ancianos.

—Sí, es mejor que no haya salido. Telémaco...

—¿Qué? —el chiquillo sonríe, tira del pelo de su madre.

—¡Has venido! —dice Valentina.

—Sí. A la cena —contesta el hombrecito.

—¿Todavía no ha cenado? —Penélope interroga a Ulises, ceñuda.

—Pues claro que ha cenado —responde él—. Pero alguna justificación tenía que darle para sacarlo a las tantas de casa, con lo que está cayendo, y viviendo como vivimos en un barrio tomado por camellos, drogatas y gente de mal vivir a partir de las ocho de la tarde.

—Podías haberle dicho que lo traías aquí para que viera a su madre y a sus abuelos, sencillamente —se queja Penélope, y deposita con cuidado a Telémaco en el suelo.

Valentina le da la mano. Tiene ojeras y los iris un poco empañados, pero le sonríe al niño, está contenta de tenerlo allí. ¿Todavía le duele eso que le duele? Parece enferma. Está enferma, claro.

—¿Quieres una cosita? —le pregunta, poniéndose misteriosa. A los niños les encantan las cosas misteriosas. Y también todo el resto de las cosas.

—¿Qué cosita?

—¡Aaaaaah! ¿Quién sabe? Bueno, lo sabrás tú si vienes conmigo —le dice la abuela.

El niño asiente y se deja conducir por ella, aunque gira la cabeza en dirección a su madre, no quiere que vuelva a esfumarse como hace siempre. Valentina lo lleva a un rincón de la cocina, abre los armarios, busca algo.

—¿Qué tendría que haberle dicho? ¿«Vamos, que te llevo a ver a la madre que te abandonó cuando tenías tres meses de edad, ésa a la que ves cada tres meses»? Porque tú eres la madre que lo abandonó, no otro tipo de madre, ¿ya se te ha olvidado? —una bofetada de tanteo de parte de Ulises.

Ulises desenfunda sus armas. Es la guerra. La guerra que es justa cuando es necesaria, según Tito Livio. Y las armas, que son inocentes cuando no queda otra esperanza que las armas.

Ulises es un cabrón, pero Penélope aprecia esa cualidad en un hombre. Le sonríe como si intentara seducirlo. ¿Es que trata de hacerlo? ¿Por qué no?

Ya ha pensado en esto por adelantado, sabe de la conveniencia de pensar con antelación sobre cualquier asunto. Hoy, para mañana. Mañana, para pasado. Y así cada día. Pero no sabe si ha pensado correctamente, si ha pensado en todo lo que debería haber pensado. Le late el corazón, lo que no es extraño, por supuesto, pero le inquieta poder contar los latidos tan fácilmente, sin hacer oído ni buscarse el pulso. Cualquiera puede contarlos, están resonando por toda la casa, un estruendo de tambores mal acompasados. Seguro que Ulises está contando sus latidos y sabe que van demasiado rápido, como si se dieran prisa por acabar cuanto antes lo que quiera que hagan para que funcione su cuerpo y ella no se convierta de pronto en otro envase vacío.

—¿Vienes a la biblioteca? No quiero que Telémaco nos oiga discutir —dice respirando profundamente y exhalando bocanadas de aire con tanto cuidado como si fueran flemas de fuego que hubiese de expulsar de su cuerpo tratando de no abrasarse la garganta. Respira y espira. Así. Suavecito.

Ulises la sigue, indolente. Le mira la cintura. Las nalgas bajo la tela acariciadora del vestido. Las dos mitades que forman sus glúteos, izquierda y derecha; duales, gemelas, el bien y el mal, instinto y razón. Sus ojos serpean por la silueta de ella hasta llegar a los tobillos, los tacones.

Tac, tac, tac.

Roberta se cruza con ellos y los saluda con una tímida inclinación de cabeza, masculla un «buenas noches» decaído.

—Ya no sé si eres mi mujer, o mi ex mujer. Ya ni siquiera sé quién eres —le dice Ulises a Penélope—. Por eso creo que deberíamos ir al juzgado, empezar los trámites del divorcio, y dejar las cosas claras respecto a Telémaco. Ya está bien. No voy a consentirte más caprichos. Tengo que rehacer mi vida. Si tú no quieres hacerlo, lo haré yo sólo. No creo que te necesite para ir al juzgado a pedir el divorcio.

—No vuelvas a decir que yo abandoné a Telémaco —le recrimina Penélope—. No vuelvas a decirlo porque no es verdad: yo te abandoné a ti, no a él.

—¡Ja! —Ulises se pasa la mano por el pelo y mira hacia otro lado.

Filas y filas de libros alineados, en una *boisserie* de madera de roble lacada en blanco, desde el suelo hasta el techo. Demasiados libros. Vili no para de comprar libros. ¿De verdad tiene tiempo de leerlos todos? ¿Quién puede disponer de tanto tiempo para perderlo luego con millones de letras muertas estampadas en simple papel encuadernado?

—¿Qué insinúas?

—Lo dejaste en su cuna. Lloraba cuando tú diste el portazo final. Era su hora de comer. Tenías que haberle dado de mamar. Y lloraba. Dejaste todo aquel veneno para ratas dentro del frigorífico, y yo tuve que tirar a la basura los biberones que había dentro. Todos ellos. Podían haberse contaminado de la ponzoña que tú nos dejaste de regalo. Tuve que fregar la nevera con agua caliente y lejía, y por poco me ahogo en el intento. Tuve que coger al niño en brazos y salir corriendo en busca de leche y biberones nuevos a una farmacia. Tuve que pedirle a la farmacéutica que me explicara cómo preparar los biberones. Ella no tenía ni idea. No tenía ni idea, ¿puedes creértelo? No tenía hijos, había terminado los estudios hacía dos meses y estaba trabajando por primera vez en la farmacia de su padre. Era su primer día de trabajo. Tuvimos que abrir un paquete de leche, el paquete que yo compré, y leer de cabo a rabo las instrucciones mientras el niño se quejaba entre mis brazos, muerto de hambre.

—Ulises, no creo que...

—Ésa eres tú, Pe. Ése es el tipo de mujer que tú eres.

—Supongo que si alguna vez te hubieras dignado a preparar un biberón para el niño, aunque sólo fuera de agua mineral con manzanilla, no te habría resultado tan difícil desenvolverte cuando tuviste necesidad de hacerlo.

—¡Ah, claro! Y yo supongo que...

—Y yo supongo que, de no haber sido por tus continuas infidelidades, por tantos años de soportar tus adulterios y tus aventuras, no te hubiera abandonado, ni te hubiese dejado para cenar una ensalada tóxica para roedores.

—La verdad, Penélope...

—No puedes decir que no cumplí con mis obligaciones de buena esposa: te dejé la cena preparada. Es problema tuyo si no te decidiste a comértela.

—Pero... ¿y el niño, Pe? ¿No se te partió el corazón cuando lo dejaste así? Era muy pequeño.

—Lo dejé contigo para que espabilaras, para que aprendieras la lección, para que supieras qué significa tener un hijo. Tener un hijo es tener la obligación de criarlo. De darle de comer, de lavarle el culo, de bañarlo, de curar sus enfermedades, de procurar que no tenga otras. Es esforzarse porque sobreviva, protegerlo. Y eso es difícil, ¿sabes? Tener un hijo no es pasarte el día por ahí, acostándote con tus modelos y tus galeristas, haciendo negocios turbios y acudiendo de madrugada a casa para darle un besito a un bebé que duerme plácidamente porque alguien, o sea: yo, se encarga de atenderlo.

Penélope toma aire. Sus pulsaciones. Atención. Hay que tener cuidado con la pasión, no dejarse dominar por ella. La cólera y la locura son sustancias hermanas. La una echa raíces en la otra al menor descuido. Y hay que ponerle riendas al corazón. A los latidos.

Cicerón aconseja conocer a las personas antes de aventurarse a quererlas. Penélope conocía a Ulises cuando decidió que lo amaba. Nunca se engañó respecto a él. Pero tanto amor llegó a doler demasiado. No se arrepiente de haberlo abandonado. Ni de haberlo amado. Ni siquiera se arrepiente de amarlo todavía.

—Te dije miles de veces que mis aventuras no significaban nada —Ulises se sienta en una butaca y junta las manos, observa a Penélope—. Nunca hubo otra mujer más que tú. Y sigue sin haberla —añade ahora con la vista fija en el suelo, como para sí mismo.

Ah, el amor masculino, siempre bajo un régimen liberal.

Penélope ni tan siquiera pestañea.

Cuánta manga ancha se concede este hombretón, qué generoso es siempre con su propia persona. Menudo cabronazo.

—¿Y qué me dices de aquellos cuadros, aquellos que estuviste falsificando durante años a mis espaldas, los que vendía tu amigo, aquel marchante belga completamente lunático? Creo que algunos de ellos se exhiben en grandes museos norteamericanos, mientras los originales cuelgan estupefactos, adornando los salones particulares de algún multimillonario que en realidad no distingue a Picasso de Matt Groening.

—No empecemos con eso. Yo ya he pasado página —dice Ulises—. No he vuelto a tener contacto con Jacques. Se retiró. Ya no falsifico cuadros. La verdad es que, desde que tú me dejaste, ni siquiera tengo tiempo de pintar los míos propios, difícilmente iba a sacarlo para plagiar Goyas o tablas flamencas medievales.

—Pues me alegro, querido. —Penélope sonríe con placer, y se sienta en un sofá de cuero de color cereza—. Me alegro por ti. Está bien que no tengas tiempo para ciertas cosas, estoy encantada de saber que el niño absorbe todo tu tiempo.

—Bueno, casi todo.

—Eres un promiscuo.

—¿Queeé? Siempre te he sido fiel. Sólo conozco una manera de serte leal, y es quererte. Nunca te ha faltado mi amor. No puedes decir lo contrario, mentirías.

—Eres un delincuente.

—No es cierto. Ocurre simplemente que mi punto de vista no siempre coincide con el de la ley.

—Y un sátiro.

—Tampoco es cierto, Pe. Me parece que tú deberías saber mejor que nadie que eso no es cierto. Soy el hombre más cariñoso y entregado que nunca has conocido, y tú lo sabes. Entregado a ti, aunque se haya acabado todo entre nosotros.

—Sí, se ha acabado —reconoce Penélope.

¿Lo admite de veras? ¿Quién puede saber cuándo se ha acabado algo de verdad? ¿Qué significa que algo ha terminado de verdad? ¿Significa algo?

—Pero el niño... —balbucea Ulises.

Roberta llama con los nudillos, aunque la puerta está abierta. La piel de su cara es del tono de la yema de un huevo fresco.

—Perdonen, pero su madre dice que les diga que la mesa ya está servida en el comedor grande —susurra; parece que le diera vergüenza anunciar una cosa así.

—Ya vamos. —Penélope se levanta.

—También dice que si quiere usted avisar al señor Vili.

—De acuerdo, lo haré.

—¿Por qué no somos felices? —pregunta de repente Ulises.

Roberta lo ojea, perpleja. No sabe si es ella quien tiene que responder a esa pregunta. Hace una mueca cómica, se encoge de hombros e infla de aire los carrillos, como si estuviera a punto de replicar algo al respecto.

—No lo sé —dice Penélope.

Y echa a andar. Sus tacones chasquean apagados mientras pisa la gruesa alfombra persa de la estancia, hasta alcanzar el pasillo. Una vez allí continúa el soniquete, ese repiqueteo femenino.

Tac, tac, tac.

FALTA DE AMOR POR UNO MISMO

Confianza.

Seguramente el secreto de las relaciones amorosas está en la confianza, piensa Penélope. Pero no se refiere a que en una unión no debe haber secretos, tal y como suelen recomendar los terapeutas.

Una unión: terrible palabra, suena tan contundente y definitiva que parece una enfermedad terminal. Cáncer de entraña. Metástasis de los sentimientos.

Mentiras y secretos.

Cajones profundos plagados de bombas de relojería en la memoria o el recuerdo.

Engaños. Traiciones.

No, no se refiere a eso.

No quiere decir que, en una pareja, si los dos que la componen quieren que su vínculo se fortalezca, no deben guardarse confidencias, ni defraudarse mutuamente.

No. Ella piensa que se trata más bien de otra cosa. Que el exceso de confianza es peligroso, perjudicial para el amor.

Penélope sospecha que excepto quizás con los hijos y con algunos amigos (y no está muy segura), con el resto de los seres que nos rodean —incluyendo maridos o esposas, amantes y amados, prometidas y novios—, hay que actuar de la misma manera que cuando una va conduciendo: hay que guardar siempre una mínima distancia de seguridad, para evitar accidentes catastróficos.

Ésa es una medida prudente que toma la gente cautelosa y serena. La que se quiere a sí misma y a la otra persona tanto como para procurar no colisionar con ella con resultado de muerte.

Calzadas resbaladizas a causa de la lluvia. Pavimento aceitoso. Adulterios.

Exceso de velocidad. Monotonía.

Bruma y humo. Falsedad. Resentimiento.

Una vez le preguntó a su abuela Araceli: «¿Y tú por qué no te peleabas nunca con el abuelito?». Ella le respondió: «Porque nunca le di la confianza».

Ése es el problema: demasiada confianza.

Ella y Ulises la tenían. Vili y su madre (sobre todo su madre) también han abusado de ella. Penélope piensa en la confianza como en una niña inválida a la que resulta muy fácil robarle su piruleta, pegarle una patada, tirarle de las trenzas y salir corriendo.

Ay, pobre confianza.

Es cierto que el matrimonio de su abuela tampoco fue perfecto. Pero ninguno lo es, y al menos sus abuelos no porfiaban constantemente como dos arrabaleros deslenguados. No se comportaron jamás como un marinero borracho y una prostituta que no ha cobrado su salario.

Gritos, insultos, traición y felonía.

Ulises y ella, su padre y su madre, sí lo han hecho.

¿Se aman más, acaso?

—No voy a comer apenas —dice Vili, sentándose a la mesa, esforzándose por no parecer contrariado.

—Me extraña —dice Valentina.

—Pues que no te extrañe.

—No puedes seguir así —insiste Valentina—. En realidad no ha pasado nada. Nada importante. El tipo era un paranoico, te tocó a ti como podía haberle tocado al del bar de la esquina.

—Sí, podía haberle tocado al del bar de la esquina. Pero me tocó a mí. Y en cualquier caso no tengo hambre. —Vili se pone la servilleta sobre el regazo. Juguetea con el tenedor.

Roberta sirve la ensalada.

Telémaco está excitado, se rebulle en su asiento. No suele comer con los mayores. En realidad no tiene hambre, tiene sueño, pero probará un poquito de todo lo que haya, sólo por ver de qué va.

—No empieces a comer hasta que no empecemos todos —le dice Ulises, sentado a su lado. Al otro, a la derecha del niño, está Penélope.

—¿Po qué? —quiere saber Telémaco.

—Es de mala educación.

—¿Queseso?

—Que no te portas bien si lo haces.

Ulises se lo repite en alemán, en ese alemán suizo que apenas entienden los alemanes y mucho menos un niño, imagina Penélope.

—Aaah... —asiente comprensivamente Telémaco, y sigue comiendo, muy serio.

—Déjalo —interviene Vili—. No empieces a fastidiarlo tan pronto. No es excesivamente importante que coma antes o después que nosotros. Esta mesa no es una orquesta, no tenemos por qué estar tan coordinados. Que haga lo que le dé la gana, ahora que puede. ¿Verdad, campeón?

—Sí —dice el niño.

—Qué nieto más bueno tengo. No podría haber encontrado otro que me gustara más ni buscándolo por ahí. Ni dentro de la tele —dice Vili.

Telémaco asiente de nuevo varias veces, muy contento.

Penélope empieza también a masticar. Ve de reojo a Ulises, le parece que hay una sombra que atraviesa en ese momento sus ojos. Con la lechuga y la manzana dentro de su boca, deshaciendo sus jugos y mezclándolos entre su saliva, tiene una extraña sensación. La de que todos ellos, todos sin excepción, son inocentes. Le parece algo tan sencillo y extraordinario que no se explica cómo no se ha dado cuenta antes.

Observa a su hijo, que apenas utiliza los cubiertos para comer, aunque se las arregla bastante bien con los dedos, y se pregunta si su vida le corresponde. Si realmente es la apropiada.

¿Por qué son tan infelices? ¿Por qué, por qué?

Valentina está muy pálida.

¿Habrá empezado a morirse ya? ¿Podrá aguantarse hasta que todos acaben de comer? Es verdad, la muerte no es igual que las ganas de orinar. Aunque cualquiera sabe.

—¿No es un poco tarde para el crío? —pregunta Vili.

—Ya lo creo —Ulises habla con la boca llena, seguramente no ha podido contenerse.

—En Madrid se trasnocha. No es tan grave —dice Valentina.

—Sí —Penélope acaba su bocado. La ensalada es suculenta. Una ensalada hecha con las manos de una mujer agonizante. Aliñada por sus manos, revuelta con sus dedos temblorosos y acabados. Está deliciosa, la ensalada—. En esta ciudad la gente se acuesta tarde y se levanta temprano.

—Es verdad —dice Vili, y se limita a mover la ensalada con el cuchillo, sin probar ni un trocito de algo—. Pero yo tengo la sensación de que los que se acuestan tarde no son los mismos que se levantan temprano.

Vili se frota con los dedos las cuencas de los ojos.

Debería decirle que su madre se está muriendo, medita Penélope. Debería decírselo esta misma noche. Pero, ¿está bien no respetar la voluntad de una mujer desahuciada? ¿Es correcto? ¿Recibirá algún tipo de castigo si no lo hace?

Un meteorito justiciero. Una pequeña plaga de langostas dentro de su cocina. Un viento pavoroso que le robe el alma a su niño.

Ese tipo de cosas que siempre vienen de otro mundo.

No es supersticiosa, como Jana, pero no quiere ni pensarlo.

El centro de proceso del cerebro está localizado en la corteza prefontal lateral, que existe en ambos hemisferios y está situada encima de los globos oculares. Los mismos que se está masajeando con encono Vili en estos momentos. (Se restriega los ojos, las cejas, dale que te dale.) En esa zona se organiza y coordina la información, y se traslada a otras partes del cerebro según sea necesario. Penélope lo ha leído, pero no recuerda dónde. Únicamente se acuerda de que le pareció curioso pensar que el centro de proceso del cerebro podía casi rozarse —¿tal vez perturbarse?— con un sencillo movimiento de pestañas.

—Papi... —Penélope siempre llama papi a Vili, nunca papá, y ahora se pregunta por qué—. ¿Qué te pasa?

—Me duele la cabeza, pero no es nada. Me tomaré un paracetamol. ¿Puedes llamar a Roberta?

Como si lo hubiera oído, aparece la mujer en el umbral de la puerta del salón.

—¿Quiere traerle un paracetamol a mi padre? —le pide Penélope, y mira con ojos tristes, suplicantes, los tristes ojos suplicantes de la asistenta.

—Ahora mismo —se da media vuelta y vuelve a salir por donde ha entrado.

—Gracias, Roberta.

—Madrid es así. —Ulises parece animado por la comida y por el vino, se llena el vaso y da un trago apreciativo. ¿Cuánto hace que no comían todos juntos?—. En nuestro barrio... —mira rencorosamente a Penélope durante un segundo. Sólo un segundo, luego vuelve a animarse—. Quiero decir el barrio de Telémaco y mío...

El niño sonríe a su padre cuando oye su nombre. Empieza a aburrirse de la comida, y también se frota los ojos. Está cansado. Pone los brazos sobre la mesa, y acerca la cabeza al mantel.

—Mami... —dice, y cierra los ojos—. Mami.

Penélope le acaricia el pelo y le coge la mano tendida hacia ella, desmadejada.

—Mi niño bonito.

—... Pues tenemos un restaurante chino cerca de casa que a mí me encanta. Sirven a domicilio. Los puedo llamar a la una de la madrugada, y ellos siempre están dispuestos a llevarme algo. Enseguida descongelan unas gambas peruanas, o unos filetes de gato, lo que sea. Y me lo traen a casa. Y con una sonrisa de purita alegría —dice Ulises—. Por eso me gusta Madrid. Y no me importa que la gente trasnoche. Por mí, la gente puede hacer lo que quiera.

—No era eso lo que decías hace un rato —dice Penélope.

—¿Qué decía hace un rato?

—Decías que Atocha se llena de chorizos y drogadictos. Que no te gusta salir con el niño por la noche.

—Y es verdad. ¿Qué tiene eso que ver con lo que estoy diciendo?

Roberta entra con un vaso de agua y una pastilla en un plato.

—Aquí tiene. —Lo deja delante de Vili, y le retira la comida. Apenas ha probado bocado.

—¡Gracias! —dice Vili.

—No hace falta que le grites —dice Valentina—. No es sorda.

—¿Ah, no?

—No. —La mujer pone una media sonrisa y se va llevándose algunos cubiertos y vasos usados.

—Pues yo estaba convencido... No sé por qué, pero...

—No es bueno estar convencido de nada —dice Valentina, y levanta su vaso en dirección a Vili, brindando.

El hombre se mete la pastilla en la boca, y apura el agua.

—Ya no bebes tanto —se dirige a Valentina, señalándola con el vaso vacío—. Hace días que no empinas el codo. El vodka de la casa no ha bajado de nivel como el río Nilo en la última semana. ¿Te pasa algo?

—No tengo muchas ganas de beber.

—¿Ni de fumar, ni de fastidiarme?

—Déjalo, Vili.

—Llevas razón, perdóname. Me duele la cabeza.

—Yo tengo un amigo que sólo bebe en los bares —dice Ulises—. Pero es como las moscas, y bebe mucho en los bares. Aunque no beba en casa. Y, estooo... Telémaco se ha quedado frito. Sabía que no iba a llegar a los postres —le dice a Penélope.

—Deberíamos acostarlo. —Penélope lo coge por la cabeza y lo atrae hacia ella, lo saca de la silla y lo sube en sus rodillas. Lo acuna, le huele el pelo. ¿Se lo lavará Ulises a menudo? ¿Lo hará bien? ¿Lo aclarará con suficiente agua tibia?

—Pobrecito. Llévalo a tu dormitorio —sugiere Valentina.

—Sí, eso haré.

EL TEMOR

A Penélope le gustaría saber qué es en realidad el matrimonio.

Ah, sí, ya sabe que se trata, en primer lugar, de un trámite burocrático que, tras ser llevado a cabo por dos personas, les facilita procesos administrativos de rutina, por no hablar de cierta consideración social, incluso respeto, entre familiares, vecinos, amigos y funcionarios del estado.

Pero el casamiento no parece que sea mucho más que una evolución práctica del derecho administrativo, que ha acabado por implicar en ella —en el mundo moderno— a los lazos afectivos, dada nuestra incurable afición por las ceremonias disparatadas, por todo tipo de ceremonias, y por adornar todo tipo de ceremonias con todo tipo de sentimientos inducidos y forzados por las propias ceremonias.

(Fútbol.

Comuniones.

Bodas.

Desfiles.

Cumpleaños.

Graduaciones.

Entierros.

Investiduras de gobierno.

Entrevistas televisivas.

Atentados terroristas.

Los Óscars.

La guerra.)

El matrimonio no es más que un instrumento ideado para facilitar la transmisión de la propiedad privada, que termina por sellarse en el juzgado o en la iglesia, delante de algún tipo aburrido, acompañado por una secretaria mal vestida para la ocasión, o por un párroco que piensa en comer y beber en el banquete de bodas, más que en servir a Dios en sentido estricto. ¿Qué servicio se le puede hacer al Divino introduciendo un orden tan poco imaginativo en el concierto de los apareamientos carnales y la consiguiente parentela? Es más útil el rendimiento obtenido por la Agencia Tributaria a través del juez de familia.

O eso se teme Penélope.

Porque, se mire por donde se mire, si algo no otorga el matrimonio a los contrayentes es un certificado de sentimientos.

De modo que falla en lo esencial.

Nada de «garantía de por vida».

Ninguna cláusula sellada que indique rotundamente: «Esta emoción que sientes ahora mismo nunca se estropeará porque ha sido fabricada en Japón, en una industria automatizada al 100% con tecnología de vanguardia».

Nada, nada de eso.

Los afectos nacen, crecen, envejecen y mueren también. Están vivos, igual que quien los siente. Hoy no experimentamos lo que ayer, ni mañana lo que hoy, porque ni ayer, ni hoy ni mañana nosotros somos los mismos. Y, además, raramente sabemos quiénes somos.

Nunca soy quien creo ser, y eso varía incesantemente, decía Vili que decía Gide.

A veces, Penélope tiene miedo. Al fracaso, a la enfermedad, a la pobreza, a despertar odio y violencia en los otros. Miedo porque ya se ha perdido para siempre aquella adolescente que fue, la niña que ella fue, la joven que fuera. Le gustaban aquellas tres mujercitas. Anaranjadas y sonrientes, apurando con voracidad la vida. Absurdamente ignorantes, y quizás felices.

Ahora, Penélope es otra Penélope. ¿Debe tenerles miedo también a las penélopes que, de aquí en adelante, ella será?

Ah, el tiempo, ese maldito coleóptero que hace su insistente pelota de mugre con la carne y la emoción.

Deja a su niño sobre su cama (mejor dicho, la cama de las otras Penélopes, ésas que ya no están).

Para ser tan pequeño, resulta una buena carga para sus riñones poco entrenados en las mezquinas tareas de la maternidad.

En el dormitorio se cuela una luz desordenada y pálida que parece derrumbarse a cada momento, como un castillo de naipes aurífero. La lluvia está arreciando otra vez, suena con el eco machacón de la plegaria de un perturbado. Chas, chas, chas. Sin parar. Sin tomarse un breve respiro que le dé fuerzas para ir tirando.

Telémaco duerme ajeno a todo. No le importa el mal tiempo, ni los problemas de la gente, no teme que el cielo se rompa por encima de su cabeza y todo se acabe. Es como un animalito cuyo único empeño es crecer, abrirse a la vida y luego zampársela a grandes bocados, entre carcajada y carcajada.

Ella espera que lo consiga. Que apure la vida hasta las heces con la misma sonrisa que ahora tiene mientras sueña sus sueños de niño.

Alguien abre la puerta.

—¿Quieres que te ayude? —pregunta Ulises.

—No, muchas gracias. —Penélope está desanudando los zapatos del niño. Se los quita y los deja al lado de la cama.

—No hace falta que lo tapes con la sábana —Ulises toca la frente de Telémaco—, está sudando. Siempre suda.

—Chsss... No hables tan alto, lo vas a despertar.

—Los niños siempre sudan.

—Que bajes la voz.

—No se va a despertar.

—Bueno, pues baja el tono, ¿quieres?

—Te digo que no va a despertarse. Duerme como un energúmeno, se emplea bien cuando duerme. No podría despertarlo ni una bomba debajo de esta cama.

—No hables así.

—¿Qué he dicho?

Una bomba debajo de la cama de su niño, ¿pero es que está loco? No es una imagen agradable para una madre, por muy mala madre que sea.

Ulises abre la boca. Vuelve a cerrarla.

—No vuelvas a decir una cosa así.

—¿Por qué? —dice él—. Es sólo una manera de hablar.

—No me gusta.

—Vale, pues no lo tapes. No quiero que sude. Cuando nos vayamos se enfriará al salir y luego seré yo quien tenga que curarle el resfriado.

—No va a salir de aquí.

—¿Queeé? ¿De qué estás hablando?

—Digo que va a dormir aquí, conmigo.

—Para nada. —En la oscuridad, los ojos de Ulises brillan con firmeza—. Estás lista si te lo crees.

—¿Por qué no? Es mi hijo.

—Abandonado...

—No lo he abandonado. Te repito que no quiero que

vuelvas a decir eso, el niño puede entenderte un día de éstos.

—Haberlo pensado antes.

—Mira, Ulises, ya hemos hablado de...

—Parece que no lo suficiente.

—Entonces, iremos a ver al juez, como tú has sugerido. Veremos qué es lo que él decide.

Penélope va hacia la puerta del baño. Entra. Enciende una lamparita encima del tocador de pino tallado. Ulises la sigue. Ella cierra la puerta. Se sienta sobre la tapa del inodoro. Cuchichean.

—Cállate —dice ella.

—Cállate tú —dice él.

—No me da la gana. Quiero a mi hijo. Te avisé la última vez que nos vimos de que quizás las cosas cambiarían pronto respecto al niño, pero tú no quisiste escucharme.

—Claro... me avisaste. Me avisaste y al día siguiente cogiste un avión y saliste disparada hacia... ¿Tokio, París, Fuenterrabía? Ya no me acuerdo, y me importa una mierda. El caso es que el niño se quedó conmigo, y conmigo seguirá.

—Tenía... —Penélope balbucea—. Estábamos en plena temporada de...

Deseo intensamente lo que espero lánguidamente. Dryden. *The Indian Emperor*.

—No me cuentes más historias, cariño. —Ulises la mira. Se acerca a ella. Examina sus labios. Ni rastro de carmín, lo ha dejado todo pegado a la servilleta, mientras se comía la ensalada. Están algo secos. Debería pasarse la lengua. Quizás humedeciéndolos con un poco de saliva...—. No quiero oír ni una más de tus historias de *superwoman* de pacotilla.

—No, claro. Te basta y te sobra con las tuyas de gran hombre. De gran hombre fracasado. —Penélope sonríe. Se siente mala, retorcida. Le gusta la sensación—. El pintor extraordinario. El Velázquez de la posmodernidad. La nueva gran mierda jamás enmarcada en el Prado.

—¡Cállate! —Ulises se acerca hasta el espejo. Apoya las manos en el lavabo.

—Cállate tú.

—Eres...

—¿Qué? ¿Qué soy? ¿Te molesta que yo haya triunfado mientras tú vives de la pensión que te paso por Telémaco? —¿Y qué es el triunfo?, piensa Penélope, pero no lo dice. Nada falla tanto como el éxito. No hay nada que aprender de él, piensa. Pero no lo dice—. ¿Es eso? ¿Está jodido el gran hombre, se siente humillado? ¿El gran hombre pensaba que, cuando saliera de su casa, no sabría qué hacer y volvería al redil al día siguiente, a aguantar sus chanchullos de cuadros falsificados y sus líos de faldas, un día y otro día? ¿Eso creía el gran hombre? Pues, entonces, el gran hombre era, sobre todo, un gran imbécil. Y ahora le cuesta admitirlo, al pobre gran hombre, al grandísimo idiota.

Ulises se acerca hasta Penélope, que sigue sentada. La agarra por los hombros, y aprieta. Ella huele la violencia que desprende su cuerpo. Los antebrazos tensos de boxeador que hace mucho que no entrena, que sólo saca tiempo para mecer una cuna. Puede incluso ver un escorzo de su pensamiento. Ese poquito de odio agazapado y desnudo, como una bola de fuego, en medio de su pupila. Pero esa lumbre no la quema, al contrario, refresca su ánimo. Que se joda.

No le tiene miedo, y vuelve a sonreír, esta vez con dulzura. Está fingiendo. Y rechina los dientes mientras finge que sonríe.

—¿Qué, qué soy? —insiste—. ¿Tanto te fastidia que yo haya podido hacer en menos de dos años lo que tú llevas intentando toda la vida?

—No. —Ulises quita las manos de sus hombros. Lentamente, como si las tuviera pegadas a ella mediante hondos filamentos de nervios vivos y ahora le costara mucho trabajo desraizarlas del cuerpo de Penélope—. No me importa, me alegro por ti. Espero que ya tengas lo que querías. Pero...

—¿Pero qué?

—Dice el proverbio que la persona que hace su fortuna en un año debería haber sido ahorcada doce meses antes.

—No me digas.

—No, yo no digo nada. Lo dice el proverbio.

Ulises va hasta la cómoda. Coge un cepillo para el pelo. Está duro, fibroso, pasa las cerdas por la palma de su mano, se acaricia con ellas. Son rasposas, desagradables como tiritas de piel de mono secas.

—Estás despeinada. Déjame que te peine.

—Suelta ese peine ahora mismo —le ordena ella.

—¿Por qué te tiñes el pelo de rubio? Me gusta más tu color natural. Dime, ¿por qué lo haces?

—Me están saliendo canas —dice Penélope, y lo mira directamente a la cara.

—¿De verdad? —él sonríe con malicia—. ¿La princesa está envejeciendo? Que toquen a rebato. ¡Qué tragedia! ¿Y qué será de la princesa cuando sea una vieja?

—Se convertirá en una reina. Deja ese peine donde estaba.

—¿Por qué? Sólo quiero peinarte un poco. Has perdido mucho *glamour* desde que has dejado que se te acerque Telémaco. Mírate, con el vestido manchado y lleno de arrugas, y el pelo desordenado, con los labios descoloridos. ¿Qué diría tu jefe si pudiera verte ahora? O tu secretaria. O tus amantes.

—Deja ese peine. Por favor.

—Voy a peinarte.

—No te acerques a mí. Deja eso en su sitio.

—Puedo arreglarte un poco, tenemos que volver al salón y acabar la cena. Tus padres se merecen verte...

—¡He dicho que dejes el peine!

Penélope se acerca a él, le arranca de las manos el cepillo.

Él no se resiste. Sonríe. Y levanta los brazos igual que si ella le apuntara con una pistola.

¿Por qué no se resiste? ¿Por qué no presenta batalla? ¿Por qué no le pregunta si quiere hacer el amor con él para que ella tenga la oportunidad de darle una patada en los...?

Bah.

El caso es que Penélope ha triunfado. Tiene en sus manos el utensilio. Lo deja donde estaba. Es un peine y es suyo y lo tiene y ha triunfado.

Ha triunfado con el triunfo de los necios.

—Vamos a terminar la cena —dice, y suspira vigorosamente.

Cuando sale del baño, Ulises apaga la luz y la sigue.

—¿Habéis acostado ya al niño? —pregunta Vili. Tiene una expresión aburrida, y toquetea una copa de vino como si quisiera traspasar con sus dedos el fino cristal de bohemia. Tal vez piensa que la copa, que tiene trazas de cáliz, representa algún tipo de muro, una fortaleza que se siente obligado a franquear usando sus propias manos hasta desmoronarla por completo.

—Sí, está durmiendo —contesta Penélope, y toma asiento.

—Si sigues apretando así el vaso, lo romperás —le advierte Valentina a Vili. Los ojos entrecerrados. Estará cavilando. Mezclando en su cabeza consideraciones buenas y malas. Estará divagando. Tiene todo el derecho.

Cuando era pequeña, Vili siempre le compraba a Penélope helados. Le encantaban los helados. Ahora, de repente, ya no tiene muchas ganas de seguir con la cena. Preferiría tomarse un helado a pesar del tiempo tan desapacible que hace fuera. Un Frigodedo. Un Corneto. Un Calipo. O mejor: un Drácula, su favorito desde siempre, desde los tiempos en que era Vili el encargado de comprárselos.

—La infancia es nuestro único paraíso. Dejad que el crío lo disfrute —dice Vili, y toma un sorbo de vino.

—¿Ah, sí? —Ulises apura algunos restos de ensalada antes de que Roberta recoja todos los platos—. Es curioso. Yo no imagino así el paraíso.

—¿Y cómo te lo imaginas? —Penélope lo mira por encima del asiento que Telémaco ha dejado vacío entre ellos dos.

—Tú eres mi idea del paraíso, cariño —dice Ulises, y ella no sabe si está hablando en serio—. Tranquilo y soleado, pero adosado al infierno, como uno de estos chalets que hacen ahora. Con el infierno tabique con tabique. Oyendo todos los ruidos.

—Muy gracioso.

—Mi padre —continúa Ulises— decía a veces que él se imaginaba el paraíso simplemente como un lugar en el que siempre se encuentra sitio para aparcar.

—Puede ser.

—Y tuve una galerista para la que el paraíso...

—¿Una galerista? ¿Cuál de tantas? —pregunta Penélope, mordaz. Sabe que debería haberse callado.

—Annetta, aquella que...

—¿Annetta? ¡Ja!

—¿Cómo que «ja»? —Ulises la mira, ceñudo. Mastica un poco. Se limpia la boca con la servilleta.

—No me gustaba nada esa mujer. El aliento le olía raro.

—¿Qué quiere decir *raro*?

—No sé. —Penélope busca con su mirada la mirada de su madre, quiere complicidad, pero no encuentra ni una cosa ni la otra. Ni complicidad ni mirada. Valentina parece embelesada con una mancha del mantel—. No sé... le olía como a... ¿pene?

257

—Dios mío, Penélope —dice Ulises.

—¿Todavía tienes contacto con ella? Recomiéndale, como diría Marcial, que se ponga bragas en la boca.

—Penélope, cariño... —Vili da otro sorbo al vino, se aparta para que Roberta le coloque delante el plato limpio.

La mujer los observa a todos por el rabillo del ojo. No se sabe si está escandalizada o excitada por los retazos de conversación que le van llegando. Probablemente le importan un rábano.

—Fuiste tú quien me habló de Marcial, papi. ¿Ya no te acuerdas? Me leías todos aquellos versos procaces y yo me reía, y ahora me dices que...

—Cariño, Penélope... —insiste Vili.

—Qué bestia eres —dice Ulises—. Qué rencorosa.

—Penélope... Mira, vaya, o sea —Vili se rebulle en su silla—. En cualquier caso no desprecies el poder del sexo.

—Lejos de mi intención, papi.

—Claro. El sexo es importante —añade Ulises.

—Sí, lo creo —dice Penélope—, aunque no porque tú lo digas. Tu opinión no vale mucho, que digamos, si tenemos en cuenta que eres uno de esos idiotas que creen que el mundo es un poco mejor después de que ellos acaben de echar un polvo —termina bajando la voz. Bisbiseando en dirección a Ulises. Si no hubiera hablado en un tono tan apagado cualquiera hubiera dicho que estaba chillando.

—Anda, Vili —Ulises tuerce la boca al hablar como un pistolero—. Dile lo que opina Cicerón, o algún otro listillo parecido, sobre el tema. Cuéntaselo a esta espabilada.

—Si no fuera por el sexo, los seres humanos ni siquiera nos acercaríamos los unos a los otros, y hace tiempo que nos habríamos extinguido —continúa Vili.

—Menuda pérdida para el universo en general, y para nosotros en particular. —Penélope le da vueltas a su plato, como si quisiera atornillarlo a la mesa.

—Somos animales. En el reino animal, la proximidad

significa peligro. De no ser porque el sexo nos empuja a buscarnos los unos a los otros... ¿quién se acercaría a quién?

—Annetta se acercaría a Ulises sólo por su arte. Le chiflan los artistas, ¿verdad? Y Ulises es uno de ellos.

—Bah, deja eso, ¿quieres?

—Valentina...

—¿Puede servir ya la langosta, Roberta? —dice la mujer, y les regala a todos los presentes una sonrisa desvaída.

—Valentina, ¿estás bien? —pregunta Ulises.

—Claro. Sólo me falta un poco de fuerza. Estoy algo cansada —le guiña un ojo. O hace el intento—. Ya sabes, a mi edad una es como la televisión: funciona mejor si la enchufas a una fuente de energía.

—¿A tu edad? Pero si eres preciosa... —dice Ulises.

Valentina agradece que no le diga «estás estupenda», o bien «te conservas fenomenal», o alguna otra tontería por el estilo que la haga sentirse todavía más vieja y enferma.

Aunque no, Ulises no dice esas vulgaridades. Ideología doméstica para mezquinos y exasperados. Ulises es así. Una noche tan clara como el día. Sabe que «eres» es la mejor manera de conjugar el verbo ser. Sabe que «preciosa» es el adjetivo conveniente.

Penélope lo escudriña de medio lado. Reconoce su talento.

Hay que darle al César lo que es del César.

Mientras sea César.

—Ah, qué vida... —dice.

Su madre se está muriendo. Pero, cuando alguien está al borde de la muerte, señoras y señores: al fin y al cabo eso es *vida*.

—Sí. Terrible. Todo tiende al caos, según demuestran científicamente los dibujos de Tom y Jerry —añade Ulises, y frunce los labios como si le lanzara un beso.

—¿Dónde vives, Ulises, al otro lado del espejo? —Penélope coge un trocito de pan y empieza a desmigarlo. De cada miga, hace otras migas más pequeñas. Y de éstas, otras aún más diminutas. Quiere alcanzar el átomo. Contar los neutrinos de esa masa. No, los neutrinos no. No existen los neutrinos: Penélope puede asegurarlo porque los ha visto. Hace un montoncito con las migas. Lo deshace con la punta del cuchillo. Vuelve a juntarlo.

—La vida no es terrible —dice Vili cansinamente—. Nunca lo ha sido. Por lo menos no tanto como solemos creer. Los terribles somos nosotros. Y ya sé que suena...

—Eso es cierto —asiente Ulises, interrumpiéndolo—. ¿Qué? ¿Atacamos la langosta?

—También hay ciervo —dice Valentina, señalando una fuente.

—Estupendo. —Ulises deja que Roberta le sirva generosamente en su plato—. Vamos, Penélope. Come un poco. Estás muy delgaducha.

—No, gracias —dice Penélope—. No me gusta comer carne de animales muertos.

—¿Ah? —Ulises coge el cuchillo y el tenedor—. Pues yo no tengo ningún inconveniente, siempre y cuando no conozca personalmente al difunto.

—Venga, Penélope. Creí que te gustaba el marisco —dice Vili.

—Tú no estás comiendo nada, y nadie te lo reprocha. No tengo más apetito. Ya no soy una niña, sé cuándo quiero comer y cuándo no.

—No te enfades.

—No, no me enfado. Pero no tengo hambre.

Se comería un helado. Un cono de chocolate trufado.

También se contentaría con un chicle. Le encantan los chicles. Son tan... confiados.

—Mamá, ¿hay helado?

—Es posible que haya algo en el congelador. Le diré a Roberta que lo mire.

—Gracias. Me encantaría tomar un helado.

—Vale, pero espérate a que los demás acabemos de comer, ¿no? —dice Ulises.

—Esperaré, no te preocupes.

Penélope esperará, por supuesto.

—No es que quiera criticarte, ¿sabes, Pe? —Ahora, Ulises mastica y habla a la vez mientras se dirige a Penélope y va bajando también la voz hacia donde ella está sentada—. Yo jamás me atrevería a criticarte a ti, cariño, sobre todo porque nunca entiendo nada de lo que haces ni de lo que dices.

—Gracias, eres muy amable al confesarlo.

Penélope se ha acostado con doce hombres en toda su vida, incluyendo a Ulises. Los últimos once, por despecho y en poco más de año y medio, después de dejar a su marido. Se ha acostado con cada uno de esos hombres (se le antoja que forman todo un pequeño ejército, enhiesto y desafiante), ha hecho con todos el amor o, al menos, con Ulises lo ha hecho, y no sabe por qué, todavía no ha aprendido a pensar bien de ellos.

Examina a Ulises con interés. Son un misterio. Todos menos Vili, sin duda. Los hombres son un enigma que lleva asociado multitud de rituales absurdos, lamentables y siniestros.

—¿Alguien quiere más vino? —pregunta Vili.

Ulises alza su copa el primero.

LA PREOCUPACIÓN

La preocupación es un mal cultural epidémico. Se abre en círculos que van expandiéndose desde la cuna, en cuanto nacemos, hasta llegar al infinito; no se necesita sino el menor contacto de una china, una mota de polvo contra el agua pasiva que es nuestra conciencia, y ya está, la preocupación nos invade y nos conquista. Es una bestia carnicera, muy libidinosa. Nos seduce y nos devora, y a veces ni siquiera lo hace por ese orden.

Pero qué trastorno tan exasperante y gratuito.

Menudo veneno para la razón.

(Vaya una mierda.)

Penélope ha pasado todo el embarazo preocupada, mientras decoraba la habitación de su hijo con figuras de animales, pintadas al pastel, inspiradas en las de los cuadros de Durero.

Qué preocupación tan grande, cielo santo.

¿Y si su hijo nacía muerto? ¿Y si era retrasado? ¿Y si tenía una gran mancha roja en la cara que le haría avergonzarse de sí mismo el resto de su vida? ¿Y si no engordaba lo suficiente y después agarraba todo tipo de enfermedades hasta morir en pleno jardín de infancia? ¿Y si tenía cáncer, como la madre de Ulises? ¿Y si era bajito? ¿Y si salía feísimo y nadie lo quería, ni siquiera su propia madre? ¿Y si de mayor sufría alteraciones capilares descamativas por dermatitis seborreica y psoriasiforme, con mucha caspa y un horripilante picor del cuero cabelludo? ¿Y si padecía obesidad mórbida? ¿Y si se convertía en un delincuente o en un pobre oficinista? ¿Y si moría en un accidente de tráfico? ¿Y si lo abandonaba su mujer y se volvía loco? ¿Y si tenía dos hijas siamesas unidas por la pelvis? ¿Y si no cobraba jubilación, cuando le llegara el momento, porque había una quiebra de la seguridad social en toda Europa? ¿Y si se hacía viejo? ¿Y si luego se moría de viejo?

Ella se ha preocupado por todo eso, y por más cosas, pero no quiere volver a recordarlas.

Ahora Telémaco tiene tres meses. Es igual que un muñequito con la cara enjalbegada. Tranquilo y quebradizo. Penélope lo ha amamantado, pero empieza a quedarse sin leche. Tiene que darle un par de biberones suplementarios al día. (¿Es buena la leche maternizada de farmacia? Sí, pero, ¿es buena?)

Ha quedado para tomar café con una amiga. En realidad no es demasiado amiga (la conoció en aquella escuela horrible en la que estudió diseño después de acabar su licenciatura); no es que sean íntimas, pero Marta tiene contactos en el mundo de la moda, y buen humor. Aprovechará para pasear al bebé. Lo que resulta un fastidio, porque no es nada fácil tener que bajar los tres pisos sin ascensor desde su casa hasta la puerta de la calle acarreando con un lactante y un carrito.

Lo hace muy lentamente, escalón por escalón, bajando de espaldas, apoyando las ruedas traseras del cochecito y dejando que se deslicen un peldaño, mientras hace contrapeso para no desequilibrar las delanteras y que los tres, el carro infantil de paseo, el bebé y ella misma, acaben por salir rodando.

Cuando logra alcanzar el portal, está sudando por el esfuerzo y la tensión. Esta vez podían haberse caído. El corazón le da un vuelco sólo de pensarlo. Afuera el aire es tibio, se oyen ruidos de obras en algún edificio cercano, o tal vez estén arreglando alguna calle. Madrid será una ciudad preciosa el día que terminen de hacerla, se dice Penélope.

Irá andando la calle Atocha arriba hasta Sol. Aún tiene tiempo, y desde luego no se metería en el metro con un crío ni aunque le fuera la vida en ello. Tampoco en un taxi. El niño podría oír ciertas cosas. Emisoras de radio. Conversaciones con otros taxistas a través del radiotransmisor. Música inadecuada. Los bebés son muy sensibles, y cualquiera sabe lo que se les queda grabado en su tierno cerebro para siempre. Además, el niño tiene que tomar un poco de sol, aunque sea sol madrileño. Si hubiese salido antes de casa podría haberlo paseado por el Jardín Botánico, pero siempre va con estas prisas. Los recién nacidos ocupan mucho tiempo. Las horas se pasan volando, sin pensar. Un bebé ahuyenta todo tipo de pensamientos de la cabeza de una madre. Sólo deja espacio para cosas como comida, leche, detergente, caca, sueño, baño. Y así.

Avanza a trompicones por las aceras. Obras de remodelación. Policías recelosos y resignados (de algo hay que vivir, pero... ¡no te fastidia!). Gente apresurada. Gente inmóvil como estatuas de ojos enfermos, sacrificiales. Personas que esperan algo y ni siquiera saben qué, y dan vueltas sobre sí mismas hasta sentirse mareadas. Gente que vende cosas, juguetes baratos, jerseys de lycra baratos, drogas baratas. Gente que pide limosna, que se apoya a bebés más pequeños que el suyo sobre las caderas y les enseñan sin pudor a los viandantes los ojitos tristes y luctuosos de los niños, al tiempo que abren una mano sucia y murmuran con el singular acento de los intrusos.

Qué mal está todo dispuesto para que una mujer pasee a su hijo en el centro de una gran ciudad.

Debería haber cogido esa mochila que le regaló alguien,

y meterlo dentro. Llevarlo pegado a su pecho como un canguro. Iría más deprisa. Pero ya es tarde para volver a subir de nuevo hasta su casa, cambiar los trastos, sacar al bebé (tendría que comprobar, ya puesta, si está mojado), y cargar con el bolso, ese enorme bolso donde lleva todo lo que se necesita para atenderlo. Vendas incluidas. Una botella de agua mineral. Mercromina. Esparadrapo. Maquillaje. Dos revistas. Nooo. Muy pesado, el bolso. En la parte de abajo del cochecito está mejor que colgando de sus hombros.

Cuando se dirige andando hacia algún lugar, Penélope se conduce igual que lo hace por la vida. Piensa que el camino más corto entre dos puntos es la línea en zigzag: esquivando los obstáculos que, de haber tomado una línea recta, se hubiera topado de frente. Por eso cruza de acera cada pocos pasos, y finalmente tarda una eternidad en llegar hasta Sol y subir por la calle del Carmen, hasta una cafetería cercana a El Corte Inglés de Callao donde la espera su amiga.

Al menos, no hace demasiado calor, aunque ella está sudando. Nota la humedad del labio superior, y que la blusa de seda negra se le pega en algunas zonas de la espalda.

Telémaco está dormido.

Tal vez sea ésa la mejor idea que ella puede hacerse de la felicidad: ver dormido a su hijo. A salvo. Sosegado. Respirando perfectamente.

Penélope está preocupada, pero no quiere que Marta lo perciba. La preocupación y la culpa desprenden cierto olor mohoso, y hacen que la gente se escabulla corriendo del lado de quienes sueltan esa pestilencia. Bastante tienen con la propia.

Está preocupada porque hace meses que sabe que Ulises no siempre se dedica a pintar sus propios cuadros. Por eso andaba sin cesar secreteando, cerrando con llave la puerta de su estudio, teniendo importantes reuniones, haciendo viajes sospechosos.

Poco después de nacer su hijo, ingresó una enorme cantidad de dinero en el banco. De los cuadros vendidos en su última exposición, le dijo a Penélope. Pero no podía ser. No al precio que se cotiza Ulises.

Por último, ella se enteró de todo.

Facturas inverosímiles, amistades peligrosas, notas, papeles, llamadas, recibos sin sentido, bocetos muy familiares, demasiado dudosos para ser simples ejercicios pictóricos, mentiras tontas, dinero fácil. Todo estaba ahí, y todo cuadraba.

A veces, pensó entonces Penélope, es mejor no saber. No saber nada. Ella empieza a dudar de que saber sirva para algo. Si es para vivir tan poco, ¿de qué sirve saber tanto?, decía sor Juana Inés de la Cruz.

Ulises, Ulises...

Él confesó entre excusas y grotescas promesas de cambio y esperanza. Penélope lloró, y hubo nuevos gritos. Escándalo. El gran aquelarre doméstico. El drama filtrándose por su cristalino y empañando la luz hasta dejarla ciega.

Qué inclinación tan vulgar al melodrama tenían Ulises y ella. Y lo peor es que ese maldito talento crecía por momentos.

—¡Marta! —dice Penélope, y entra como puede a la agradable penumbra del bar, empujando el carro.

Está atardeciendo. Marta parece una hermosa gata, indiferente y llena de rizos negros. Está fumando sentada en una mesa cerca de la ventana, y bebe algo que parece agua con limón, pero que seguramente no lo es.

—¡Preciosa! —Apaga el cigarrillo en el cenicero de la mesa de al lado, sin reparar en la mirada de odio con que la obsequia el señor que está sentado en ella bebiendo su vermut de grifo, y abraza a Penélope—. Madre mía, cualquiera diría que acabas de tener un hijo. No tienes tripa ni nada.

No tienes aspecto de estar pensando en suicidarte. Y tu pecho... Y tu... date la vuelta. Oh, Dios mío, ¿no habrás estado dándote algunas sesiones de mesoterapia? Si es así, por favor, háblame de los efectos benéficos de la mesoterapia. Pienso apuntarme en cuanto salga de este antro.

—Me alegra tanto verte. Estás guapísima.

—¿Te das cuenta de lo verdaderamente chabacano que se ha vuelto Madrid? —señala a la ventana, a la gente que pasa por la calle—. En cuanto una pisa Barajas, se siente una ordinaria con puntos negros en las mejillas y la nariz goteante. Con esos taxistas gritones que dan un rodeo hasta su casa para entrar un momento y darle un guantazo a la parienta antes de dejarte en la dirección que les has indicado. Con esos policías de tráfico, absolutamente ruines, obligándote a pasar las ruedas de tu Lotus por encima del fango de las obras... Por cierto, ¿por qué siempre están de obras? ¿Me he perdido algo? ¿Algún terremoto, algo? Yo creía que aquí no había terremotos. —Marta separa una de las sillas y deja que Penélope se siente, vuelve a acercársela a la mesa suavemente cuando lo hace. Las auténticas damas son los únicos caballeros que quedan hoy en día, piensa Penélope mientras toma asiento y le da las gracias a Marta—. Enséñame a tu retoño inmediatamente.

—No digas eso de los taxistas y de los policías. Madrid no sería Madrid sin sus policías y sus taxistas —se siente obligada a decir Penélope.

—Bueno, pues me da igual.

Penélope quita la capota del cochecito. Telémaco tiene el aspecto de un monigote saludable y perfecto. Está dormido y suspira de forma apacible, silenciosa.

—Para comérselo. —Marta le toca con ternura una de las manitas, cerrada en forma de puño, como si el niño estuviera agarrando firmemente el hilo de la vida—. Qué cielo de crío. Qué envidia me das.

—No creas. Por las noches no puedo pegar ojo.

—¿Y por qué no contratas una niñera? Ninguna mujer que no pueda pagarse una niñera debería tener hijos. Tendrían que prohibirlo por ley, ¿no te parece? Pero tú sí puedes, tu padre es rico, no como el mío, que se quedó en médico de cabecera.

—Es rico, pero no vive como un rico, y no espera de mí que viva como una rica a su costa. —Penélope le hace una seña al camarero—. Vili es más que nada un filósofo.

—Desde luego... Ah, joder. Un tipo raro, ya lo creo.

—¿Y qué, cómo te va?

—Bueno, Peny, encanto, no quiero parecer presumida, es de mal gusto, pero no me podría ir mejor. —Marta sonríe coquetamente—. Tengo todo lo que puedo pedirle a la vida. Un trabajo ideal, libertad de movimientos, acción, viajes, amigos interesantes, bonos del Tesoro... Y un novio italiano que es disléxico y millonario.

—¿De verdad? Cuánto me alegro.

Penélope se toca sin querer la nariz. Se la nota... ¿goteante? De pronto su blusa de seda negra se le antoja basta y poco apropiada incluso para tomar café a media tarde en un bar de Callao. Marta lleva un vestido de Gucci morado y unas botas de piel de serpiente. Si Penélope fuera un hombre, en este instante se sentiría intimidado por ella. Fascinado y acobardado. Y no pensaría en otra cosa que no fuera en cómo conquistarla.

Se dice que quizás se está perdiendo algo de la vida, tal vez está dejando escapar algo mientras discute con Ulises, compra pañales desechables y se hace la cera en casa.

Tamborilea con los dedos en su cintura.

Está nerviosa. Preocupada.

Se mete las manos en el bolsillo izquierdo de los vaqueros. Saca un papelito y lo ojea discretamente. Es una lista. Sobres. Listerine. Zumo de naranja. Ultralevura. Manzanilla. Compresas. Hace con ella una bolita y la tira al suelo, procurando que Marta no la vea. ¿Tendrá puntos negros en las mejillas? Está todavía algo sudorosa. Se pasa una servilleta de papel por la cara a sabiendas de que arruinará su maquillaje.

Vivir es un acto suicida.

—¿Y no has vuelto a intentarlo, Peny? Disculpa... —Marta se vuelve hacia el camarero, que espera el pedido—. ¿Qué quieres beber?

—Aaah, pues agua. Agua. Con gas. Vichy, por favor.

—A mí póngame otro de lo mismo —ordena Marta.

—Sí, señora. —El camarero también se siente subyugado por Marta, igual que Penélope. Sale disparado hacia la barra, y le lanza desde allí miradas subrepticias y abochornadas.

—Dios mío —musita Marta, hace una mueca de repulsión—. ¿Te has fijado en el barman? Cristo bendito, ¿es que ese tío no ve la tele? ¿No se fija en la publicidad? ¿No se ha enterado todavía de que el olor corporal se puede *prevenir*? Yo creía que la compra de desodorantes estaba al alcance de cualquiera.

—Bueno —lo disculpa Penélope—, aquí dentro, y trabajando sin parar...

—Trabajar es lo que hacemos todos, preciosa, no te confundas. Menos mi novio, que es rico como tu padre, pero él sí que vive una existencia regalada. Tiene de filósofo lo que yo de lama, por mucho que sea una fan rendida del Dalai, ya me entiendes.

—Pues.

—Su único defecto es la dislexia, ya te digo. Nunca acierta a pronunciar mi nombre. Me llama Tamara, y Tita, y todo lo que se le ocurre al pobre capullo. Y luego, si te metes con él en la cama, no le menciones lo del sesenta y nueve porque te puede romper una cadera. Sencillamente, los números flotan por su cabeza igual que en un bombo de esos del bingo, y a él le da lo mismo sesenta y nueve que nueve con sesenta. Es para dislocarse. Y pregúntale que cuántos años tiene: en vez de decirte que treinta y nueve, que son los que acaba de cumplir, te dirá que noventa y tres, y se quedará tan fresco. Hummm... —Marta cierra los ojos, risueña—. Pero nadie es perfecto, y yo siempre he querido tener un novio que no se vea obligado a trabajar para vivir ni a vivir para trabajar. Ahora está en la India, ¿te lo puedes creer? Él en la India y yo en Madrid, metida en un bareto donde la gente suda. Menos mal que estoy contigo, preciosa...

—¿Quieres que nos vayamos de aquí?

—Nooo... Si este sitio es perfecto desde que tú has llegado.

—Marta, Martita.

—De verdad. Eres la persona con más talento para el diseño que he conocido jamás, incluidos Tom Ford y yo misma, que no tengo ninguno, por cierto, pero que tampoco lo necesito porque hago otras cosas en este mundillo. Deberías ir a ver a una persona que conozco —y pronuncia silabeando el nombre del que algún día será el jefe de Penélope—. He oído rumores. Sé de buena tinta que está buscando a alguien. Sangre nueva, porque él vive ya de transfusiones diarias. Creo que le gustarías, de verdad. Ve a verlo de mi parte, he hecho un par de cositas por él que todavía recordará, estoy segura. Creo que tus diseños acabarán en el Costume Institute del Museo Metropolitano de Nueva York, y en el armario de Ivana Tramp. Incluso en el de la novia del camarero sudado que nos ha servido. Tienes habilidad para poner elitismo hasta en la ropa de las cocineras. Eres capaz de vestir a las cocineras como si fueran señoras, y a las señoras como si fuesen auténticas cocineras, y eso es lo que hay que hacer en este negocio, lo que hacen los grandes de verdad. Yo, que no soy envidiosa, puedo decírtelo. ¿No has intentado trabajar?

—Pues, la verdad, me he ido liando con unas cosas y con otras, aunque no he dejado de dibujar y hacer bocetos, sobre todo para entretenerme, pero con los compromisos de Ulises, los viajes... y ahora el niño y... No sé, me parece que es demasiado tarde para mí.

—Oye, Peny, no te pases que yo soy cinco meses mayor que tú y no por eso me siento acabada. Las mujeres vivimos nuestro esplendor en la treintena. Son los mejores años de nuestra vida. Sólo tienes que encender los motores y salir a comerte la pista, porque tu vehículo está a la máxima potencia, créetelo. A ver, sonríeme, preciosa. Estás hecha toda una mamá, pero también hay vida para una mujer más allá de la maternidad. Mira, el niño se está removiendo.

—Tiene hambre. Es su hora. —Penélope se acerca a Telémaco y lo coge en brazos.

Cuando salen del bar está anocheciendo, el aire es templado. Hay animación por la calle. Una pareja de muchachos hace malabarismos mientras los observa un corrillo de curiosos que apenas se decide de vez en cuando a dejar caer una moneda en el plato que reposa en el suelo. Son muy jóvenes y llevan el cuerpo pintado de blanco, cubierto con un taparrabos hecho con lo que parecen jirones de una sábana vieja. Se contonean en el aire, el uno sobre el otro, bajo el pináculo azul brumoso del cielo del crepúsculo. Son los desechos de la fantasía de un marionetista dejados caer en plena calzada, libres, los hilos decididamente cortados para siempre. Hacen cabriolas, saltan, se deslizan, vuelven a saltar y de repente se quedan inmóviles, mineralizados en medio de la calle Preciados en tanto que la gente murmura y gorjea admirativamente a su alrededor. Son tan jóvenes y elásticos. Pierrot y Fantasio, terriblemente vivos. Las personas que los observan parecen, en comparación, manchas figurativas esparcidas al azar para acompañarlos al tiempo que los hacen resaltar de la oscuridad hirviente que comienza a descender sobre el pavimento, recién bajada del cielo.

Penélope teme que puedan caerse de mala manera y hacerse daño.

—Tengo un coche esperándome en Sol, si quieres puedo acercaros hasta tu casa —dice Marta.

Penélope asiente. Lo piensa mejor.

—Bueno, si no te importa, a lo mejor nos podrías llevar hasta la calle Velázquez. Ulises tiene una exposición allí, la inauguró el otro día, y esta noche tenía que ver a unos clientes. Puedes dejarnos en la puerta de la galería, ¿o no tienes tiempo?

—Como tú quieras, por mí no hay inconveniente. Te llevo a donde te parezca. —Marta camina con decisión, no es una mujer vulgar ni suele amilanarse fácilmente; cada paso que da lo confirma, incrementa su ardor, atrae más miradas.

El coche se para en doble fila en la puerta de la galería, que tiene toda la fachada acristalada para que los viandantes puedan observar una buena parte de los cuadros expuestos en la primera de las salas.

Penélope baja del automóvil, y se dirige a la parte de atrás con el niño en los brazos mientras espera que el chófer abra el maletero para sacar el carrito del niño. Marta sale también, le brillan los ojos y charla sin parar sobre las cosas que deberían hacer, las que ella hace, todo lo que queda por descubrir y por vivir. En el momento que Penélope mira hacia la arcada solamente ve a Ulises con Annetta, la dueña de la galería de arte, y a nadie más. Casi está a punto de sonreír y saludarlos con la mano por si no han reparado en ella. Pronto su marido agarra la cabeza de la galerista entre sus manos —con dulzura, con mucho cuidado, como si fuera una muñeca que pudiera romperse— y la besa largamente en la boca; baja las manos hasta la cintura de la mujer, y luego sigue bajando. Le hunde la cara en el cuello, la aprieta contra él, casi bailando, arrastrando los dedos por el cuerpo de Annetta, hurgando.

Penélope aparta la vista, azorada. Le dice a Marta que ha cambiado de opinión, que le gustaría volver a casa. Después de todo, ya es muy tarde para el bebé, todavía tiene que bañarlo. A Marta no le importa, y el conductor vuelve a introducir el cochecito en el maletero del Mercedes.

Penélope lo sabía, sabía que Ulises no le era fiel —podía *olerlo*, digamos—, pero nunca había vuelto a sorprenderlo con las manos en la masa (en la masa fláccida, color de sebo, probablemente sucia, lujuriosa, de un trasero femenino) desde aquella historia de la modelo, años atrás.

Ahora está llena de malos pensamientos, se da cuenta de que le estorban en la cabeza, son molestos e inadecuados como agua estancada en la bañera.

Ahora ve lo que ha visto, y lo que no ha podido ver puede verlo también, y resulta todavía más insoportable que lo que sí ha visto.

Fornicación y homicidio, se dice.

Lascivia y maldad, piensa.

Adulterio y traición, sospecha.

El Infierno de Dante, recuerda.

Tú mismo te atosigas de falsas imaginaciones, a tal punto que no ves lo que verías si te hubieses sacudido de ellas.

> *Tu stesso ti fai grosso*
> *col falso imaginar, sí che non vedi*
> *ciò che vedresti, se l'avessi scosso.*

Esta misma noche, varias horas más tarde, Penélope intenta dormir. Está sola en un hotel barato. Sin Telémaco, su niñito pequeño y desamparado. Con los ojos hinchados por las lágrimas. Rumia despacio su rabia. No hay templanza para ella, ni consuelo posible.

Es una excelente ama de casa, sin embargo, piensa buscando algo positivo a lo que aferrarse mientras llora a lágrima viva, de una forma ridícula, casi cómica de tan exagerada.

Ah, qué dotes para el melodrama posee Penélope. Menudo escándalo está montando en el pequeño hostal del Paseo de las Delicias aun sabiendo como sabe, pues Ulises se lo ha repetido hasta la saciedad, que el sexo no es más que sexo, que es sólo sexo y no tiene más importancia que la que tiene el sexo...

Por cierto, ¿cuánta importancia tiene? ¿Tal vez la que cada uno le da? Y en ese caso... ¿cómo es posible llegar a un acuerdo sobre cuánta es la importancia del sexo?

Es una mujer de su casa, piensa con orgullo, restregándose los churretones de rímel corrido por las mejillas.

Cuida los más mínimos detalles. Ha dejado al niño bañado y la cena preparada para su marido: un bol rebosante de matarratas al natural. Le gusta cocinar platos sencillos.

No piensa volver a casa.

EL MIEDO A LO DESCONOCIDO

Valentina mastica con una dulce determinación. No tiene muchas ganas de hablar, no resulta una compañía demasiado entusiasta.

—¿Qué tomarás de postre? —le pregunta Vili.

—Nada —responde Valentina.

—Vale, te acompaño —dice Vili.

—Mamá... —dice Penélope.

—¿Qué?

—¿Quieres algo? No sé, ¿necesitas, necesitas...?

—Sigue comiendo, cariño.

—Ya he terminado. Hace rato que he terminado. Os estoy esperando —dice Penélope, y mira el tarro de helado de chocolate que Roberta ha dejado sobre una fuente, para que vaya ablandándose.

—Deberíamos echarle un vistazo a Telémaco. —Ulises aún sigue escarbando en su langosta—. A veces da vueltas y se cae al suelo, no tiene mucha costumbre todavía de dormir en una cama. Duerme aferrado a los barrotes de su cuna, como un prisionero.

—Iré yo. —Penélope se levanta, deja la servilleta sobre el mantel, pulcramente doblada al lado del plato.

Se encamina a su dormitorio y evoca la tarde en que le

dijo a Ulises que quería tener un hijo. Tenía la sensación de que había esperado mucho hasta lograr decidirse. Que quizás se le había pasado el momento. Le daba pánico tener un hijo, pero sabía que si no lo tenía se pasaría el resto de su vida lamentándolo, y añorándolo. ¿Cómo se puede echar de menos a alguien que no se conoce, que jamás existió porque no le dimos la oportunidad de hacerlo? Bueno, pues ocurre a menudo, y Penélope no deseaba que algo tan tremendo le sucediera a ella un buen día.

A Ulises tener hijos o no, le daba lo mismo, aunque si tenía que elegir, prefería no tenerlos.

«Bueno —le dijo Penélope—, pues yo *sí* deseo tener un hijo. Tú dirás si quieres o no quieres colaborar. Si no quieres participar en el asunto, lo entenderé perfectamente, y me iré de compras a un banco de semen.»

Se lo dijo absolutamente en serio. Qué se creía.

Ulises lo pensó un momento.

«Está bien, pero no hace falta que vayas a ningún banco. ¿Por qué vas a ir a un banco? Podemos echar mano de nuestros ahorros», dijo complacido, mirándose la bragueta.

Ahora Telémaco está durmiendo plácidamente, con el aspecto de abandono y total despreocupación que dibuja en sus caras el sueño a los niños. Nada lo perturba. Ningún espectro organiza sus ensueños. Se ha puesto boca abajo, con la cabeza en el sitio de los pies y los pies encima de la almohada.

Su cachorrito. Nadie podrá quitárselo de ahora en adelante. Ya ha entrevistado a varias posibles niñeras.

Penélope vuelve a salir cerrando con cuidado la puerta.

Ulises es un amante empeñado en enseñarle a amar al amor. Cuando entra su mujer de nuevo a la sala, le guiña un ojo, dibuja una de esas medias sonrisas suyas, ésas que nunca llegan a abrirse del todo, igual que flores atrancadas en medio de un proceso de desarrollo que no son capaces de consumar de la manera apropiada.

Penélope siente ganas de agarrarle los mofletes y tirar de ellos hacia arriba, en dirección a las orejas, de obligarle a estallar en carcajadas. De darle un guantazo y romperle dos dientes.

Pero no hace ni dice nada, y se sienta.

—¿Qué tal? —pregunta Ulises.

—Está dormido.

—¡Ya lo sé! —Ulises deja caer el cuchillo encima del plato—. ¿Se ha caído?

—No, no se ha caído.

—Huuummm.

—¿Esperabas que se cayera?

—Bueno...

—¿Ésa es la confianza que tienes en tu hijo?

—Yo... O sea.

—¿Qué? —quiere saber Penélope.

—¿Cómo que qué? —Ulises se encoge de hombros, mira a Valentina. Su boca no dice nada más, pero su cara está diciendo: «¿Ves lo que tengo que aguantarle a tu hija, te das cuenta de que es insoportable? ¿Por qué la hiciste así? ¿No pudiste poner un poco más de empeño mientras la hacías?».

—¿Que qué me dices? —insiste Penélope.

Ulises piensa un segundo.

—Pues te digo que creo que le das demasiadas vueltas al tema. Que, por cierto, no sé cuál es —dice.

—Quiero decir —dice Penélope— que es evidente que Telémaco estará mejor conmigo, porque yo, además de ser su madre, y no su padre, siempre esperaré de él que *no* se caiga de la cama. Al contrario que tú.

—Ah, Señor, Señor...

—No discutáis, por favor —murmura Vili.

—Tenemos que dejar claro de una vez el tema del niño, papi. —Penélope hace un gesto negativo con la cabeza, y luego señala a Ulises con un dedo acusador.

—Tomemos el helado —sugiere Valentina.

—Sí, yo probaré un poco. —Penélope se fija en el dibujo festoneado de su servilleta, de repente las margaritas bordadas allí le parecen un alivio.

—Claro, tenemos que arreglar el tema del niño. —Ulises deja que Roberta le sirva una generosa porción de helado—. Por una vez estamos de acuerdo tú y yo.

—Deberíais pensar en el chiquillo sobre todo —mascula Vili.

—Los niños tienen que estar con sus madres —asiente Penélope en dirección a un mueble repostero antiguo que adorna la sala.

—Haberlo pensado antes, antes de abandonarlo —dice Ulises.

—¿*Yo* abandoné a *mi* hijo? ¡Ja y ja! ¡Yo te abandoné a ti, imbécil!

—No es eso lo que yo creí entender en su momento —dice Ulises, y prueba una cucharada de helado.

—Tú difícilmente entiendes algo —le reprocha Penélope—. Eres el vivo ejemplo de que la estupidez es, junto con el hidrógeno, el elemento más abundante del universo conocido.

—¿Por qué no fuiste a interponer una demanda de divorcio en cuanto te largaste de casa?

—¿Por qué? —Penélope duda un segundo—. Tuve, tuve... cosas que hacer. Cosas más urgentes. Quería salir adelante. Quería instalarme bien antes de que Telémaco...

—Oh, sí. No me cuentes historias, querida. —Ulises rebaña su helado con fruición—. La verdad es que la idea ni se te ocurrió. Pensaste que me dejabas con el niño, que aprendería una lección, que sacaría adelante a tu cachorrito, que escarmentaría y conseguirías fastidiarme, pero que todo estaría preparado en casa, y a tu gusto, esperando el día en que volvieras, a por Telémaco, o a barrer del suelo de mi estudio mis cenizas, o a por lo que quiera que sea que tú quieras. Nunca has tenido intención de divorciarte de mí. Es más, divorciarte o no, es algo que te trae al fresco. Eres una egoísta. Pero no puedes jugar con la vida de una criatura a tu antojo.

—Todo eso es mentira —dice Penélope sarcásticamente—. Es mentira. ¿Y tú? ¿Por qué no fuiste tú a solicitar el divorcio, si tanto te preocupa el asunto? ¿Por qué no me denunciaste por abandono de hogar? ¿Por qué...?

—Cuando uno tiene un bebé a su cargo, no le resulta tan fácil andar arriba y abajo pidiéndoles divorcios y todo tipo de tonterías a los jueces. Ellos ya están bastante ocupados con sus propios chanchullos.

—¡Ja!

—Tranquilizaos, por favor —suplica Valentina.

Pero ellos no se tranquilizan. No pueden serenarse porque ni Valentina, ni Vili, ni los padres de Ulises, ni los profesores del colegio y la universidad, ni nadie les ha enseñado a Penélope y Ulises un poco de educación sentimental. No señor, nadie lo ha hecho, y ellos no han logrado aprenderla solos.

Por eso Penélope está sentada con los brazos cruzados sobre el pecho, observando de reojo a su marido y dándose cuenta de que cuanto más lo mira, mayor es la sensación que ella tiene de que alguien está raspando su carne con un rallador metálico de cáscara de limones, y que quien quiera que sea que lima así su carne —furiosa, meticulosamente— se está acercando cada vez más al hueso, a sus huesos. Pues, ¿qué razón es capaz de educar al sentimiento?

—Vas a traumatizar al crío —dice Ulises, se limpia las comisuras de la boca manchadas de chocolate con los preciosos pétalos de margarita entorchados en su servilleta.

—Bueno, tener algunos traumas no me parece que sea tan malo —se excusa Penélope—. Las personas tenemos que beneficiarnos de algún que otro pequeño traumatismo, ciertas desolladuras en el alma que nos hagan madurar, ser menos blandos y razonablemente perversos. O sea: humanos.

—No tienes arreglo, Pe —Ulises chasquea la lengua.

—Ah, ¿te parece que estoy estropeada?

Vili la mira moviendo la cabeza con parsimonia. Nadie podría asegurar con certeza que está escandalizado por lo que acaba de oír, o si aprueba una por una todas las palabras de su hija.

—Mmmmm —dice—. Mmmmm.

Penélope recuerda la noche que se fue de casa. Su primera idea fue la de poner de patitas en la calle a Ulises. Después de todo, el apartamento era suyo, era el regalo de bodas de Vili. Inicialmente, su plan había sido hacer un enorme montón con las cosas de Ulises, algo así como una pira funeraria, y tirarlo a la calle desde el balcón, incluidos sus cuadros llenos de caras femeninas que no eran la suya y todos los botes de disolventes y otras sustancias peligrosamente inflamables que rodeaban sus útiles de pintura. Tirarlo todo a la calle, pagar la multa del ayuntamiento por tirarlo todo a la calle, y dejar a Ulises en medio de todo aquello, solo y desconcertado en medio de la calle. Empezó a hacerlo, pero al instante se dio cuenta de que no recordaba de quién era cada una de las cosas que había en la casa. Llevaban tanto tiempo juntos que ya no podía distinguir sus pertenencias de las de su marido. Ya ni siquiera podía recordar quién era quién. Y decidió largarse ella antes de que la confusión fuese aún más aterradora.

—Pásame el agua —dice Penélope con un apremio receloso, levantando su vaso—. Quiero beber agua.

—¿Fría, caliente...? —pregunta Ulises. Coge con indolencia la jarra que reposa cerca de su plato, en la mesa. La deposita un momento en el lugar que hasta hace un rato ocupaba el cubierto de su hijo. Se seca las manos con la servilleta.

—¿Te sudan las manos? —Penélope deja escapar una

risita entrecortada. Está nervioso, se dice, y se pasa la lengua por los labios resecos, satisfecha de pensar que no está tranquilo, que no es imperturbable.

¿Dónde está el Ulises *schaümend, glänzend, glühend, segnend*? El deslumbrante, resplandeciente, ardiente, bendiciente Ulises. ¿Dónde, en qué arruga, en qué línea de las palmas de esas manos sudadas? ¿En la de la vida, en la del destino, en la del amor?

—Sí, a veces me sudan las manos.

—Qué grosería. A mí *nunca* me sudan las manos —dice Penélope sonriendo muy ufana, como una niña atontada, orgullosa de sus propias nimiedades de niña tonta.

—Claro, cariño. Pero es que yo soy *real*, ¿sabes? —Ulises vuelve a agarrar la jarra y llena el vaso de Penélope. Hasta el borde.

El sueño de sus vidas transcurre lentamente durante noches lluviosas, como esta noche lluviosa, dejando los misterios de su vileza sobre un mantel lleno de manchas de vino y chocolate, y de finas margaritas bordadas.

—¿Y qué pensáis hacer entonces? —quiere saber Vili.

Roberta pregunta si desean tomar café.

—Descafeinado para mí, con un poco de leche, sólo una gotita —pide Penélope.

—Para mí exprés, solo, sin ni siquiera una gotita de leche, y con cafeína. Toda la cafeína de que disponga, Roberta. Gracias —dice Ulises.

—Yo no quiero café —dice Valentina—. ¿Podría usted hacerme una infusión de manzanilla, Roberta?

La mujer asiente vagamente.

—Yo tomaré... —Vili duda un momento—. Yo no tomaré nada. ¿Qué pensáis hacer con el niño?

Valentina se pone de pie. Sus gestos parecen flemáticos, pero Penélope sabe que no son otra cosa que torpeza, aturdimiento causado por la enfermedad y el dolor.

—Si queréis... —dice la mujer, contemplándolos fríamente desde el otro lado de sus ojos claros y hundidos—, podemos tomar el café en la biblioteca, estaremos más cómodos.

Penélope calcula que su madre está llevando a cabo una gran lucha contra una fuerza llena de oscuridad que le da mucho miedo. Se imagina que su madre sufre, que hace esfuerzos, que detesta oír cómo su hija se pelea con el padre de su nieto —igual que ella misma ha hecho en los últimos tiempos con Vili—; imagina que su madre se muere, que está compitiendo con la muerte, que siente dolor y que todo eso junto es demasiado para ella. Para cualquiera. Que por eso no se levanta con más agilidad de la mesa.

Penélope imagina que todo lo que imaginamos siempre es real, y que ésa es la causa de que la imaginación resulte un artefacto mental a veces tan insoportable, tan odioso, tan obsceno. Penélope puede ver con su imaginación el rostro interior de Valentina. Encogido y breve, asustado, consumiéndose perezosamente, secretamente, impulsado por el mal. No le gusta mirarlo, y aparta la vista de su madre, avergonzada, atemorizada.

Se van hacia la biblioteca. Vili agarra su copa de vino con una mano y con la otra enciende un puro. Se queda rezagado unos instantes, despidiendo por la boca volutas suaves de humo gris que parecen esbozos infantiles de simpáticos fantasmas.

—¿Y bien? —le pregunta Ulises a Vili.

Penélope ha vuelto a ir a su habitación para comprobar que el niño está bien, y Valentina se ha excusado un momento diciendo que tenía que recoger algo de su dormitorio. Él está sentado a sus anchas en un sillón alegre, viejo y alegre.

—¿Qué? —pregunta Vili a su vez, repantigado en el sofá.

—¿Estás mejor? ¿Cómo te sientes después de lo que ha pasado con el suicida, y todo eso?

—Oh, ya sabes. —Vili se remueve como si tratara de desarraigarse del sitio en el que está sentado—. Pues me siento igual que el marisco que ha servido Valentina para cenar. Vivo, pero cocido.

—¿No piensas volver a abrir la Academia?

—No. Que se jodan. Que se jodan todos. —Vili suspira y da un trago a su copa de vino—. Estoy cansado, Ulises. Neuróticos, histéricos y, por último, suicidas y libelos sobre mi integridad y mis intenciones en la prensa, ésa es toda mi cosecha después de tanto tiempo intentándolo. Después de tanto tiempo enseñando filosofía tengo que leer en el periódico que quizás yo sea el dirigente de una secta. ¡Una secta!, ¿te lo puedes creer? Es demasiado. El asunto ya está en manos de mis abogados. No, no no... —Vili contempla abstraído la chimenea encendida—. El fuego es como un delirio, ¿no crees? No, Ulises, no. Hoy día hay poco espacio para la filosofía en el mundo. La gente no sabe que la filosofía es el arte de vivir, de vivir bien. La gente no sabe lo que es la filosofía ni lo que es nada. Y yo me siento un viejo filósofo cansado. Me gustaría tener un poco de paz. Eso es todo. No, no voy a volver a la Academia. Ni pensarlo.

Vuelve a darle un sorbo a la copa, pero esta vez la derrama sobre su pechera al tratar de apurar de una vez lo que queda de vino.

—¡Me cago en Melanos! —exclama, sacudiéndose. Busca un pañuelo de papel en sus bolsillos, y se frota con él inútilmente.

—¿Quién es Melanos?

—¿Eh? Ah, pues... fue el primer capullo que tuvo la desgraciada ocurrencia de cortar el vino con agua —responde mientras se frota la camisa y consigue hacer la mancha todavía más grande—. No está de más cagarse en él de vez en cuando.

—Pero, bueno, Vili, yo creo que con la Academia has ayudado a mucha gente —insiste Ulises.

—Si quieres que te diga la verdad, me parece que la única persona que ha ayudado en algo en la Academia has sido tú. Fuiste tú cuando detuviste la mano de aquel tipejo y evitaste que la bala de aquella pistola se metiera dentro de su descerebrada cabeza. A eso es a lo que yo le llamo ayuda. Lo demás son gaitas que ni suenan.

—A lo mejor tú has estado desviando también muchas manos de muchas pistolas, sin saberlo.

—Hummm —dice Vili, y exhala con premiosidad un aromático vaho de habano—. Hummm. Quién puede saberlo. Me gustaría pensar que así es, evidentemente. Pero me gustaría más pensar lo contrario, pensar que no ha habido necesidad de ello. Que las personas que han ido a la Academia no han precisado jamás esa ayuda de mi parte.

—Pero, pudiera ser que haya ocurrido, y tú, Vili...

—No, Ulises.

—Estás haciendo todo lo contrario de lo que nos has enseñado, Vili. Estás huyendo.

—No me digas eso. Simplemente estoy descansando. Siempre he preferido las obras a las palabras. El brazo a la lengua. Pero también he sabido siempre que con la lengua se pueden movilizar miles, millones de brazos. Ahora mi lengua y mis brazos están hartos, no importa lo que yo desee, ni la una ni el otro tienen ganas de moverse. Me he resignado.

—Vili...

—No, no, nada de *Vili*. Y, por cierto, creo que no te he dado las gracias como es debido por lo que hiciste. Evitaste una muerte. También impediste que mi brazo y mi lengua no se movieran ni hablaran nunca más. Ahora descansan, pero si el hombre aquél hubiera muerto, mi brazo y mi lengua se habrían muerto con él, de alguna manera. De modo que gracias, en nombre de mi brazo, mi lengua y en el mío propio. Además de gracias en nombre del pobre gilipollas al que salvaste la vida.

—No hay de qué —Ulises inclina la cabeza.

—Eres todo un héroe, aunque no creo que seas consciente de ello. Ni de ninguna otra cosa, por cierto, si me permites la observación. Eres un inconsciente, en general, querido yerno. Pero bueno... ¿Quieres algo, no sé...?

—¿Dinero? —Ulises se acaricia la mejilla pensativo—. Sabes que nunca digo que no, pero la verdad es que tampoco ando necesitado en estos momentos.

—Te daré un cheque.

—Como quieras.

—Te vendrá bien contar con unos extras. Lo digo por la abuelita Araceli, y... —Vili suspira afablemente—. Me gustaría tenerla aquí, pero Valentina y su madre nunca, nunca... Bueno.

—Más adelante, tal vez.

—Eso.

—En cualquier caso, no debes sentirte mal por lo que ha pasado —dice Ulises, retomando el asunto principal de su conversación—, tú no eres responsable de lo que ese hombre intentó hacer, no eres responsable ni de él ni de ninguno de nosotros.

—Ya lo sé —asiente Vili.

—¿Entonces por qué estás tan alicaído, por qué...?

—Demasiadas cosas juntas, Ulises. Incluso yo tengo un límite. Últimamente, la mayoría de la gente que iba a la Academia empezaba a sacarme de quicio. A veces me sentía como un porquero, guardando a los guarros día y noche, dándoles de comer mi filosofía, que ellos devoraban entre barro y babas; hablando y paseando solo entre cerdos que no paraban de hocicarlo todo a mi alrededor; limpiando la porqueriza cada tarde... —Vili bosteza lánguidamente—. Y luego, lo de este chalado, y Valentina que está volviéndome loco con sus...

Penélope entra en la biblioteca corriendo.

Tactactac.

Tiene el pelo alborotado, reluce como si estuviera rodeada por el cerco luminoso de una linterna enfocada a sus espaldas. Arruga la frente y se aprieta con fuerza un brazo, se clava las uñas por encima de la suave tela negra del vestido antes de hablar.

—Es mamá —dice; hay una especie de honda pena apuntalándola contra el quicio de la puerta—. Es mamá. Hay que llevarla a un hospital.

—¿Pero qué...? —Ulises se levanta de un salto.

—O llamar a su médico... —continúa Penélope. Le resbala una pringosa lágrima diminuta por la mejilla izquierda. Le cuesta trabajo llorar, expulsar su lamento hacia afuera.

—¿Qué, qué le ha pasado? ¿Se ha caído, se ha...? —Vili se incorpora torpemente, apaga a medias el cigarro en un cenicero de latón dorado que tiembla bajo el tembleequeo nervioso de sus dedos y está a punto de rodar hasta el suelo.

—No, no se ha caído, no te preocupes —dice Penélope, y deja escapar una débil carcajada—. Solamente se está muriendo. Se está muriendo. Y eso es todo.

TERCERA PARTE

LO QUE SOMOS
(ÚLTIMA ODISEA)

El economista británico Andrew Oswald y un colega estadounidense han dado con la fórmula para ser feliz (que desmiente el dicho de que el dinero no da la felicidad). La fórmula es:

$$r = h \, (u \, (y,z,t) \,) + e$$

r = felicidad que uno considera que disfruta y es equivalente a una constante matemática (h).
u = nivel real de felicidad.
z = características personales y demográficas.
y = los ingresos económicos reales.
t = el factor tiempo.
e = los cambios de opinión y preferencias.

Con el hallazgo de la fórmula matemática, anhelo constante de la humanidad, Oswald ha concluido que un matrimonio duradero aporta tanta felicidad personal como una paga extra de 96.000 $, mientras que la pérdida de un empleo cuesta, en términos de felicidad, 64.000 $.

Diario, *Levante*, 6 de noviembre de 1999.

ITACA*

Si vas a emprender el viaje hacia Itaca,
pide que tu camino sea largo,
y rico en experiencias y aventuras.
A lestrigones, cíclopes o fiero
Poseidón, nunca temas.
No hallarás tales seres en tu ruta
si alto es tu pensamiento y limpia
la emoción de tu espíritu y tu cuerpo.
Ni a los lestrigones ni a los cíclopes,
ni al fiero Poseidón encontrarás nunca
si no los llevas dentro de tu alma,
si no es tu alma quien ante ti los pone.

Pide que tu camino sea largo.
Que numerosas sean las mañanas
de verano en que arribes a bahías
nunca vistas, con ánimo gozoso.

Detente en los emporios de Fenicia,
adquiere hermosos artículos:

* «Itaca», del libro:
75 poemas de Constantino Cavafis.
Traducción de Lázaro Santana.
Ed. Visor, 1973, Madrid.

madreperla y coral, ámbar y ébano,
perfumes deliciosos y diversos
—cuanto puedas invierte en voluptuosos
y delicados perfumes.
Visita
muchas ciudades egipcias y aprende,
con avidez aprende de los sabios.

A Itaca tenla siempre en la memoria.
Llegar allá es tu meta,
mas no apresures el regreso.
Mejor que se dilate largos años
y, en tu vejez, arribes a la isla
con cuanto hayas ganado en el camino,
sin esperar que Itaca te enriquezca.
Un hermoso viaje te dio Itaca. Sin ella
el camino no hubieras emprendido.
Mas, ninguna otra cosa puede darte.

Aunque pobre la encuentres, no hubo engaño.
Rico en saber y en vida como has vuelto, comprendes
qué significan las *Itacas*.

LA LLAMADA DE LA AVENTURA

A diferencia de Penélope, tú nunca miras atrás. Sabes que no puedes cambiar el pasado.

Cada día, al despertar, sientes la llamada de la aventura, adviertes que la vida es un estado de ánimo, y el ánimo una forma de vida. Eres un hombre nuevo cada nuevo día que amanece. No te das por vencido jamás porque jamás has sospechado que hubiese algo que pudiera vencerte.

Vili dice que eres un inconsciente, un irresponsable. Que tu mejor virtud es que careces de conciencia, y que esa falta es también lo más peligroso que hay en ti. Que tienes valor porque no sabes que tienes valor, que si lo supieras dejarías de tenerlo. Que, en este mundo sin héroes, te ocurre lo mismo que a todos los héroes de antaño: que son tan atrevidos que acaban comportándose como imbéciles; tan codiciosos que les cuesta entender que lo único valioso que lograrán atesorar a lo largo de sus vidas son esas cosas que nadie puede robarles; que se arriesgan incluso a morir, que ocasionalmente mueren, porque su ignorancia de seres vivos los ha transformado en incapaces de temerle a aquello que no conocen.

Dice Vili que, en vez de taparte los oídos para no oír los cantos de las sirenas, seguramente, a veces te tapas los oídos para no oír que no hay cantos, que no hay sirenas. Que no hay.

Ya es abril, y no llueve.

Hace meses que dejó de llover.

Recuerdas que eso ocurrió en octubre. La lluvia cesó de pronto. Entonces el cielo negro se abrió, igual que un fruto podrido, y dejó de malgastar sus fuerzas en escupir fresnéticamente agua fangosa y rayos sobre la ciudad desarmada.

Y salió el sol. Un sol resplandeciente.

El invierno transido que llegó después fue seco, helador pero sin chubascos ni inclemencias.

Ahora, el sol se jacta de haber estudiado Bellas Artes durante el tiempo en que las nubes ocuparon su lugar. Brilla con fuerza, y la gente por la calle parece simplemente el ganado del sol, el rebaño que el sol apacienta y vigila con interés. El astro rey ilumina como nunca, poseedor de los paisajes urbanos, lo colorea todo bajo su incesante actividad.

Tan real que parece mentira, el buen sol. Tan lejano que probablemente lo es.

Hoy el día será fresco, y el aire relativamente puro. Lo ha dicho por la radio una voz cantarina de mujer que tú imaginas sin cuerpo. Sin piernas, sin labios, sin edad. Sólo una voz de mujer fluyendo desde el vacío, arrullándote mientras despiertas.

Son las siete y media de la mañana del día de cumpleaños de Penélope. Pero a ti los cumpleaños, a diferencia de Penélope, siempre te han importado poco. Su oropel y su irrazonable puntualidad. Su monótono rigor. El papel fosforescente envolviendo las sorpresas más baratas e improvisadas. Los cantos desafinados alrededor de la tarta empalagosa. No, los aniversarios no te emocionan demasiado.

Tendrás que hacerle un regalo, de todas formas.

Te preguntas qué.

Quizás le gustaría una novela. Jorge te recomendó a un escritor. Te dijo un día: «Se dice por ahí que este tío escribe con la polla y folla con la pluma. Es buenísimo, como comprenderás».

Vale, tal vez, aunque puede que sea más conveniente un perfume caro. Cuanto más caro mejor.

Hoy es igualmente el día de tu exposición, tu primera exposición después de más de dos años. En estos últimos seis meses has pintado mucho. Ochenta nuevos cuadros, enfebrecidos, deslumbrantes como el sol. No está mal para tan poco tiempo de trabajo. Tu marchante no se lo podía creer. Tu galerista se muestra expectante e ilusionado.

Esta vez tu galerista es un hombre. Un hombre maduro, bien afeitado y sensato, que huele a vetiver y a buenas compañías. Esta vez no ha habido entre vosotros ninguna tensión sexual que debas solucionar.

Menos mal, porque nunca te han gustado las tensiones, y tiendes a resolverlas cuanto antes.

No lo puedes evitar, es tu naturaleza.

Además, como san Agustín, quieres dejar el sexo.

Pero, como san Agustín, todavía no.

Menos mal que tu galerista es un hombre prudente. Felizmente, en esta ocasión, se trata de un hombre de negocios al que no encuentras atractivo, y mucho menos femenino. Y es que ellas, las galeristas, suelen llevar siempre algún problema pegado en las faldas que, al final, se queda enganchado en tu pantalón.

Ah, las mujeres. Así son. A todas les pides hacer el amor porque, aunque no quieran hacerlo, estás seguro de que, al menos, te lo agradecen.

Vas de una mujer a otra sin darte apenas cuenta y, a la que te descuidas un poco, te hallas sin querer entre Escila y Caribdis. Sin saber cómo ni por qué.

Los peores monstruos suelen ser femeninos. La muerte, la enfermedad, la tragedia.

Ocurre la mayoría de las veces.

Los mejores placeres, también. La aventura, la pintura, la amistad, la sensualidad, la marihuana.

Tú administras obstinadamente tus placeres.

Haces bien, Ulises, haces bien.

Claro que ahora no piensas, ni en eso ni en nada. En realidad, no sueles pensar. Tú haces. Eres un hombre de acción, no de abstracción. (Qué le vamos a hacer.)

Sabes pintar, no cabe duda, aunque no sabrías definir lo que haces, ni cómo lo haces o por qué.

Sabes hablar, y en ocasiones, cuando te paras a oírte un instante, te preguntas divertido quién estará hablando por ti desde dentro de ti.

Te gusta caminar, no trazar posibles caminos por los que sabes que quizás nunca vayas a andar.

Tampoco te preocupa mucho el asunto de la felicidad, al que todo el mundo parece darle vueltas y más vueltas hoy en día. Estás harto de obligaciones. Jamás te han gustado las imposiciones de ningún tipo, y eso de sentirte apremiado a ser dichoso te parece el colmo de la perversión social. Un puro fraude colectivo. La gran bufonada terrorista de Occidente. Fin del individuo. Vaya fórmula más tonta para mantener a la gente entretenida y preocupada, eternamente insatisfecha.

Uno es feliz cuando no sabe que es feliz, y qué más da. Cuando no se pregunta sin cesar si lo es o si deja de serlo.

A ti, que te dejen vagar, que te dejen pintar, que te dejen viajar, que te dejen sufrir y gozar a gusto. Que quieres vivir, en suma, ¿verdad, Ulises? Que lo tuyo se trata de eso, simplemente. Sólo de eso.

Recuerdas con regocijo aquella tarde en la Academia de Vili, cuando alguien le preguntó a un señor mayor que siempre se sentaba en la misma silla y nunca hablaba: «¿Usted es feliz?», y el interpelado respondió: «Nunca se me ha ocurrido plantearme la cuestión, amigo». «¿Y entonces qué hace usted aquí?», insistió el compañero de tertulia, curioso. «Pues verá», respondió el jubilado, «vengo porque me manda mi mujer. Dice que siempre estoy metido en casa, molestando».

Ah.

Es verdad que hubo tardes y noches memorables en la Academia. A veces, la echas de menos.

Has sentido lo que duele cuando tu compañero de ring te atiza un gancho en el costado. Y aunque no sabrías explicar qué cosa es el dolor, te dices a ti mismo que para algo debe valer y que, en cualquier caso, su existencia no depende de ti.

—¡Papá, el desayuuuuno...! —Telémaco se sube a tu lado en la cama, da golpes sobre la almohada, simbólicas pedradas infantiles que exigen tu atención.

Te sientas muy derecho apoyándote en el cabecero, las piernas relajadas, en paralelo, y lo coges en brazos. Lo tiras hacia arriba, su pequeño cuerpo despedido en dirección al techo. Este crío pesa como un condenado. Tensas la musculatura de los antebrazos cuando lo atrapas al vuelo. Has vuelto al gimnasio a boxear, notas con alborozo cómo ha descendido el nivel de oxidación de tus tejidos y tus músculos, ahora mejor configurados.

El chiquillo da un salto mortal en el aire, grita enardecido, sus ojos emiten una luz fugitiva.

—Gamberro. Comilón... —le dices.

Telémaco se ríe a carcajadas. Tú le haces cosquillas en su pequeño estómago estragado hasta que chilla de placer. Lo vuelves a lanzar al aire con fuerza, absorbes con los ojos su imagen emocionada, triunfante, y la guardas celosamente dentro de ti.

—¡Querrremos comercomercomer! —canturrea el niño.

Domingo. Hoy es un domingo soleado de abril.

ATRAVESANDO EL UMBRAL

Cuando entras en la cocina, sientes la ausencia de Araceli, notas que, a pesar de su cuerpo menudo, hay un hueco brutal en el sitio donde ella debería estar y no está. La casa parece haber sido arrasada desde que murió. Oh, sí, todo está en orden, y tranquilo, la luz que se filtra por las ventanas es amarilla, casi tangible, viene directa desde el cielo hasta posarse en los muebles y dar forma a tu silueta y la de tu hijo. La casa parece en paz. Pero falta ella. Esto que adviertes cada mañana al despertar, ese respingo que te contrae el estómago cuando abandonas la cama y te pones en marcha, se llama nostalgia.

La tarde que murió estabais sentados juntos en el salón de tu apartamento. Hablabais de guerras, en concreto de la guerra del Golfo. Ya ni recuerdas por qué salió ese tema a relucir. Solíais conversar de cualquier cosa. Era una gratísima compañera. Araceli sabía estar callada y callarse cuando no sabía.

«¿La guerra del Golfo? —te preguntó distraída—, Virgen bendita. Mi memoria es cada día peor. La guerra del Golfo, la guerra del Golfo... Ya no me acuerdo bien. ¿Quién la patrocinaba?»

«Los de siempre, imagino», respondiste tú.

«No sé, no sé...», Araceli meneó la cabeza, negando. «No sé, me parece que, en cuestión de guerras y de todo, empiezo a perder la memoria, hijo. Y esa otra, por ejemplo, la guerra de Yugoslavia, ¿sabes cuál te digo? Es reciente, ¿no es verdad? Bueno, pues yo no recuerdo por qué se peleaban.»

Se concentró en su labor. Estaba haciendo un mantelito de punto, y mirarla tejer te resultaba relajante.

Ella te dijo al rato, mientras tú dibujabas con carboncillo unos bocetos de su figura, que se le había ocurrido un negocio sensacional. Le brillaban los ojos con tanta violencia que es probable que presagiaran la catástrofe, que fuese la luz del principio del fin lo que viste dentro de ellos.

«Abuelos de alquiler», te dijo con una sonrisa picarona. Dejó la labor de ganchillo sobre su regazo y te señaló con la aguja que tenía entre los dedos. «¿Qué es lo que nos ofrece en abundancia la vida moderna, hijo? Yo te lo diré. Un montón de ancianos abandonados como ratas muertas en los asilos, mientras que los niños no tienen abuelos de los que echar mano, con lo bien que le viene un abuelo a una criatura. El negocio está en contactar con algunas escuelas y algunas residencias para la tercera edad. Por una módica suma mensual, se pueden organizar las cosas para llevar una pandilla de carcamales a los colegios, para que jueguen un ratito a la semana con los críos, para que los abracen y los escuchen. Me parece que sería una actividad extraescolar estupenda. Los padres apuntarían a sus hijos corriendo. ¿Te imaginas? "Los martes, música. Los jueves, abuelos". No creo que sea mala idea. Así, a los padres de los chiquillos se les pasaría un poco la mala conciencia por haber abandonado a sus propios padres en las gasolineras de todo el país; los niños tendrían abuelos adoptivos a los que acudir cuando nadie los escucha; y los vejetes podrían montar un fondo social con lo que ganaran en los colegios para comprar comida y dulces de esos que nunca entran en el menú de los asilos. Y... todos contentos, ¿no crees que es una idea estupenda, Ulises? ¿Qué me dices? Creo que voy a consultarla con la almohada. No, mejor, me voy a echar un sueñecito aquí mismo, si no te molesta. Aquí, en el sofá. ¿No te importa, hijo?»

Tú le dijiste que no, que no te importaba que se durmiera un rato, que estirara las piernas si quería, para estar más cómoda. Tú mismo le quitaste las zapatillas y le colocaste los pies, la tapaste para que no tuviese frío con esa manta de viaje, de felpa verde, que anda siempre rodando por el salón y que tanto le gusta a Telémaco.

Araceli se acomodó y suspiró satisfecha, cerró lentamente los ojos, y ya no volvió a abrirlos.

No, Ulises, tú eres un inconsciente y no le temes a la muerte. Eres osado. Un completo imbécil. Esperas mirarla cara a cara un día. Arreglar viejas cuentas: Tu madre, Araceli.

Qué diablos: John Lennon, Fofó, Elvis Presley, La Novela, Lady Di, Félix Rodríguez de la Fuente, El Arte, la madre de Bambi, Dios.

Vuestro encuentro será terapéutico, pero mientras llega prefieres no pensar demasiado en ello.

No hay vida más tempestuosa y obstinada que la de la muerte. Quitándonos sin parar el pan de la boca, los sueños. Jodiéndonos siempre.

No, no le tienes miedo.

Pero no puedes negarlo, tú —como Yeats, como todos los seres humanos que en el mundo han sido— también te sientes humillado por tu mortalidad. No lo niegues, Ulises.

Llenas un gran tazón de leche para el niño, la viertes sobre el cazo, la calientas un poco con el fuego puesto al mínimo.

Telémaco corretea por el salón y la cocina en pijama. Su presencia tan viva aclara las tinieblas de la mañana que se han despertado contigo.

—¡Lávate los dientes! —le ordenas a tu hijo luego de acabar el desayuno. Y después de una pausa dramática—: ¡Todos!

Cuando sales de casa, ya son las ocho y media. Atraviesas el umbral de la puerta con paso decidido. El niño está entre tus brazos. Vestido con su ropita nueva de color azul marino y el pelo recién peinado, es un claroscuro inquieto y juguetón que sobresale de tu pecho. La imagen sagrada de tu culto a la vida.

Hay algunas nubes blancas, pequeñas y esponjosas, puestas en fila sobre los tejados. Son los campos elíseos del cielo primaveral de Madrid.

—¿Verdad que hace un día precioso? —le preguntas a tu hijo.

—No —contesta él, muy seguro de sí mismo.

No te preocupa demasiado, porque últimamente suele responder a todo que no.

Tropiezas en una papelera rota, tirada en medio de la acera, con su contenido de suciedad vegetal, metálica, animal, aérea, acuática, desparramado a diestro y siniestro.

Maldices las papeleras. Las rotas por los vándalos nocturnos y las que aún están por romper, porque estando intactas son una provocación irresistible para quienes gustan de destrozarlas a patadas cada noche.

Maldices en alemán, y en cheli.

Telémaco te mira en silencio, súbitamente interesado por los movimientos de tu boca.

Una nueva maldición. A la salud del Ayuntamiento. Los impuestos municipales. El bien común.

Tú no crees en el bien común, sino más bien —lo mismo que Juan Ruiz, Arcipreste de Hita— en el placer comunal.

Sigues andando en medio de la gente, te pierdes calle abajo entre los olores y colores y sonidos de esta ciudad que parece no descansar nunca, que no se ha levantado temprano porque aún no se ha ido a dormir.

LA FLOR DEL DRAGÓN

Tú, Ulises, sabes cuál es el secreto para hacer feliz a una mujer. Sabes que el truco consiste en aceptar su corazón de niña, sea cual sea su edad, aunque ella tenga más de ochenta años, como tu querida Araceli.

Una vez sentada esa base, el resto es sencillo. Por lo menos para ti es fácil, aunque no lo sea para todo el mundo. Y cualquier *madamigella* se da cuenta enseguida de que lo haces muy bien. Lo haces muy bien, Ulises. Siempre lo haces muy bien.

Bravo.

Después de pasar algo más de tres horas ultimando detalles y firmando documentos con tu marchante y tu galerista —dos hombres de negocios sensatos—, besas con delicadeza la mano enguantada de la clienta especial que ambos te han presentado. Conoce tu obra anterior, está muy interesada en tu trabajo, según te han explicado. Compró uno de tus aguafuertes en la Dokumenta de Kassel, hace cuatro años. Es rica, y no le gusta mezclarse con la gente. La gente, toda junta, es algo que resulta de lo más vulgar (los ricos son así, han superado esa fase en la que una persona es sólo gente; ellos pueden permitírselo). Ha preferido echar un vistazo a solas a la colección, antes de la apertura oficial de esta tarde.

El muy circunspecto, pero sensible, señor Tamisa sonríe voluptuosamente mientras pronuncia el nombre de la mujer. Odón Tamisa, el galerista, es el amo de un jardín vivo y lujurioso donde crecen racimos de impacientes billetes verdes. No es raro que sonría aprobadoramente hacia la dama.

Qué decir del hechizo del arte, de esa extraña maravilla que genera ilusiones bajo el cielo terrible, vacío. Qué decir de ti, Ulises, que eres el artista, de la impúdica dignidad de tu mirada. Qué refinadamente embellecerás los salones de la señora con tus cuadros. Qué atractivo resultas, con el pelo alborotado y los ojos de niño dolorido, bajo la luz blanca de la mañana que se cuela a chorros en la estancia.

La señora no está nada mal, y se le nota una cierta inclinación medrosa hacia ti. Brilla toda ella, como si le hubieran dado unas concienzudas capas de barniz antes de salir de casa.

No, no está nada mal. Aunque, ¿cuándo te ha parecido a ti que esté mal una señora? Compra tres grandes óleos y firma un cheque de muchos ceros que tu marchante —un tipo que oscila, según el momento del día, entre la vacuidad, la demencia y la usura— atrapa rápidamente entre sus nervudos dedos, los mismos que entrena cada día a fuerza de ejercicios de musculación digital sobre una vieja calculadora.

Telémaco corre de un lado para otro perseguido por la resignada secretaria, madurita y teñida de color berenjena, del señor Tamisa. Puede que el muy cafre vuelva loca a la pobre mujer si continúa haciéndose cargo de él unos minutos más.

Bueno... A ti las locas también te gustan. Tienen su aquél. (En realidad sólo hay una clase de mujeres que te guste de verdad: las que están vivas. Por el resto nunca te has interesado.)

Miras de reojo al niño, y luego a la reciente propietaria de tres de tus obras.

Ella te tiende su tarjeta de visita con una mano enfundada en seda. Pero lo piensa mejor, se quita lentamente el guante y roza tu mano con su mano desnuda mientras tú recoges el trozo de papel pinzado entre sus dedos. Notas un escalofrío de pudor en la espalda, tal vez de deseo. Nunca hubieras supuesto que una mano pudiera desnudarse. Jamás habías caído en la cuenta de que todos solemos llevar las manos desnudas. Las mujeres siempre están enseñándote cosas nuevas.

Le prometes que harás su retrato a cambio de otro cheque parecido al que acaba de firmar. Ella te llamará para poneros de acuerdo. Se aleja taconeando hacia la salida. Su chófer abre la puerta y la deja pasar antes de cerrarla de nuevo tras él.

Mujeres. Pistilos de la flor del dragón. Cómo se mueven. Benditas sean.

—¿Cuántos años creéis que tendrá? ¿Setenta, diecinueve...? —pregunta Ramón, tu marchante, y le sopla con dulzura al cheque recién entintado.

—¿Salimos a almorzar? —propone el señor Tamisa—. Ya son las dos y cuarto.

Telémaco se acerca hasta tus piernas y se aferra a ellas. Tiene las mejillas del color del pelo de la secretaria del señor Tamisa. Se le marcan unos graciosos hoyuelos en medio de cada una. Está cansado de corretear, sudando, oliendo a felicidad. Hay algo en él, propio de la infancia, que proclama a los cuatro vientos que le resulta imposible detenerse.

—Tienes un niño muy guapo —dice Ramón.

—¡Gorrrdo! ¡*Kaaarto'ffel*! ¡Feeeooo! —le grita Telémaco al otro, por toda respuesta. Se ríe salvajemente.

—Y muy amable... —añade el hombre, lacónico.

—¡Telémaco! No seas maleducado o te castigaré, ¿vale? ¡Y estate quieto! —le reprendes. Mientras, el niño sigue riéndose de tu marchante, delante de sus narices, a grito limpio.

Le das un azote en el trasero que no parece afectarle demasiado pero que, al menos, le hace callar un rato e interesarse de repente por un lápiz que hay sobre la mesa.

Cuando te das media vuelta, dirigiéndote hacia el señor Tamisa, oyes los susurros rencorosos de Ramón Correa, tu marchante.

—¿Sabes, pequeño cabrón, que tú también te estás muriendo, como todo lo que vive bajo el sol? —dice entre dientes, si bien Telémaco, que muerde con minuciosidad su lápiz, está sentado en el suelo, lejos de él, y no puede oírle.

Aunque lo hiciera, no entendería lo que Ramón quiere decir. Telémaco aún no comprende el concepto de muerte, si es que la muerte es un concepto. No le resultaría inteligible, o por lo menos aceptable, ni así se lo explicaran miles de veces seguidas. ¿Cómo demostrarle a una criatura que la vida, a pesar de que se proyecta en sesión continua, no es más que el espectáculo fogoso que ofrece la interminable agonía de todo aquello que *es*? ¿Y a cuento de qué viene asustar a un niño de esa manera?

Piensas que quizás ya va siendo hora de cambiar de marchante. Tu hijo tiene razón. Ramón es una patata. Un tipo gordo y feo. Contrae la frente a menudo, como las víctimas que están muy enojadas por serlo pero que no hacen nada por evitarlo, y lo invade el resentimiento, incluso por los bebés que no saben lo que dicen (pero Telémaco siempre parece saber lo que dice). Es demasiado benévolo respecto a sus propias debilidades: el póquer, las chocolatinas, las rubitas o rubitos perversos y excesivamente oxigenados. Sus palabras lo traicionan. Su cara lo traiciona. Su culo lo traiciona. Y tú lo traicionarás en cuanto se presente la ocasión.

—Sí, vamos a comer. —Agarras a Telémaco bajo el brazo, y sigues al señor Tamisa en dirección a la puerta de la calle.

Dice el Talmud que un hombre sin mujer no es criatura humana. Tú puedes dar fe de que cualquiera, en esas circunstancias, se pone hecho una fiera.

Ah, el amor. Truco inventado por algún necio que no tenía ni idea de biología y que se creyó que algo así era posible.

Tú también te lo has creído un poco, confiésalo.

Bien, existen personas que creen en la reencarnación. ¿Por qué no van a existir los amantes, si tienen más motivos para profesar en lo suyo? Tu amor por Penélope, por ejemplo, debe ser cierto puesto que ha sobrevivido a la adolescencia, al matrimonio y a la infidelidad (la de ella, ya que te consta que, desde que te dejó, ha tenido por ahí sus más y sus menos). Tu amor por ella ha resistido al bidé y al abandono. Tu amor por Penélope es una de esas pocas cosas de las que puedes estar seguro, te dices a ti mismo mientras observas aprobadoramente el pompis de la camarera en el restaurante, que se aleja con el dinero de la cuenta en una bandejita de plata, moviendo las caderas igual que haría Telémaco con un sonajero.

Cierras los ojos unos segundos y recuerdas a Peny. *Delectatio morosa* de su piel, de sus pechos, del hueco entre su cuello y su hombro. Su pelo bañado por una luz sérica, convulsa y rojiza. Echas de menos su olor, y sobre todo su color, a tu lado cada noche y cada mañana. Debe ser el amor, pues. Debe ser el efecto del postre demasiado abundante. Los profiteroles que te han servido estaban fríos por dentro y calientes por fuera, como el corazón de la ingrata madre de tu hijo. ¿No era al revés como había que tomarlos, al corazón y a los profiteroles? En fin, tampoco es que estés muy seguro. (No deberías haberte bebido esas tres copas de *grappa*.)

Acaso debieras haber hecho una comida más ligera, teniendo en cuenta que dentro de poco habrá una recepción —los empleados del *catering* entraban a la galería al tiempo que vosotros os preparabais para salir—; volverás a comer y a beber, y después notarás los excesos en cuanto vuelvas al gimnasio, pasado mañana.

—Deja al señor Tamisa en paz —le dices a Telémaco con voz pastosa—. No, él no quiere ver qué pasa si le metes el lápiz por el ojo. Y, además, ya nos vamos.

PERDIDO EN LA NOCHE

À propos des fleurs, ahí está tu amigo Jorge. Ha sido uno de los primeros en llegar y ahora avanza hacia tu encuentro dando codazos, con un imperfecto y ansioso dominio del espacio que pisa, como si tratara de absorber todo el aire a su alrededor. Se abre paso entre los camareros y algunos de tus colegas pintores, ésos que se han sentido en la obligación de pasar un momento a saludarte y que serán los primeros en escapar del bullicio de la exposición en cuanto echen un voraz, pero crítico, vistazo a todos tus cuadros.

—¡Ulises! —dice, jadeando.

—¡Jorge!

—Felicidades, amigo. Veo que no has perdido el tiempo. —Te estrecha la mano sonriendo y luego señala a su alrededor, a las paredes engalanadas con tus pinturas que refractan la luz de los focos colgados del techo—. Hola, Telémaco.

—Hooola, Jejé...

—¿Por qué este renacuajo malévolo me llama siempre *Jejé*? —pregunta Jorge—. ¿Se cachondea de mí, o qué?

—Todavía no sabe hablar muy bien.

—Claro. No sabe pronunciar las dos sílabas de mi nombre, y sin embargo se las arregla bastante bien para decir *penicilina* y *cochambroso*. Qué manera de dejarme en ridículo.

—¡Penicilina! ¡Cochambroso! —grita Telémaco, encantado—. ¡PennnNnniiiIiiiciiiIiiinaaaA!

—Bueno, y... ¿qué tal?

—Psssh —responde tu amigo—. No me gusta esta jodida ciudad. ¡Está llena de coches! —Hace una pausa y agarra al vuelo una copa de cava catalán de la bandeja de un camarero que pasa por su lado. Da un trago corto y se relame los labios—. ¡Esta ciudad está llena de calles! ¡Y de aceras! Todo eso me parece un abuso. Vas andando por ahí y no te sientes persona, te sientes como un bolardo del mobiliario urbano.

—En fin, yo no creo que... Y, hablando de personas, ¿qué tal con Carmen? ¿Y Jorgito?

—Jorgito bien, gracias, aunque ha estado un poco griposo últimamente. Y con Carmen... como siempre. Mal. Estamos divorciados, ¿recuerdas? Nos acostamos juntos menos a menudo todavía que cuando estábamos casados. Ya sabes cómo son estos temas.

—No me hables de divorcios, por favor —rechazas el asunto con un gesto de la barbilla; acaricias el pelo de Telémaco.

—La mejor época de la vida de un hombre, amigo Ulises, es la de su soltería. No te quepa duda. Tener una novia, sacarla al cine, al campo, al teatro, a las vías del tren... Os estáis conociendo y la chica tiene tantas ganas de complacerte que tú piensas que te ha tocado la lotería de las futuras esposas ninfómanas. Vamos, te crees incluso que *existen* las esposas ninfómanas. Piensas que tu vida será así de ahí en adelante: pasión y potencia, salidas nocturnas, restaurantes, sexo en los lavabos de los parkings. La felicidad, amigo Ulises. La felicidad... —Dais unos pasos moviéndoos entre la gente que empieza a abarrotar las salas de la galería. Tú, Ulises, saludas aquí y allá con la mejor sonrisa de un anfitrión, y con gestos de la cabeza y de la mano—. Pero en cuanto te casas con ellas, ¡plaf!, las tías cambian. Dan un cambiazo de miedo. De hecho, dan miedo en cuanto te casas con ellas. Claro, antes de estar casados no había esas pequeñas cosas por en medio, interrumpiendo constantemente entre la pareja. Ronquidos y mal aliento mañanero, por no hablar de los pedos y de la necesidad de pensar en la comida diaria. Pelos atascando el lavabo, los platos sucios, los calzoncillos sucios, el váter lleno de churretes, las reglas de ella, la madre de ella, la compra semanal en el súper, las miguitas que tú dejas en el suelo, debajo de la mesa, cuando terminas de comer, el rímel corrido de ella, que le pica en los ojos porque está llorando, y llora porque tiene muchos motivos, pero sobre todo porque tú no le haces caso, y dan fútbol en la tele y su madre tiene una ciática que la está matando... —Jorge hace una pausa para tomar aire. Más aire—. Uno se pregunta dónde estaban todas esas cosas repugnantes y horribles antes de casaros, por qué entonces no se las veía por ninguna parte y ahora están ahí, delante de uno, fastidiándole a uno la vida, dejándola a ella sin ganas de hacer el amor, dándote a ti ganas de hacer la guerra. Dónde estaban las miserias cotidianas cuando aún no estabais casados y todo era sexo, y cine, y sexo, y ganas de verse, y sexo... —Jorge se interrumpe bruscamente, se lleva la mano al pecho y lo tantea. Parece que quisiera colocarse en su sitio el corazón.

—¿Qué te pasa? —le preguntas, alarmado—. ¿Te pasa algo? Quiero decir... además de todo lo que te pasa.

—No, no es nada. No quiero darte la vara, eso es todo. Ésta es tu noche, no tengo derecho a soltarte todos mis problemas y a amargarte la fiesta. Es sólo que hacía semanas que no nos veíamos y, yo, bueno, pues eso. Tampoco tengo tantos amigos con los que hablar de mis cosas.

—He estado muy liado ultimando los detalles de la exposición, ya sabes.

—Claro, claro. No quiero darte la brasa.

—No te apures, somos colegas.

—En fin, chaval, resumiendo, que para polvos, los de soltero... —suspira Jorge, añorante, sorbiendo su cava como un pajarito particularmente pérfido y sediento—. Y para pajas, las de casado.

—¿Y el divorcio qué tal? No, deja, no lo me digas...

—Para miserias, las del divorciado. Yo, por ejemplo, ¿sabes?, me siento por las noches como uno de esos niños mendigos de Murillo. Cuando sale la luna me invade el hastío y la inquietud. Me emborracho mientras chateo en Internet haciéndome pasar por una lesbiana de Móstoles, y no quiero guasas al respecto, ¿eh, capullo?, que te conozco. Luego cojo la Barbie favorita de Carmen, una muñequita que tenía desde que era niña, y que ahora tengo yo... —Aparece un brillo raquítico en el lagrimal derecho de Jorge, pero al momento vuelve a disiparse. Quizás su ojo llora hacia adentro—. Se la robé en el momento que separamos los bienes gananciales. Ella cree que la perdieron los de la mudanza cuando yo me fui de casa —explica con acento ruin—. La cojo, es una Barbie muy mona, pelirroja como Carmen, la agarro por los pelos, me la llevo al cuarto de baño, la coloco amorosamente sobre la bañera, me bajo la bragueta y le meo encima todo el whisky que me he bebido esa noche previamente. Después, duermo como un niño de pecho. Hacer eso me relaja mucho más que un buen masaje en la espalda.

—Jorge, tío, yo no sabía... ¿Necesitas... necesitas...?

—¿Qué insinúas? ¿Que si necesito ayuda? No, gracias. Y no me mires así. Tampoco creo que sea tan grave que alguien pase sus castas noches meándose encima de una Barbie vieja. —Jorge se las arregla para atrapar una nueva copa de cava y dejar la anterior, ya vacía, encima de la bandeja de otro camarero presuroso—. Es mucho más terrible mi afición al alcohol que a esas... esas... infames micciones nocturnas, tan agradables, por otro lado. Y lo estoy controlando. Lo del alcohol, digo.

—Ya lo veo.

—Vamos, Ulises, esto sólo es cava. Se mea solo.

—Sí, por supuesto. Tú puedes hacerlo, campeón.

—Además... Joder, no sé por qué te cuento todo esto.

—Porque somos amigos. Haces bien en contarme todo lo que quieras. Hacía mucho que no teníamos un rato para charlar, aunque me parece que esta tarde tampoco nos va a dar para mucho. Pero quedamos la semana que viene, ¿eh? —le dices, y le pasas la mano por sus hombros cargados y hundidos de oficinista.

—Bueno, pero luego la lavo.

—¿Qué? ¿La bañera?

—No, carajo. A la puta muñeca.

—Aaaah.

—Le lavo el pelo con champú a la ortiga blanca. La dejo en remojo en una bañera para Barbies que compré en la juguetería del Eroski una de las veces que fui a ver a mis padres a Santander. Traje la dichosa bañera desde Santander hasta Madrid, metida en mi maletín de trabajo. La vi allí por casualidad y me encantó nada más verla. Le añado al agüita un puñado de sales que contienen aceites esenciales de bergamota, naranja y sándalo, que combinan el placer de un buen baño con una profunda acción antiestrés. Le meto la ropita en la lavadora. Pongo una colada sólo para ella. Bueno, a veces también aprovecho y meto mi ropa interior de la semana, no hay que andar desperdiciando el agua —asiente Jorge, muy serio—. Una y otra vez, me siento terriblemente arrepentido de hacer con ella lo que hago. Pero también aliviado, no voy a negarlo. Junto con mi vejiga vacío las tinieblas de mi corazón, si me permites decirlo así, conradianamente. No hay nada de malo en ello, me parece a mí.

—Pasas unas veladas muy entretenidas —suspiras y

agarras fuerte de la mano a Telémaco, procurando que no se escape y se pierda entre las piernas de la gente—. ¿Tiene nombre tu muñeca?

—Siií —confiesa Jorge, remolón—. Se llama Carmen. Carmen Carmen Carmen.

—Jorgito, Jorgito...

—Además, dejemos el tema. Yo he venido aquí a acompañarte, a felicitarte, y sobre todo porque quiero comprar uno de tus cuadros.

—¿De veras? Tío, me estás emocionando entre unas cosas y otras.

—Necesito cambiar esas horribles láminas que tengo como decoración en el piso. Ahuyentan a las mujeres.

—No a la querida Barbie Water Close.

—No. Ésa aguanta lo que le echen, la pobre. Es la compañera ideal para un lobo solitario como yo.

—Si estás decidido a comprar, podemos hacer una rebaja en el precio. Como a mi marchante no le haría gracia el asunto, pásate por mi casa y te llevas alguno de los cuadros fuera de la colección, de los que tengo en mi estudio. Llegaremos a un acuerdo entre socios.

—Ah, no. Ni hablar. Yo compro aquí, en la galería. Como un señor. A mí no me van los trapicheos. Tú tienes que vender los cuadros que expones, y yo pienso desgravar hasta el último céntimo del precio, así que no te apures.

—Aaah... Como quieras.

—Bueno, como diría Tolstoi, lo principal, excelencia, es no pensar en nada. —Jorge estira el cuello atisbando entre las cabezas que se agolpan sobre las mesas de los canapés—. Esta noche tienes aquí a una buena parte de los antiguos alumnos de Vili. Es una pena lo de la Academia. Todos estamos desnortados desde entonces. Yo bebo más desde que Vili la cerró; tú pintas mucho más y ves a los amigos mucho menos; Jacobo, el ciego cascarrabias, se choca más a menudo con las puertas... Por cierto, lo he visto por aquí hace un rato. Tiene cojones. Un ciego en una exposición de pintura. —La garganta de Jorge hace gluglú mientras traga un poco más de su bebida—. Pero, como él mismo dice, «ya no nos queda nada por ver», ¿no es cierto? Y ahí tienes a Irma, que cada día está más rubia, la misma que en la Academia confesaba ser una amante apasionada de la verdad, y que ahora no para de echarse tintes en el pelo. Ahí tienes a David que cada día está más mariquita... Y, oh, Señor, hablando de la Sagrada Familia, míralo, aquí viene. Hooo... la, David, machote...

David se acerca hasta vosotros. Huele tan bien, es tan elegante, tan atractivo y refinado que Jorge se rebulle dentro de su traje, incómodo.

—Me entran ganas de orinar en cuanto veo a este tío —te dice por lo bajo, y le tiende la mano a David—. ¡Cuánto tiempo sin vernos, David!

—Sí. Demasiado. Ante todo, Ulises, felicidades por la exposición. Sencillamente *des-*lum-*bran-*te. Qué genio, qué talento. ¡Qué luz hay en tus lienzos! Mi marido, que anda por ahí dando vueltas, y yo, estamos interesados en un par de cuadros —dice David, y tú le das las gracias con la mirada baja, un poco abrumado—. Y, por supuesto, es una pena. Una pena que ya no podamos coincidir en la Academia. Por cierto, ¿qué es de Vili?

Tú te encoges de hombros. No tienes nada que decir al respecto. Ésa es la decisión de Vili.

—Bueno... —mascullas, haces un gesto vago que puede significar cualquier cosa.

—¡Echo tanto de menos al viejo maestro! —continúa David—. Me he tenido que apuntar a un gimnasio, ¿os lo podéis creer? Y todo porque, cuando llegaba la hora de ir a la Academia, me daba cuenta de que ya no había Academia a la que ir, y sencillamente el techo de casa se me venía encima. No sabía qué hacer con esas horas, cómo llenarlas. Me ponía nervioso, me picaba la nuca, me zumbaban los oídos. «Síndrome de abstinencia total, cariño», me dijo Óscar, mi marido, «tienes que hacer ejercicio para superarlo». Él piensa que cualquier cosa puede superarse con un poco de ejercicio, es de esa clase de hombres capaz de solucionar los problemas que acarrea, por ejemplo, un drama familiar con una buena sesión de *footing* por El Retiro. Y si, al acabar de correr, vuelve a casa y el drama aún sigue ahí, a él ya no se le antoja tan dramático. Es un ferviente partidario del ejercicio físico. Así que me dejé convencer, y las horas que antes pasaba en la Academia de Vili las paso ahora en un gimnasio. En vez de mover el cerebro, me dedico a mover...

—¿El culo? —sugiere Jorge entre dientes, pero David parece no haberlo oído.

—... a mover el esqueleto. Abdominales, pesas y toda la pesca, ya sabéis. No puedo decir que sea lo mismo que antes. Cicerón, Epicuro, Plutarco... no tienen ni punto de comparación con una tabla de ejercicios insensatos que le hacen sentirse a uno medio lisiado cuando llega la hora de meterse en la cama. Vili, sin embargo, conseguía hacerme creer que yo soy... *normal*. Que todos sin excepción somos normales. Era una gran sensación, ¿sabéis? Lo echo mucho de menos.

Telémaco empieza a hacer pucheros.

—¿Qué te pasa, pequeño bribón? —le pregunta Jorge.

—¡Mierda, mierda, mierrrda! —gime el niño y rompe a llorar con furia. La gente a vuestro alrededor se vuelve para observarlo; os lanzan miradas desconfiadas, como si sospecharan que lo habéis maltratado entre los tres de algún modo maligno y subrepticio y ahora tratáis torpemente de disimular el daño.

—Así que, mierda, ¿eh? Vaya, yo no lo hubiera sabido expresar con más claridad y precisión.

—¡No seas grosero! —le dices al chiquillo; y luego a tus amigos—: Está cansado. —Lo coges en brazos—. Llevamos todo el día fuera de casa, de acá para allá. Es demasiado para él. Y aquí empieza a haber mucho humo. Y ruido.

—Puede que esté asustado —sugiere David—. A mi niño tampoco le gustan los sitios abarrotados. Lo hemos dejado en casa con la niñera. Los sitios llenos de gente no son buenos para los bebés. Ellos se sienten aún más pequeños de lo que ya son, y tienen miedo.

—Yo no tengo niñera —dices tú.

—Todos tenemos miedo de algo —dice Jorge.

—Oh, vamos, venga ya. Tú eres del fisco, Jorge. ¿A qué le puedes tener miedo tú?

—A la oscuridad, a la soledad, a las mujeres... —enumera Jorge de manera cansina—. Etcétera, etcétera. —Levanta su vaso y brinda en el aire antes de apurarlo hasta el fondo.

—¿Quieres que lo coja yo en brazos, a ver si se calma? —se ofrece David.

—No sé... Bueno, toma. —Le tiendes al niño. Telémaco chilla y da hipidos de desconsuelo, se aferra al cuello de David y le desabrocha la pajarita de lunares dándole manotazos—. Debería ir a acostarlo un rato en su sillita y dejarlo que duerma un poco en el despacho del señor Tamisa. Su secretaria lo puede vigilar. Yo aún tengo que saludar a un par de críticos de arte y a otras personas que... no sé.

—Deja, yo puedo hacerlo. —David se mueve como si estuviera bailando suavemente. El pequeño Telémaco asido a su pecho—. Si me dices dónde está el despacho yo llevaré al niño, le cantaré unas nanas hasta que se duerma y lo dejaré al cuidado de esa señora. «*Duerme, duerme, negrito, que tu mami está en el campo, negrito, trabajando, sí, trabajando duramente, trabajando, sí, trabajando y no le pagan...*» A mi hijo le encanta esta canción.

—Gracias, es en el segundo pasillo, a la izquierda. Una puerta con el rótulo de «Privado». Dile a la señora Gómez que iré enseguida para allá a echarle un vistazo. La sillita de paseo está allí, en posición de «tumbado». Y, eh, aaah... si no encuentras a la señora Gómez, hay también una chica, no recuerdo su nombre, es la relaciones públicas. Y un par de empleados más. Pregúntale a alguno de ellos.

David asiente una y otra vez a cada una de tus palabras.

Telémaco lloriquea ahora más débilmente, cierra los ojos de forma esporádica y pega la carita llena de sudor, de lágrimas y de babas al hombro de David.

—¡Mierrrda! —dice todavía. Pero se va calmando bajo el efecto de los arrullos del hombre.

—¿Verdad que pronuncia muy bien la erre? —le preguntas a David, orgulloso. Le das un beso a tu hijo, le musitas algo en alemán, y luego—: Duérmete un poquito. Enseguida irá papá, ¿vale?

David se da la vuelta. Camina unos pasos.

—¡Eh, David! —lo llama Jorge.

David se detiene, se gira hacia él y lo mira.

—¿Sí?

—¿Eres feliz? —le pregunta Jorge.

David se encoge de hombros y le acaricia con ternura el pelo a Telémaco, que ya no abre los ojos.

—La mayor parte del tiempo... creo que sí —responde después de pensarlo unos segundos, y echa a andar de nuevo hasta que se pierde, con el bebé en brazos, entre la gente que abarrota las salas.

Jorge y Ulises se miran entre ellos.

—¡Será cabrón! —exclama Jorge.

—Vamos, Jorgito, no seas envidioso.

—¡Hombre! —dice Jorge señalando hacia su izquierda—. Aquí viene ella, su marido y su amante. La sujeta, el verbo y el atributo. Están los tres.

—¿Quién? ¿Qué?

—Mireia, de la Academia, ¿te acuerdas? Tengo una compañera de trabajo que la conoce bien. ¿Has olvidado ya

su apología de la poligamia femenina? ¡Fue antológica!
—Jorge chasquea la lengua, sonríe con sorna de medio
lado—. Y tanto que defiende la poligamia femenina. Vive
con su marido y con su ex marido, y por lo visto se entiende fenomenal con los dos. Espero que en noches alternas.
Unas tanto y otros tan poco. Hay que fastidiarse.

Mireia se aproxima hasta ti, flanqueada por sus dos
hombres. Luce una radiante sonrisa. Su sonrisa es como un
trofeo ganado a la vida que ella gusta de exhibir. Su sonrisa está envuelta en un placer íntimo, alucinado, que le
arruga graciosamente las mejillas.

—Ah, Ulises...

—Bueno, campeón, yo me despido, voy a hablar con tu
galerista sobre un cuadro que he visto por ahí, y me voy a
casa pitando —dice Jorge—. Te llamo la semana que viene
y salimos a cenar, o a algún puticlú, o algo.

—Tengo entradas para un combate de boxeo —le guiñas un ojo—. *El niño de Lavapiés* contra *El Toro de Basauri*.

—¡Estupendo, tío! Golpes, sangre, voces, sudor, testosterona. Mi vida me estaba reclamando todo eso a grito pelado y yo no quería oírla. —Jorge se apodera de un canapé
de falso caviar y pepinillos, luego inclina la cabeza—: Buenas noches, Mireia. Y la compañía.

—Adiós —le responde al unísono el *ménage à trois*.

—Cuida esa vejiga. —Le palmeas la espalda a Jorge, le
das un abrazo. Te sientes estúpido, remilgado y fraternal.
Sentirte así no te parece mal del todo.

EN EL VIENTRE DE LA BALLENA

—Ulises...

—Sí, Mireia.

—No nos conocemos mucho, así que gracias por invitarme a tu exposición. Me ha parecido magnífica.

—De nada. Gracias a ti. Es un placer verte por aquí. Confiaba en que esta noche todas las personas que frecuentaban la Academia de Vili, o casi todas, me acompañaran si podían.

—Pues nosotros —dice uno de los maridos de Mireia, no sabes si el primero o el segundo— quizás compremos un cuadro, ¿verdad, chicos? —el hombre interroga con una mirada deseosa al otro marido y a la mujer.

—Sí, sí, sí... —responden ellos.

—Ah, perdóname, Ulises, no te he presentado a mi marido y a mi ex marido.

Te dice sus nombres, pero al instante ya no recuerdas quién es quién. Tienes la impresión de que ambos se parecen un poco. Pero qué más da, seguramente Mireia sabe distinguirlos a la perfección incluso en las noches cerradas.

El ambiente en torno a vosotros es tan alegre, frívolo, multiforme y cargado como el de un viejo lupanar. El aire se va caldeando y enrareciendo, lleno de humo, mundanidad, cursilería. Puedes atisbar la figura del laborioso señor Tamisa moviéndose sin parar de un lado para otro, repartiendo tarjetas, apuntando números, ofreciendo sonrisas y adquiriendo compromisos. No tardará mucho en venir a buscarte y tendrás que estrechar manos sudorosas y parecer simpático pero impenetrable (no hay que olvidar que eres un artista), dejar que te fotografíen, saludar pomposamente, hacer promesas y crear ilusiones.

—La exposición era ya un éxito sólo con la compra de nuestra clienta especial de esta mañana... —de repente, el señor Tamisa aparece al lado de tu oído y te susurra complacido. Su aliento huele a pastillas para la tos y te produce un leve efecto narcótico—. Pero, en fin, chaval, creo que lo vamos a vender todo. Y tengo aquí a los mejores críticos de arte de este país *en*-lo-*que*-ci-*dos* de placer con lo que están viendo. Te dejo un rato más con tus amigos, pero después no te escapes, ¿de acuerdo?

El galerista vuelve a desaparecer detrás de varios cuerpos inquietos, vestidos de fiesta para la ocasión. Nadie diría que alguno de esos cuerpos encierra una tristeza en estos momentos.

Los maridos de Mireia se excusan amablemente dejándote a solas con ella. No han terminado de ver bien todos los cuadros, te explican con cierta admiración tímida.

—Ah, ¡pero bueno! Es él —dice Mireia—. Él otra vez.

—¿Quién?

—¡El jodido ciego! Jacobo Ayala. O sea, míralo. El tío se fija en los cuadros como si de verdad *pudiera* ver algo.

—Ésa es una buena postura ante la vida.

—Más que nada, los humea. Te los dejará llenos de gotitas de saliva helada.

—Hum.

—Hace un rato he coincidido con él en los lavabos.

320

—¿Sí?

—Como no ve absolutamente nada, se había metido en el de señoras.

Recuerdas los ojos de Jacobo. Los viste de cerca una tarde, en la Academia, cuando se quitó las gafas negras un instante y se pasó un pañuelo de papel por el puente de la nariz húmedo de sudor. Sus pupilas semejaban tener dibujado dentro de cada una algo así como el esqueleto de una hoja. La hoja granate y azul de un árbol absurdo, producto de alguna fantasía botánica enardecida, diabólica.

—Aunque tengo mis dudas... —continúa Mireia, arrugando la nariz mientras habla—. Lo mismo no se ha equivocado porque, ¿sabes?, cuando he entrado él tenía los pantalones bajados a media pierna y, ¿te lo puedes imaginar?, ¡debajo de los pantalones de lanilla lleva unas medias rosas! ¡Y un liguero rosa de satén! ¡El muy travesti!

—Aaaah... —dices tú. La boca se te queda abierta. Pero a lo mejor Mireia miente, quién sabe. Te parece recordar que esos dos no se llevan muy bien. La idea es preciosa, pero lo más probable es que ella se la esté inventado para fastidiar a Jacobo.

—¿No lo encuentras increíble? Es un perfecto falócrata, pero resulta que, debajo del traje, el jodido Tiresias éste va ribeteado de blondas y de puntillas bastante sexys.

El bueno de Tiresias. A Tiresias lo cegó Atenea, en castigo por haberla visto bañándose desnuda. Pero, a cambio, la diosa le concedió el don de la longevidad, y el poder de conservar intactas sus facultades mentales en el infierno. (Tú, en el pellejo de Tiresias, no habrías desdeñado la importancia de esa última merced ni siquiera aquí, en la Tierra.)

—A lo mejor es Tiresias de verdad —sonríes. Te lo imaginas en paños menores. Envuelto en refajos de seda.

—A lo mejor.

—Tiresias fue hombre y fue mujer. Al pobre, los dioses siempre estaban castigándolo por esto y por lo otro. A la diosa Hera, por ejemplo, le sentó fatal que dijera delante de Zeus que las mujeres disfrutan mucho más del coito que los hombres. Él podía opinar sobre ese tema porque había sido las dos cosas —le das una pequeña explicación a Mireia, a pesar de que ella no la necesita, según sospechas.

—Pues éste de aquí... —lo señala despectivamente; Jacobo está a unos pocos metros de ellos, con la nariz pegada a la esquina de un gran óleo sobre tela—, este Tiresias de aquí se pasa la vida negándonos a las mujeres los derechos más elementales.

—Pero usa pantys rosas.

—Sí, supongo que ése es un punto a su favor, ¿verdad? —Mireia abre de pronto la boca, hace un gesto tan raro que los rasgos de su rostro aparecen por un segundo enmarañados, igual que si estuvieran a punto de desaparecer disueltos por las esquinas de la cara—. Oh, oh, Dios mío. Creo que te ha olido. Me parece que viene hacia aquí. Bueno, yo te dejo. Sólo quería felicitarte, y preguntarte por Vili y..., ah, ¿puedo darte una buena noticia?

—Me encantan las buenas noticias.

—¡Estoy embarazada! —Mireia anda de espaldas, alejándose de ti y sonriendo. Su sonrisa es una pequeña elipse de ámbar ahora bien definida—. Ya sé que, en fin, ya sé que a nadie le importa, pero yo soy feliz. Si hablas con Vili díselo de mi parte, ¿quieres?

Cuando entrelazas tu mano con la de Jacobo, ella ya ha desaparecido de tu vista. Probablemente ha corrido en busca de sus maridos, que estarán impacientes por mimarla, esperándola en un recoveco de la enorme galería, cada uno con un vaso de vino espumoso entre los dedos. Ansiosos por volver a sumergirse en el vientre de la ballena.

—¡Jacobo! Gracias por venir.

—Una exposición extraordinaria, muchacho.

—¿Qué tal estás? —le preguntas.

—Estupendamente, si no fuera por los pantys, que me pican un montón y me están jodiendo hace ya un rato largo —dice Jacobo.

EL ELIXIR DE LOS DIOSES

Has ido a ver cómo está Telémaco. Duerme con el puñito metido dentro de la boca. La señora Gómez ha dejado el despacho en penumbras. Tu niño duerme, descansa impunemente igual que un animalito agotado. Mirarlo así, a salvo y tranquilo, es para ti la felicidad.

Entre saludos breves, apretones, dos o tres entrevistas rápidas para la radio, contactos del señor Tamisa que pronto serán también los tuyos y que estrujan tus manos y tus nervios, risas falaces o sinceras, fragmentos de conversación, las fotos para una importante revista femenina en la que van a hacerte un reportaje, individuos que reconoces y desconoces y que se te antojan sombras insensatas y satisfechas circulando contra el fondo claro de las paredes, logras volver al centro de la sala principal.

Piensas que el panorama que te rodea sería más hermoso si todos pudieran detenerse un instante para que los contemplaras con calma. La visión es uno de los goces carnales que tú más aprecias. Serías un mal ciego. Pero nadie consigue estarse quieto, porque todos ellos son de verdad y, sin embargo, tú también prefieres, como Goethe, como casi todo el mundo, un error estable a una verdad en movimiento. Te gustarían más enmarcados dentro de uno de tus

lienzos, sin que los agite el temor o el deseo. Muy quieteci-
tos. Muy buenos. Muy callados.

Cuando quieres darte cuenta, llevas al menos diez minutos hablando con Johnny Espina Willianoson. Y no recuerdas ni una palabra de las que has intercambiado con
él, a pesar de ser vagamente consciente de que habéis man-
tenido un diálogo más o menos coherente.

—Yo es que he amado mucho, ¿viste? He tenido ese defecto... —dice Johnny; los ojos muy tristes, luminosos.

—¿Eh? ¿Ah? Bueno... —dices tú—. Yo no creo que amar
mucho sea un defecto.

—No, lo que quiero decir es que he sido poco corres-
pondido. He tenido ese defecto.

—Vaya, pues.

—He sacrificado mi vida por el éxito —continúa él—.
El éxito social, el éxito literario, el éxito con las mujeres. Y
ahora, cincuentón y expatriado, me encuentro con que
no tengo ni éxito ni vida. Por eso me alegro tanto de que,
esteeee... de que tú, un amigo íntimo, triunfes de esta manera tan clamorosa, y de que yo pueda verlo. Salud, viejo.
—Bebe un trago de su vaso; es sincero.

—Salud. —Tú también bebes, qué carajo—. Gracias,
Johnny.

—Lo peor de la fama es que todo el mundo acaba co-
nociéndote —sentencia Johnny, y se apoya contra una
pared; parece cansado—. Pero yo a ti te veo lanzadísimo.
Una estrella, te lo digo yo. Un Picasso de Chamberí. Disfruta todo esto, hazme caso. A pesar de los inconvenien-
tes, el éxito es mucho mejor que el fracaso. Más cómodo,
¿me entiendes? Tu cuenta corriente, tu reputación, las
mujeres locas porque les mires debajo de la falda. Eso
es lo que significa el éxito. ¿Y el fracaso, qué significa el
fracaso? Yo te lo voy a decir, amigo: una mierda pinchada
en un palo. Las pibitas de hoy en día no salen corriendo
detrás de los tíos que se pasean por la vida con una mier-

da pinchada en un palo entre las manos como único equipaje. La gente de mi generación hemos tenido ese defecto. Hemos sacralizado el fracaso. Creíamos que el fracaso era una cosa así como estética, como honesta, como correcta, ¿sabes lo que te digo? Y, en realidad, lo que ocurre es que la mayoría de nosotros somos unos fracasados. Y quizás por eso valorábamos tanto el fracaso. Pero por mí, a estas alturas del baile, que le den mucho por culo al fracaso.

—¿Pero no acabas de decir que has sacrificado tu vida por el éxito?

—Sí, claro —Johnny sacude la cabeza bruscamente—. Pero de boquilla para afuera decía que estaba de acuerdo con todo eso de la ética del perdedor, y tal y cual. No podías decir lo contrario porque no era progre. Llegado recién a España, huyendo de los verdugos de mi patria americana, yo era un joven progre. Ser progre era la única manera de follar en aquellos tiempos, así que yo he sido progre. Vamos, todavía lo soy. —Johnny tose, da un sorbo ruidoso, enciende un cigarrillo rubio—. Aunque ahora me da lo mismo ser progre que ser albanés, porque igualmente no follo nada. Estooo... Me parece que estoy un poco achispado. Es por el vino éste. *¡Shuuup!*, me encanta el vino gratis, viejo. El elexir de los dioses.

—Bueno, creo que hay reservas suficientes.

—Por cierto, ¿has visto al hijoputa?

—¿A cuál de ellos?

—¿Cuál va a ser? Hipólito. A Hipólito Jiménez, el pintor. El pintor de brocha gorda. No como tú, claro —sonríe Johnny con afectación—. Desde que Vili cerró la Academia, lo echo de menos a rabiar, al muy hijoputa.

—Míralo. —Señalas a un grupo de jóvenes, Hipólito está entre ellos, te saluda con la mano y se acerca hasta vosotros.

—¡Ulises, macho! Qué movida tienes aquí. Es impre-

sionante. Me he traído a unos amigos, ¿no te importa?
—dice Hipólito.

—No, al contrario. ¿Tenéis todos algo que beber y que comer?

—Estamos perfectamente servidos.

Hipólito y Johnny se miran con recelo, pero no se dirigen la palabra. Johnny apaga su cigarrillo echándolo en el vaso semivacío que sostiene, luego pisa el suelo como si estuviera aplastando la colilla con el zapato.

—Hace mucho que no nos veíamos.

—Sí.

—Me alegro de que te vayan bien las cosas, tío —dice Hipólito.

Hay en el aire una especie de corriente, invisible pero viva, que une a Johnny con Hipólito y a Hipólito con Johnny. Es tan rotunda como un cañonazo. Desprende inquina, masoquismo, romanticismo y una amigable nostalgia. Una cizaña tan sólida que casi puede mascarse.

—Gracias. ¿Y tú, Hipólito, eres feliz? —preguntas, por preguntar algo, por distraerlos un poco al uno del otro, de la pasión que se profesan el uno al otro.

«Cielo santo —piensas, resignado—, estos dos son como la Pepsi y la Coca-Cola. Más o menos la misma cosa, pero qué mal se llevan.»

—Lo era. Era feliz hasta que he visto aquí al indio —dice Hipólito, y señala a Johnny con el dedo índice estirado.

—¡El indio lo será tu padre! —grita Johnny, y derrama un poco de vino mezclado con las cenizas del cigarrillo al impulsar su cuerpo hacia adelante, encorajinado—. Quiero decir... —ahora se calma y vuelve a recostarse contra la pared—, tu padre, a lo mejor... pero cualquiera sabe, ¿no?

—Ja y ja, capullo.

—Sí, todo lo que tú quieras.

Hipólito enrojece. Ah. El placer de la contienda estimula el riego sanguíneo. Cruzar las espadas, el afilado machete de las palabras. Nuestra naturaleza es felizmente impura y salvaje.

—Te crees muy listo, muy agudo.

—Eso es que debo serlo —dice Johnny, y le da un sorbo al vaso hediondo por los restos de ceniza, lo apura hasta que se traga la colilla, blanda y pastosa, que se le queda atascada entre los dientes. Escupe hacia un lado—. Tú mismo.

—Ya. —Hipólito sonríe lánguidamente—. Siempre estás diciendo que eres muy inteligente, pero no lo demuestras, así que no te puedo desmentir. Por supuesto.

—¡Este tío es un personaje de Gogol! —Johnny ríe estruendosamente—. ¿Has leído a Gogol, viejo?

—No me interesa ese tema —responde Hipólito, desairado—, porque yo ni soy uruguayo ni pienso serlo nunca.

—¡Yo tampoco soy uruguayo, mira este boludo!

—Pues lo que seas.

—¿Qué tienes tú en contra de mis hermanos uruguayos?

—Va, vaaa... ¡Ya está bien! —Los miras serio, un tanto deprimido. Pones esa cara. Penélope decía que, cuando te enfadabas, ponías cara de tener el alma muerta.

—Perdona, Ulises, tío.

—Sí, disculpa, viejo.

—¿Por qué no hacéis las paces de una vez? ¿Por qué no os emborracháis juntos? Yo pago las copas. O mejor: ¿por qué no os acostáis juntos? Como solución, será para todos más rentable y mucho más barata. ¿O por qué no salís a la calle y os dais de una vez de puñetazos, hasta que os salten las muelas? —dices, pero no levantas la voz. Sabes que el efecto de una reprimenda es harto más terrible así, en voz baja. Pareces don Corleone. Un capo mafioso, duro, muy ronco y muy siciliano.

—Esto.

—Pues.

—Os dejo, muchachos. —Palmeas a la vez las dos espaldas de los contrincantes—. Amaos el uno al otro. Disfrutad de mi fiesta. Disfrutad de la vida, hermanos.

Y te largas de allí hacia otro lado.

LA LÍNEA DE SOMBRA

Ahora caminas en dirección a la puerta de salida. Tienes calor. Te molesta la chaqueta de lino. Pesa demasiado. Tomarías un poco del aire fresco de la calle. Te beberías la oscuridad del cielo anochecido. Sus infinitas líneas de sombra. Abril se te ha agarrado a la garganta, si te descuidas pueden brotarte flores por la boca.

Te dices a ti mismo que la noche es perfecta, que tienes suerte de estar vivo.

Pronto habrá, también, dinero en tu bolsillo. ¿No es eso lo que querías, Ulises? Has retomado el pulso de tu carrera, en palabras de ese sesudo crítico de la tele, tan formal y griposo, con el que has estado charlando un rato y que lleva el pelo como si se lo hubiera azotado el viento, sembrado de hebras de plata electrizadas.

Cuando entras de nuevo en la galería, te tropiezas de frente con ese otro tipo, con Francisco de Gey. Nunca te ha gustado su aspecto. Sus miradas arteras abren abismos en torno a él, agrietan el suelo que pisa. Tiene el aspecto de una emoción a medio sentir. De un caracol que arrastra por la vida una concha fracturada, tratando de ocultar la forma de su cuerpo al descubierto, y babeando enfurecido.

Se tambalea ante ti. No hay duda de que está borracho, aunque se desenvuelve con lucidez y cierta mansedumbre mal fingida.

—Nosotros los artistas... —dice—. Somos unos genios, joder. Todos queremos ser artistas porque todos queremos ser unos genios, y que los demás lo reconozcan a voz en cuello. Pero sólo unos pocos lo somos de verdad, ¿eh, Ulises? Entre ellos estamos tú y yo, ¿eh, Ulises? —Coge tu mano y la estrecha, más bien la sacude—. ¿Qué sería del mundo sin nosotros los artistas? ¿Eh, Ulises? ¿A dónde iría a parar este valle de lágrimas sin el consuelo del arte, sin el negocio del arte, a dónde, eh?

—Dímelo tú —respondes fríamente.

—A hacer puñetas. Se iría a hacer puñetas. Tú lo sabes, lo intuyes. Eres como yo. Los dos sabemos las mismas cosas. Somos unos elegidos. Los dos nos dedicamos con fortuna al arte. Tú pintas, yo escribo.

—¿Escribes? ¿Desde cuándo?

—Huuum. Desde hace mucho, pero ahora soy oficialmente escritor. He acabado mi primera novela. ¡Y van a publicármela!

—Me alegro por ti —miras hacia otro lado, distraído.

De repente Francisco se pone triste. O confidente. O... Bueno, quién sabe lo que sienten los caracoles.

—Mi novela está basada en hechos reales —te dice al oído. Por un segundo, sus labios rozan tu piel. Un frío marmóreo te recorre la nuca. Te rascas nerviosamente la oreja de alguna inmundicia invisible.

—No me digas.

—Es la historia de un tipo, un hombrecillo parecido a aquel que intentó quitarse la vida en la Academia de Vili, ¿recuerdas? —Su boca se abre con satisfacción. Su boca es un espacio inerte al que apenas consigue dar vida la lengua mientras se mueve sinuosamente al hablar. Muy sinuosamente—. Mi héroe es un tipejo que lo ha perdido todo, hasta las ganas de vivir. Y está basado en hechos reales, ¿lo pillas?

—No. Explícamelo mejor. Soy un poco lento comprendiendo. —Empiezas a estar más interesado en vuestra charla.

Llamas con la mano a un camarero, coges otro vaso de whisky para Fran. Dejas en la bandeja el suyo, casi apurado. Te sirves uno para ti.

—Mi editor cree que es una historia con carne. Está entusiasmado. Dice que se pueden ver los sentimientos de ese hombre, cómo se agitan, como si los estuviéramos contemplando desde la borda de un barco. Son sus palabras. Está entusiasmado.

—Qué maravilla.

—Ahí está el talento del artista, ¿verdad, Ulises? En saber sacar conclusiones de la realidad.

—Y tú las has sacado.

—Ya lo creo. Cuando lo conocí... —Hace una pausa para beber—. Lo conocí en El Retiro. En cuanto lo vi supe que era uno de esos pobres tipos perdidos.

—Lo conocías. Casi nadie en la Academia lo conocía.

—Yo sí. Fui yo quien lo llevó a la Academia.

—¿De veras? Deberías habérselo contado a la policía. No lo hiciste, ¿o sí? —le preguntas.

—No, no lo hice. ¿Para qué? Se lo hubieran llevado igualmente al Hospital Psiquiátrico. Qué más da si yo lo conocía o no. Ahora él está encerrado en un manicomio, aunque no tardará mucho en salir. Todos los locos acaban en la calle hoy en día. El Estado no quiere hacerse cargo de los chiflados, ni de los delincuentes, ni de los menores conflictivos. En realidad, no quiere hacerse cargo de ninguna persona con problemas. Ese pobre hombre no le hizo daño a nadie. Sólo quería morir. Querer morir tampoco es una locura. Es tan legítimo como querer vivir. En mi novela él muere. —Fran sonríe torcidamente; en sus dientes hay un brillo amarillento—. Es lo único que he cambiado de su historia. Ya sabes, se trata de enganchar al lector. La muerte nos impresiona mucho más que la vida.

—¿De veras? —le preguntas—. Qué curioso. A mí me ocurre justamente al contrario.

—También puede decirse que tú cambiaste su historia cuando le impediste matarse con aquella pistola.

—Su historia. Ya.

—Sí. Y mi historia.

—Siento haber cambiado tu historia, pero no su historia, si te refieres a eso —dices tú—. Si uno quiere suicidarse, debe hacerlo en privado, así puede impedir que alguien lo detenga.

—Todos dijeron que eras un héroe. En los periódicos hablaron de tus reflejos, de que eras boxeador y pintor, y un tipo muy guapo. Confieso que sentí incluso celos cuando leí aquello. Fui yo quien lo llevó a la Academia, no tú.

—La verdad, a mí esto... Yo sólo me paso la vida mirando. Me gusta verlo todo bien, y a él lo vi sacar el arma. Cualquiera hubiera hecho lo mismo que yo, le habría impedido disparar, sobre él mismo o sobre los demás.

—No, cualquiera no. No yo. Yo estaba atascado con mi novela y con mi matrimonio. Laura... Laura es mi mujer. Las cosas no iban bien entre nosotros, ya sabes. —Entrecierra los ojos, se concentra como si tratara de memorizar algo—. Yo sabía que ese hombre iba a hacer una cosa así de un momento a otro. Me lo había dicho varias veces. Incluso sabía que llevaba encima una pistola, pero no hice nada por ayudarlo. Estaba... Estar con él por las tardes era como ver una película real, un drama sólo para mí, que me hacía olvidar mis problemas. Ese hombre le dio sentido a mi vida durante semanas. Emoción y dolor gratuitos, ajenos, reales. Cuando lo veía, sentía compasión por él, y después asco. Me daban ganas de pisarlo, de abofetearlo. Su aspecto de debilidad, sus ojos suplicantes, su pequeña estatura...

Él sacaba lo peor de mí mismo de dentro de mí mismo. Sacaba toda esa crueldad que todos llevamos dentro. Esa cosa que nos hace aplastar una lombriz, que no nos ha hecho nada, cuando nos cruzamos con ella en nuestro camino, arrastrándose.

Esa cosa que tú sientes cuando ves a Francisco, por ejemplo. Eso es lo que piensas mientras lo escuchas.

—Empecé a hablar con él el día en que nos encontramos en el parque por primera vez. Cuatro frases absurdas y convencionales entre dos desconocidos, ya puedes imaginarte. Pero se le notaban las ganas de morirse a la legua, la depresión, la desesperación. Todo lo que le empuja a uno a querer matarse.

—Sigue —lo animas.

—Luego nos vimos la tarde siguiente en el mismo sitio, y yo me llevé una grabadora. La cogí por si se me ocurría algo para mi novela. Me resulta más fácil hablar que escribir. Pensé que a lo mejor avanzaba un poco grabando las ideas que se me ocurriesen mientras daba una vuelta por ahí. Cuando nos volvimos a ver, él empezó a hablar, y a mí me pareció interesante. Decidí grabar lo que decía. Hablaba, y yo grababa sus palabras. Nos vimos muchas otras veces, y siempre hice lo mismo. Por las noches, Laura, mi mujer, transcribía las cintas. La novela está escrita en primera persona.

—Qué astuto. ¿Quieres otra copa?

—Sí, gracias. No me vendría mal. Estoy celebrando el comienzo de mi carrera. La ocasión merece una libación como está mandado.

Esta vez es una camarera quien repone vuestros vasos.

—Mi mujer me ha dejado. Se ha ido —te dice Fran, los ojos llameando—. Laura me ha dejado.

—Buena cosecha —saboreas el licor apreciativamente—. ¿Sabes ya de qué tratará tu próxima novela?

—¿Eh? Ah, no, aún no.

—Deberías ir pensándolo —sugieres.

—El hombrecillo estaba muy solo. Vivía con su mujer y su hijo.

—¿No has dicho que estaba solo?

—Pues claro. Ésa es la peor manera que uno tiene de estar solo: en compañía. Eso es algo que aprendí junto a él.

—Oye, Francisco... ¿Has oído hablar alguna vez de la moral de los caracoles?

Francisco te mira a los ojos, desorientado, y sacude la cabeza.

—No, nunca.

—No me extraña. Porque no la tienen, que se sepa —le dices suavemente—. Adiós, Francisco —te despides, y sin más vas al encuentro del señor Tamisa que camina presuroso, musitando disculpas y abriéndose paso entre la gente con los codos. En su cara puede leerse que hace rato que te está buscando.

—¡Tú y yo somos iguales!, ¿eh, Ulises?—te grita Francisco, la voz azumbrada.

Hay mucho ruido en el ambiente. Tú no lo oyes. Tal vez por eso no contestas.

EMERGIENDO DEL REINO DEL TEMOR

La noche avanza, y los compromisos sociales a los que te obligan tu galerista y tu marchante (con periodistas, comisarios de exposiciones internacionales, publicitarios, coleccionistas adinerados, dos ejecutivos de una multinacional, un cantante pop aficionado a la pintura...) empiezan a abrumarte. Te resultan desalentadores tantos deberes y tanto despliegue de habilidades mundanas sólo para ganar algo de dinero honradamente.

Como tú ya comprobaste en su día, para ganar dinero de forma ilegal no es necesario esforzarse tanto.

Empieza a dolerte la boca de tanto estirar los labios exhortándolos a la sonrisa cuando vislumbras a unos pasos de ti un grupo de tres mujeres. Murmuras una disculpa en medio del corro de gente importante que te rodea, y vas hacia ellas.

Cuando te aproximas, por una fracción de segundo, tienes la escalofriante sensación de que te has acostado con las tres en alguna oportunidad. Gozas de la idea, de la visión de conjunto del delicioso trío, que está charlando tranquilamente quién sabe sobre qué. Sus palabras salen de sus respectivas boquitas pintadas como envueltas en lazos de humo.

Pero no, con Jana nunca has compartido nada que no se pueda compartir a través de un hilo telefónico, o del correo certificado. Es la ayudante de Penélope, y vuestra relación se ha limitado, hasta la fecha, a recibir órdenes, apremios, reproches y cheques de tu mujer a través de ella.

—... por otra, ¡dejarme a mí por otra! —oyes que dice Jana con un fugitivo puchero en los labios, elevando la voz entre las voces que resuenan en el lugar—. ¿Alguien puede creérselo? El cerdo de mi ex novio. Está completamente loco. Va y se busca a esa modelo, vieja y retirada, y tiene el morro de decirme que va a casarse con ella en Las Vegas, y a tener cinco hijos rápidamente. Quizás también en Las Vegas. Allí lo hacen todo bastante aprisa. Ha tenido incluso la desfachatez de insinuarme que ella puede hacer todavía trabajos con ropa de premamá. Por lo visto, Versace prepara una colección que causará impacto. Ya estoy viendo a esa zorra demacrada y vestida con una blusa transparente agujereada por dos grandes pezoneras —la chica gime por lo bajo—. En las últimas fotos que se conocen de ella se le ve tanta celulitis que parece que le hayan colocado unos muslos de capitoné. Pero, es que, anda ya. ¡Abandonada, así me siento! Esa tiparraca es mayor que yo, más tonta que yo, más rica que yo. No puedo entender a Mauricio. No puedo comprender a ningún hombre. Los hombres deberían pasar revisiones anuales de idoneidad psiquiátrica. Y si no son aptos, si no las superan, pues como los coches: al desguace con ellos.

Te haces el remolón detrás de una pareja de jovenzuelos melenudos que mantiene lo que es posible que sea una tosca pero apasionada charla sobre arte, y sigues escuchando.

Te encanta escuchar conversaciones femeninas.

Son educativas.

Y tanto.

—Sí, desde luego —asiente Irma, que presta a Jana una

atención embelesada. ¿Sentirá envidia de su belleza tan viva, tan juvenil? ¿O vergüenza, por contra, de su propio tinte barato para el pelo?

Al lado de Jana, Irma parece vulgar y desgarrada, una mujer de la vida, más propia para el deseo inconfesable y furtivo que para el amor verdadero.

—Perdonadme, chicas. —Jana saca un pañuelito de papel de su bolso y se suena delicadamente—. Ya sé que no me conocéis de nada, que sólo os he hecho una pregunta para orientarme en este antro, porque tengo que darle un recado al ex de mi jefa, pero... En fin, no os lo vais a creer, pero mi horóscopo dice que hoy los desconocidos serán para mí como ángeles guardianes. Que me ofrecerán comprensión, ternura y protección. Que me abrirán a un mundo de nuevas relaciones y posibilidades laborales hasta ahora nunca imaginado por mí. Por cierto, ¿a qué os dedicáis vosotras? A lo mejor yo...

—Yo soy ama de casa —dice Luz, y sonríe esperanzada.

—Yo trabajo en una guardería —dice Irma, y arruga la nariz, un poco en guardia.

—Aaaah. Pues que... O sea. ¿Y sois felices en vuestros trabajos? —La curiosidad desplaza la decepción del rostro de Jana en sólo unos instantes—. Y digo trabajos porque, para mí, ser ama de casa es uno de los más duros que una puede tener. Sobre todo porque, a fin de mes, ¿a dónde se supone que vas a cobrar el sueldo, eh? Ahí lo tenéis. Y..., bueno, ¿qué tal os va?

—Lo normal —confiesa Luz—. Ninguna perspectiva de ascenso a la vista.

—Yo voy saliendo adelante. Los niños —dice Irma— no están mal. Son unos capullos, pero no están mal porque a esas edades todavía no saben hablar demasiado bien. Yo creo que lo que estropea a los hombres es que hablan, y hablan y hablan... Si no supieran hablar, jamás nos pelearíamos con ellos, ¿no os parece?

—*Of course, dear* —asiente Jana.

—Puede que lleves razón —concede Luz.

—Cuando alguien sabe hablar es muy capaz de decir cosas terribles, y a mí no me gusta escuchar ese tipo de cosas. Yo, por ejemplo, tengo un novio griego. —Irma gesticula de forma extravagante al pronunciar la palabra «griego»—. Al principio todo era perfecto entre él y yo porque Andros es guapísimo, cariñoso, cocina maravillosamente y yo no entendía ni un carajo de lo que decía. Pero empezó a ir a una academia nocturna. Se apuntó a unas clases de español para extranjeros.

—¿Y...?

—¿Y...?

—En cuanto él aprendió a decir «mi mamá me mima», noté que algo se rompía entre los dos. Algo muy importante.

—Oooh.

—Sí. Yo me sentía tan mal que incluso le fui infiel un par de veces, o siete. Como venganza, ya sabéis.

—No me extraña.

—Soy una mujer muy fiel, pero estaba bajo los efectos del golpe emocional. Me daba rabia que Andros empezara a ser capaz de leer los nombres de las calles, la marca del arroz y mi nombre en el buzón de correos del rellano. Esas pequeñas cosas que enrarecen la convivencia.

—¿Y ahora qué tal estás con él? ¿O lo habéis dejado? —pregunta Jana.

—No, no lo hemos dejado —Irma sonríe—. Él sigue siendo lo mismo de guapo y de cariñoso que antes. Por no hablar de cómo guisa. No, no lo hemos dejado. Ahora estamos bien. Y, después de todo, la vida tampoco da muchas oportunidades, así que, ¿por qué iba yo a desaprovechar ésta? Aunque sigo pensando que estaríamos mejor si él no supiera hablar ni una palabra de nuestro idioma. —Se encoge de hombros con gracia—. Pero, bueno, nadie es perfecto, como ya sabemos todas. Cada mañana, cuando me despierto con él a mi lado, tengo la curiosa sensación de que acabo de sacar la cabeza de un pozo negro. Nada más despertar doy bocanadas, como tomando aire. Después miro a mi alrededor, veo a Andros dormido, y la habitación tranquila que empieza a iluminarse con el día, y siento un gran alivio.

—¿Y tú?, ¿qué tal en amores? —le pregunta Jana a Luz—. Con tu marido bien, y eso, ¿no?

—Supongo que sí, pero no estoy muy segura —responde Luz—. Es posible que sí, que esté bien, porque es posible que así sean las cosas para todo el mundo. Sí, es muy posible. Eso es lo que me digo cada día, que seguramente así es como sucede siempre para todos. Que las cosas son como son, y no tienen por qué estar mal tal como son.

—¿Cuántos años llevas casada?

—Casi veintitrés.

—Eso es bueno, mujer. Hoy en día todo el mundo se divorcia. Los que no tienen excusas, se las inventan, pero todo el mundo rompe con su pareja por algo. Es lamentable, ya nadie aguanta mucho tiempo una relación. Y menos todavía un matrimonio —sentencia Jana.

—Es verdad —admite Luz, riéndose de buena gana—. ¡Ni siquiera lo aguantan los que no se separan!

LAS BRUJAS Y LA MUERTE

A la manera de una iluminación, recuerdas la imagen de tu madre siempre sonriendo, agarrada del brazo de tu padre cuando Héctor y tú erais unos niños. Añoras a tu madre, a tu padre y a tu hermano. Pocas veces te paras a pensar que los echas de menos. Henriette está muerta, aunque algunas mañanas ves asomar la forma de sus ojos en tu espejo, mientras te afeitas. Tu padre vuelve a pasar en Zürich la mayor parte de su tiempo, y Héctor anda por ahí, muy lejos. En el Polo. En la Antártida. No sabrías situarlo con exactitud en un mapa. Nunca le has preguntado si está arriba del todo, o abajo, del mundo. Tampoco tienes muy claro que el mundo tenga un arriba y un abajo, porque a lo mejor todo depende de cómo se mire. O desde dónde. En cualquier caso, Héctor vive y trabaja en uno de los casquetes polares. Cuando hablaste con él por teléfono la última vez, te confesó que tenía una novia esquimal. «¿Esquimal? —le preguntaste tú—, ¿te refieres a una "comedora de carne cruda"?» Tu hermano te contestó, muy satisfecho, que así era. «Me pareció que ella me abriría grandes esperanzas respecto a la cuestión del sexo oral, y todo eso», te contestó Héctor.

De repente, notas una mano que se posa en tu hombro

como una admonición. Tu instinto te hace agarrarla al vuelo. La retienes, apresada en la tuya, con fuerza.

—¡Aug!

Al darte la vuelta encuentras la cara contraída de dolor de Aglae. A su lado, está su amiga Talía, mirándote con el ceño fruncido, reprobadoramente.

—Este chico es un bulldog. O por lo menos lo sería si tuviera cara de perro —dice Talía, y chasquea la lengua.

—¡Suéltame, bestia! —gime Aglae—. Encima de que hemos tenido que enterarnos de tu exposición por el periódico...

Aflojas la presión sobre su mano poco a poco. Te la llevas a la boca y depositas en ella un beso ligero. Tus labios sedosos están calientes, están ardiendo.

—Perdóname, Aglae —te disculpas—. Me has dado un susto.

—Tú sí que me has asustado a mí. Valiente cafre.

—Ni siquiera nos has invitado. Les has mandado invitaciones a todos los menganitos que figuran en la Guía Telefónica de Madrid, menos a nosotras tres —te recrimina Talía.

—¿Tres? Ah, sí. ¿Y Eufrosina?

—No ha podido venir. Está recién operada y le tiran los puntos al andar —explica Aglae.

—Espero que no sea nada grave.

—No. Parece que saldrá de ésta. Con unos gramos menos, pero saldrá adelante.

—Visto a escala cósmica, lo suyo es una minucia —confirma Talía.

—Me alegro por ella.

—Te manda recuerdos.

—Devolvédselos... —Piensas un poco—. No es que no los quiera. Es que yo le mando otros recuerdos. Eso es. Otros.

—No te preocupes, se los daremos de tu parte.

—Una bonita velada —dice Aglae.

—Vosotras dos estáis todavía más hermosas —dices. Y lo peor de todo es que lo dices en serio.

—¡Adulador! —corean las dos al unísono.

—Me alegro mucho de veros por aquí.

—Bueno, ya sabes, somos dos viejas brujas con mucho tiempo libre y sin hombres que nos planifiquen la agenda. —Aglae se cuelga de tu brazo—. Queríamos verte. Hace mucho que no te veíamos.

—Desde el entierro de Araceli.

—Entonces te portaste como un campeón. Todas sabemos lo duro que fue para ti. Y sin Valentina...

—No tiene importancia, de verdad, no...

—Sí que la tiene.

—Hice lo que pude. Yo quería a Araceli —susurras con timidez—. Vivíamos juntos.

—Ulises, lo dices de una manera...

—No, no. No había sexo entre nosotros, si te refieres a eso —niegas tú.

Ellas se miran entre sí. No acaban de decidir si eres un ingenuo, un bromista o un pervertido.

—Ejem. Sí, claro. —Aglae se aclara la garganta.

—También queríamos ver cómo triunfas, ver tus cuadros. Y queríamos, sobre todo, tener una excusa para salir a la calle un rato. —Talía recorre con la mirada a la gente que la rodea, y que va siendo menos numerosa por momentos.

La fiesta se está acabando. Por fin.

—Además de preguntarte por Valentina... —continúa Aglae—. ¿Has sabido algo de ellos últimamente?

—Vili me mandó una postal desde Nueva York hace una semana —explicas.

—¡Nueva York! ¿Aún siguen allí desde que volvieron de las Barbados?

—Sí. Decía que Valentina se siente débil, aunque no

mucho más que hace unas semanas. —Miras a una mujer y después a la otra—. Decía que son felices. «Cada día que pasa es una propina del tiempo», decía. Decía «no sé cuánto durará, pero eso, ¿quién lo sabe?». Eso es lo que decía su postal. Creo que Valentina llamó la otra noche por teléfono a Penélope, y que estuvieron hablando mucho rato. Podéis preguntarle a ella. Incluso podéis llamar a Valentina. Penélope puede daros su número.

—Lo haremos, querido, lo haremos —asegura Aglae—. Preguntaremos, llamaremos... A lo mejor incluso la visitaremos. —Y tras una pausa—: Me refiero a ella, a Valentina. Siempre que a ella le apetezca, por supuesto. Además, hace tiempo que pensábamos hacer un viajecito, ¿verdad, Talía?

EXTRAÑOS EN EL PARAÍSO

Cuando Jana y tú entráis en el edificio donde vive Penélope, ya son casi las once y media de la noche. Jana tiene las llaves, es ella la que abre la puerta para que pases con Telémaco en brazos, dormido.

—Hoy no ha echado su siesta —le explicas a Jana—. Está reventado, pobrecillo.

El niño abre los ojos cuando la chica enciende la luz del recibidor. Vuelve a cerrarlos bruscamente.

—Mieeerda... —murmura entre dientes.

—¿Es que no puedes cambiar de conversación? —le susurras tú, bajito—. Anda, sigue durmiendo. Papá te va a poner a hacer un pis y después te va a acostar en tu cama.

Le das un beso y dejas al niño en su habitación. Sales de puntillas procurando no hacer ruido.

Cuando Telémaco vivía contigo, algunas noches no había manera de dejarlo solo en su dormitorio. Te quedabas a su lado hasta que se dormía. Te ponías de pie. Te encaminabas hacia la puerta con todo el sigilo de que eras capaz. Pero los tobillos te crujían, has hecho mucho deporte y el deporte deja esos recuerdos: tus huesos sonaban como palitos secos que alguien troncha en medio de un perfecto silencio nocturno. Telémaco se despertaba enseguida y se ponía en pie de un brinco. Agarrado a los barrotes de la cuna, te miraba con censura. Pese a que en la oscuridad no podías ver sus ojos, notabas sus amargos reproches infantiles en el ritmo de su respiración, húmeda y agitada, como si fueran gritos de auxilio. Te dabas la vuelta y volvías a su lado. Te quedabas allí, sentado en el suelo, bajo la cuna, hasta que eras tú el que se dormía.

Ahora, por el contrario, Telémaco no se desvela. No protesta. No gruñe. Está cansado. Y vive con mamá. Por él puedes irte a donde quieras.

Te sientes traicionado.

Vuelves sobre tus pasos, entras de nuevo al cuarto, te reclinas sobre su pequeña figura acurrucada y le das otro beso.

—Hasta el fin de semana que viene, hijo —balbuceas—. Aunque puede que pase antes a verte.

Regresas al salón. Jana está de pie, dispuesta a marcharse. Tiene las llaves en las manos, las manosea nerviosamente.

—La niñera no viene hasta mañana a las ocho —te dice la joven. Se pasa una mano por el pelo y lo echa hacia atrás, dejándolo caer por su espalda—. Penélope me ha dicho que te diga que no tardará mucho en llegar. ¿Puedes quedarte con el niño hasta que venga, entonces? Es que, verás, me quedaría yo, pero hay alguien que me espera para tomar una copa. Sólo es nuestra segunda cita, y él es Libra. Ya sabes, equilibrados, ordenados, suspicaces, blablablá. No me gustaría llegar tarde y que pensara que siempre hago lo mismo. Sobre todo porque no es verdad.

—Está bien. —Te dejas caer sobre el sofá y te frotas los ojos—. Pero tu jefa debería saber que, según nuestro acuerdo, yo tengo que entregarle a Telémaco a las ocho de la tarde del domingo. Y ya son casi las doce.

—Bueno, bueno. Eso mejor lo hablas con ella.

—Sí. Es posible que lo haga.

—Yo, de todas formas, me voy. Me llevo las llaves.

—Que te diviertas.

—Gracias. Hay una buena conjunción astral para mí esta noche, así que probablemente sí, sí que me divertiré.

—Jana te dice adiós con un tintineo de llaves y de llavero.

Oyes la puerta de la entrada cerrarse con un chasquido metálico.

Vas a la cocina y te preparas algo de comer. Estás hambriento. Los canapés que has logrado llevarte a la boca esta noche, en la galería, no te han llenado porque ni siquiera te has dado cuenta de que te los estabas comiendo.

En el momento en que estás a punto de quedarte dormido sobre el sofá, la puerta de la entrada vuelve a oírse y Penélope irrumpe en el salón enfundada en un vestido que ni siquiera parece que lo sea. Tú dirías, más bien, que se ha confeccionado una suerte de funda para el cuerpo. Demasiado ceñida, si alguien quiere saber tu opinión. Es escandaloso. ¿No es ella la madre de tu hijo, al fin y al cabo? Estás en tu derecho de sentirte molesto. Qué elegante ramera, habrías pensado de ella si la hubieras visto por la calle y no supieses quién es.

Te incorporas en el sofá. Os miráis sin decir nada.

El *diableteau*. La *marionnette*.

Paralizados frente a frente. Tan opuestos.

Consideras la función social del sadismo (debe de tenerla).

Nunca te han gustado las canciones de amor. Si tú me dices ven, lo dejo todo. Te amo hasta la locura. Amor hasta la muerte. Sólo pienso en ti. Nadie más que tú, y tú, y tú y solamente tú. Siempre has sospechado que las canciones de amor le envían a la gente unos mensajes lamentables, depresivos. Nadie debería amar nunca hasta la locura o hasta la muerte. Ni pensar sólo en la persona amada. Cualquiera debería ser capaz de vivir, y de vivir bien, sin cualquiera.

Por eso tus canciones preferidas son aquellas que fueron escritas bajo el efecto de los narcóticos.

El LSD, por ejemplo, dio estupendos resultados. Por ejemplo *Lucy in the Sky With Diamonds*.

Penélope en el cielo con diamantes.

Y, sin embargo, tú la amas.

Has sometido a tu amor a una métrica muy imaginativa y oscilante. Pero es amor lo que sientes por ella, porque puedes verla ahora mismo. A Penélope. Sola. Hermosa. En el cielo. Con diamantes. Sexo. En eso piensas. No puedes evitarlo. Es tu naturaleza. Pero con diamantes. Tú crees que las mujeres, en cuestión de sexo, son como los esprays: hay que agitarlas antes de usarlas. Penélope está parada, en mitad del salón. No, no. Demasiado quieta.

—¿Eso que llevas rodeándote el cuello son diamantes? —le preguntas cuando te decides a hablar. Te levantas y te acercas a ella.

—No. Sólo son piedras falsas. Bisutería fina —responde ella—. Se presentaban esta noche. Las diseña un amigo mío.

—Ah.

—¿El niño está durmiendo?

—¿Tú qué crees que puede estar haciendo una criatura a estas horas? No me parece que éstas sean horas de... —dices.

—Lo siento. —Penélope esta noche está muy bella. ¿Era antes tan bella?, ¿lo era?—. La niñera no llega hasta mañana a las ocho. Tiene libres los fines de semana, cuando el niño se va contigo.

—Sí, lo sé. Y me importa un rábano el horario de tu niñera. No creo que una buena madre deba...

—¿Qué?

—Que una buena madre no debería salir por ahí a estas horas sabiendo que su hijito la espera.

—¿Qué me estás llamando? —Penélope se quita los zapatos. Te observa malhumorada.

—Nada que no te haya dicho antes.

—Explícate.

—Lo que haces no me parece propio de una buena madre. Es tarde. Mira qué horas son. Tengo derecho a exigirte que cuides del niño a todas horas. Las fiestas de tus amigos me la sudan, cariño. Te quedaste con mi hijo y tengo derecho a esperar de ti que estés a su lado como yo lo estuve cuando tú no quisiste hacerte cargo de él y lo abandonaste.

—¿Qué has dicho? No, pero ¿qué has dicho? —pregunta Penélope. Después de descalzarse parece más menuda.

—Nada. Feliz cumpleaños. —De pronto sonríes, decides darte por vencido, te acercas más a ella. No tienes ganas de pelear. Y qué sorpresa. De nuevo su olor—. Aunque tu día de cumpleaños ya casi se ha pasado.

—Ya ha pasado, en realidad. Son las doce y media —ella mira su reloj de pulsera.

—¿No lo has celebrado?

—¿Estás de broma? —Penélope te contempla incrédula—. En el mundo en el que yo me muevo no se celebran demasiados cumpleaños, igual que no se festeja el contagio de enfermedades venéreas.

—Quería haberte traído un regalo. No sabía qué regalarte.

—No es necesario.

—Te he retratado. Es un acrílico. Te gustará el color. Tengo el cuadro en casa. En mi casa. En tu casa. Bueno, en la casa de la calle Santa Isabel. Lo traeré cuando quieras. No sabía si te agradaría tener un cuadro mío aquí. Por eso había pensado en comprarte un libro, o un perfume, pero hemos tenido un día infernal, no me ha dado tiempo a nada.

—Hum. ¿Qué tal tu exposición?

—Bien, bien. Se ha vendido todo. Dentro de poco participaré también en algunas muestras colectivas de Berlín y Chicago. Y han salido otras cositas por ahí. Bien, sí, no me puedo quejar —asientes parsimoniosamente—. Creo que pronto dejaré de ser pobre... aunque, es curioso, ahora ya no me importa tanto como antes.

—Ja. Tú y el dinero, menuda pareja.

—No, de verdad, Peny. Es así. —Observas con atención el color de su pelo. El tono ha variado desde la última vez que os visteis, hace una semana. Un cambio sutil que no puede, sin embargo, escapar a tu ojo entrenado—. Vamos, no nos enfademos por una vez. Hoy es un gran día. ¿Puedo darte un beso? —le preguntas con cautela—. ¿Un beso de felicitación?

Ella frunce el ceño. Parece nerviosa. Empieza a acalorarse. Eso es bueno. Eso crees tú.

—¿Cuánto hace que no me besas, que no nos besamos tú y yo? —pregunta Penélope, escamada.

—No recuerdo.

—Yo sí —dice.

Le das un beso en los labios, poniéndole una mano en la cintura. Recuerdas que eso a ella le gustaba.

Agítala un poco, te dices.

Penélope te devuelve un puñetazo en el ojo. Qué ingrata. Escuece. Ha sido un golpe certero y sólido. Sorprendente. Ha dado en el clavo. Se te saltan las lágrimas. Ni en el ring del gimnasio recibes porrazos tan decisivos. Por lo menos, no todos los días, y sueles llevar casco.

Qué asombroso es el dolor. Antiguo y pertinaz como la vida. Siempre de moda, exhibiendo la perfección en que delimita sus umbrales salvajes.

Penélope se sopla sobre los nudillos lastimados. Agita la mano derecha, la sacude nerviosamente.

—¡Ay, ay...! Desde luego eres... eres... —aúlla de dolor—. ¡Animal!, ¡serás animal!

—Sinceramente, cariño... —dices tú, mientras te frotas

la ceja y la cuenca lacerada. Te miras los dedos, hay en ellos unas gotas de sangre de un vigoroso color rojizo mezcladas con algo que parece agua—. Sinceramente...

Unas horas después das vueltas, soñoliento y turbado, en la cama. ¿Cuál es el beneficio y cuál el daño?, te preguntas. Pero hay cosas que más vale no saber, de modo que rechazas las respuestas, si es que había alguna, o si es que cabía darlas.

—Creo que debería irme a mi casa —le dices a Penélope, que dormita boca abajo, a tu lado—. Es muy tarde. Llamaré a un taxi por teléfono. No te levantes, preciosa.

Aún te escuece la ceja. Aún sangra. Pero no tienes sangre en ninguna otra parte de tu cuerpo.

Hay cosas que es mejor no olvidarlas. Cuando la vida hiere lo hace en un instante, sin avisar para que pueda ser detenido su zarpazo. La vida se vive en instantes y así no hay quien pueda con ella.

—Quédate a dormir aquí, si quieres —dice Penélope. Se coloca boca arriba. Está adormecida. Cansada y tranquila y agradecida. Siempre has sido generoso con las mujeres. A lo mejor ése es el secreto de tu éxito.

—¿Y mañana? —preguntas tú tontamente.

¿Y mañana? Mañana quién lo sabe, Ulises.

El amor y la vida, al revés que el dolor, son cosas poco exactas.

—¿Quieres quedarte? —pregunta Penélope.

Te metes debajo de las sábanas. Palpas a ciegas hasta que encuentras de nuevo su cintura.

—Sí, quiero —dices—. Sí.

APÉNDICE

EUDEMONOLOGÍA
(PEQUEÑO ARTE DE SER FELIZ)
Apuntes para un libro imposible de escribir
por Viliulfo Alberola

Que en el principio, cuando el mundo era joven, había muchas ideas pero nada que fuera una verdad. El hombre se hacía sus verdades y cada verdad era el compuesto de muchas ideas vagas. En todas partes del mundo hubo verdades y todas ellas eran hermosas.

El anciano había enumerado cientos de las verdades en su libro. No trataré de decírselas todas. Estaba la verdad de la virginidad y la verdad de la pasión, la verdad de la riqueza y la pobreza, de la frugalidad y el desenfreno, de la indiferencia y la entrega. Cientos y cientos eran las verdades, y todas eran hermosas.

Y luego vino la gente. Cada cual, cuando aparecía, se apoderaba de una de las verdades, y algunos que eran muy fuertes se apoderaban de una docena.

El anciano tenía totalmente elaborada una teoría referente al asunto. Su idea era que en cuanto una persona tomaba para sí una de las verdades, la llamaba su verdad y trataba de vivir su vida por ella, se convertía en grotesco y la verdad que abrazaba se convertía en una falsedad.

Ya ve usted por sí mismo de qué modo el anciano, que se había pasado toda la vida escribiendo y que estaba lleno de palabras, escribió cientos de páginas acerca del asunto. El tema creció tanto en su mente que él mismo estuvo en peligro de convertirse en un grotesco. No fue así, supongo, por la misma razón por la que jamás publicó el libro».

SHERWOOD ANDERSON,
Winesburg, Ohio, El libro de los grotescos

Una vida feliz es aquella que, objetivamente, es absolutamente preferible a la no-existencia, a no haber existido.

Ten alegría de ánimo.

Busca la tranquilidad de tu espíritu.

«El prudente no aspira al placer, sino a la ausencia de dolor» (Aristóteles).

Evita la envidia.

«El querer no se puede aprender» (Séneca). Aprende, a partir de tu experiencia, qué es lo que quieres y de qué eres capaz.

No olvides que hay cosas que no tienen remedio.

Nadie echa de menos lo que nunca ha pretendido. El pobre no echa en falta las grandes posesiones de los ricos. Lo que está fuera de nuestra vista no nos inquieta. Hoy, que todo está expuesto a nuestra vista a través de los medios de comunicación de masas, solemos inquietarnos por todo. Cuando eso te ocurra a ti, deja de mirar por unos días.

En ausencia de grandes sufrimientos, las pequeñas molestias te atormentarán.

En tiempos difíciles has de recordar que todo pasa. Cuando sientas una alegría desmesurada, también.

Haz con buena voluntad aquello que puedas, y ten la voluntad de soportar el sufrimiento.

«Vive, no como quieras, sino como puedes vivir» (Fleischer).

Ten presente que todo está expuesto al azar y al error.

«Sométete a la razón si quieres someterlo todo» (Séneca).

Cuando se produzca una desgracia, no pienses que las cosas podrían ser de otra manera, porque no pueden serlo.

Habla poco con los demás, y mucho contigo mismo.

Abre todas tus puertas a la alegría y no te preguntes si tienes o no tienes verdaderos motivos para estar alegre.

No vivas en el pasado, ni pienses demasiado en el futuro. Trabaja en el presente para el porvenir.

Mantén la serenidad. Sé consciente de que tu infortunio puede ser sólo una pequeña parte de las desgracias que podías haber sufrido.

No pases la vida torturándote al pensar en probables alegrías imaginarias. Disfruta de tu presente soportable, indoloro y tranquilo.

Procura evitar el dolor, aun a costa de rechazar placeres.

Recuerda que mostrar ira u odio con palabras o con expresiones es inútil, peligroso, imprudente, ridículo y vulgar.

Los asuntos de la vida que te afectan son inconexos y fragmentarios. Organiza tu manera de pensar en ellos de la misma forma: abstráete, piensa, arregla, disfruta, sufre cada cosa en su momento, nada más.

No te lamentes por los placeres perdidos: son quimeras perdidas. «Sólo el dolor es real» (Voltaire), evítalo.

Corrige con arte lo que el azar te ofrece.

En la primera mitad de tu vida, buscarás con ansia la felicidad. En la segunda mitad de tu vida, buscarás la tranquilidad y la ausencia de dolor. Es entonces cuando te sentirás más satisfecho.

No pienses en lo feliz que serías si tuvieras todas esas cosas que no tienes. Piensa qué sería de ti si, las que tienes, te las quitaran.

Lo único verdaderamente importante que posees es aquello que nadie puede robarte.

Pon freno a tus deseos, tus apetencias, tu ira. El ser humano no puede alcanzar más que una parte de todo lo que desea.

«Que no te atormenten el miedo y la esperanza ante cosas poco útiles» (Horacio).

Si crees que sufres, fíjate en el que sufre más que tú, no en el que goza más.

No pienses que a la vejez le falta alegría y no puede gozar de placeres. Todo placer es relativo, pues sacia una necesidad, y el placer desaparece cuando lo hace la necesidad.

«Entre los deseos unos son naturales y necesarios. Otros naturales y no necesarios. Otros no son ni naturales ni necesarios, sino que nacen de la vana opinión» (Diógenes Laercio). La misma división hace Epicuro con los bienes.

Esforzarse y luchar contra algo que se resiste es una necesidad esencial de la naturaleza humana. Superar obstáculos es un placer.

No tomes como guía las imágenes que te procura tu fantasía porque no te saciarán, cuando las alcances se desvanecerán. Guíate por los conceptos, que cumplen lo que prometen.

Cuida tu salud. «Nueve décimos de nuestra felicidad se basan en la salud, porque de ella depende nuestro buen humor» (Schopenhauer).

Lo que se puede ver es muy fuerte en comparación con lo que se piensa y se razona. No dejes que lo que ves te ciegue.

Nuestra vida es el producto de una serie de acontecimientos y de otra formada por nuestras decisiones. Ambas fuerzas tiran en direcciones opuestas y conforman el curso de nuestra existencia.

Ten en cuenta las transformaciones que el tiempo opera en ti. No te empeñes en cosas que ya no son las adecuadas para tu persona y tu edad.

«El medio más seguro para no volverse infeliz es no llegar a desear ser muy feliz» (Schopenhauer). Que las exigencias de tu placer —posesiones, rango, honores...— estén a un nivel moderado. «En pesada caída se derrumban altas torres» (Horacio).

No olvides que «la necedad sólo agarra una punta de la vida, y ésta puede ser muy placentera» (Schopenhauer).

Cada uno vive en un mundo diferente según la diferencia de su cabeza. No aspires a la posesión de bienes externos, sino a tener un temperamento alegre y feliz, y una mente sana. Únicamente el «estado de conciencia» es lo duradero, todo lo demás es pasajero. Es «lo que somos» lo que importa, no «lo que tenemos« o «lo que representamos».

Piensa que todo lo que sucede es necesario. Es «posible» aquello que con seguridad puede suceder. Todo lo real es necesario, y no hay diferencia entre realidad y necesidad en el mundo fáctico.

Para la razón, en cambio, la necesidad, la realidad y la posibilidad son cosas separadas. Trátalas como tales.

Cuando pienses en posibilidades, medita sobre las malas y toma medidas para prevenirlas. Las vanas ilusiones sólo pueden traerte decepción.

No hagas «amplios preparativos para la vida». La vida es demasiado corta para alojar todos tus planes.

«¿Por qué esfuerzas a tu espíritu demasiado débil para planes eternos?» (Horacio).

Pero no olvides que el engaño de que la vida es larga tiene su lado bueno: sin él jamás llegaríamos a hacer algo grande.

Dentro de ti están tu bienestar y tu malestar.

Uno disfruta sólo de sí mismo. «Si el "yo mismo" no vale mucho, entonces todos los placeres son como vinos deliciosos en una boca con regusto a hiel» (Schopenhauer).

Los grandes enemigos de la felicidad humana son dos: el dolor y el aburrimiento. Contra el dolor, la alegría. Contra el aburrimiento, el espíritu.

A veces, la alegría y el espíritu son incompatibles. «El genio es pariente de la melancolía» (Aristóteles). «Los ánimos alegres sólo tienen capacidades espirituales superficiales» (Cicerón). Sea como sea, si posees mucha alegría soportarás mejor el dolor. Y disfrutarás del ocio si tienes mucho espíritu.

«Mi madre tenía un maravilloso sentido del humor, y aprendí de ella que las más altas formas de comprensión que podemos alcanzar son la risa y la compasión humanas» (Richard P. Feynman).

«La vida filosófica es la más feliz» (Aristóteles).

«Un noble del siglo XVII escribió en un castillo de Sajonia: *Amour véritable, Amitié durable, Et tout le reste au diable*» (Schopenhauer). Los amigos son una de tus mejores posesiones.

«La felicidad pertenece a los que se bastan a sí mismos» (Aristóteles).

«La mayor suerte es la personalidad» (Goethe).

No creas que tu felicidad depende de tu destino y de aquello que puedas tener. El destino puede mejorar, pero si eres un necio, ni siquiera un favorable destino conseguirá que dejes de ser un necio.

«Todos los lujos y placeres representados en la conciencia apagada de un necio son pobres frente a la conciencia de Cervantes cuando escribió *Don Quijote* en una cárcel incómoda. Lo que uno tiene por sí mismo, lo que le acompaña en la soledad sin que nadie se lo pueda dar o quitar, esto es mucho más importante que todo lo que posee o lo que es a los ojos de los otros» (Schopenhauer).

Nunca olvides que tu felicidad depende de ti mismo, de lo que eres, no de lo que tienes ni de lo que representas.

NOTA DE LA AUTORA

Contra lo que pudiera parecer, la felicidad no es el arte de saber conformarse, si bien es posible que sí lo sea el de aprender a disfrutar de lo que somos, y secundariamente de lo que tenemos, sin preocuparnos demasiado por aquello que es evidente que jamás podremos ser o por lo que nunca tendremos. Por ejemplo: conozco a alguien que, cuando era una niña, quería, por encima de todo, ser un pájaro y poder volar. A esa mujer le costó mucho tiempo y mucha infelicidad entender que jamás podría conseguir unas alas propias y que, además, un ave ni siquiera *sabe* que vuela. Cuando lo comprendió, por fin empezó a gozar de la enorme dignidad y el privilegio que significa ser un ser humano. Nada más que humano. Nada menos.

Esta novela que tienes en tus manos, lectora o lector, es en cierta manera deudora de mis lecturas de algunos filósofos, que son mencionados (citados) a lo largo de sus páginas cuando les corresponde. Personalmente, pocas cosas me han producido en la vida tanta felicidad como leer a los filósofos: ellos me han ayudado siempre a comprender. A comprender a otros seres humanos, al mundo y a mí misma.

Debo advertirte de que la historia está dividida en tres partes —«Lo que representamos», «Lo que tenemos» y «Lo que somos»—, en honor a Arthur Schopenhauer, porque según él esos son los tres puntos que conforman *La suerte de los mortales*. También que para escribir la Eudemonología (o *Pequeño Arte de ser feliz*) que la concluye, he usado, y *abusado*, de otro texto de Schopenhauer, elaborado con fragmentos dispersos, recogidos bajo el título español de *El arte de ser feliz* (Ed. Herder, Barcelona, 2000), cuya lectura recomiendo vivamente. Creo que el viejo maestro me habría dado permiso para explotar a placer sus reflexiones. Schopenhauer es uno de mis pensadores preferidos (junto con Marco Aurelio, Michel de Montaigne, Séneca, Cicerón, Epicuro... etc., etc.), a pesar de que no es conocido por su optimismo, precisamente. Más bien, como dijo Jean Rostand, era un filósofo que se sentía «muy optimista en cuanto al porvenir del pesimismo». Sin embargo, siguiendo el modelo de Gracián, demuestra con esta «Doctrina de la felicidad» que «el pesimismo metafísico es compatible con los esfuerzos por llevar una vida feliz» (según el prefacio de Franco Volpi, traducido en la edición española arriba citada).